dtv

Die Brüder Grimm erhalten im Jahr 1838 einen ehrenvollen Auftrag: Ein Wörterbuch der deutschen Sprache sollen sie erstellen. Voller Eifer machen sie sich ans Werk. Aberwitz, Angesicht, Atemkraft – fleißig sammeln sie Wörter und Zitate, in wenigen Jahren sollte es zu schaffen sein. Barfuß, Bettelbrief, Biermörder – sie erforschen Herkommen und Verwendung, sie verzetteln sich gründlich. Capriolen, Comödie, Creatur – am Ende ihres Lebens haben Jacob und Wilhelm Grimm nur wenige Buchstaben bewältigt.

Günter Grass erzählt das Leben der Brüder Grimm als Liebeserklärung an die deutsche Sprache und die Wörter, aus denen sie gefügt ist. Er schreibt über die Lebensstationen der Brüder, über ihre uferlose Aufgabe und die Zeitgenossen an ihrer Seite.

Spielerisch-virtuos spürt ›Grimms Wörter‹ dem Reichtum der deutschen Sprache nach und durchstreift die deutsche Geschichte seit der Fürstenherrschaft und den ersten Gehversuchen der Demokratie. Von der Vergangenheit mit ihren politischen Kämpfen und ganz alltäglichen Sorgen schlägt Günter Grass manche Brücke in seine eigene Zeit.

Günter Grass wurde am 16. Oktober 1927 in Danzig geboren, absolvierte nach der Entlassung aus amerikanischer Kriegsgefangenschaft eine Steinmetzlehre, studierte Grafik und Bildhauerei in Düsseldorf und Berlin. 1956 erschien der erste Gedichtband mit Zeichnungen, 1959 der erste Roman, ›Die Blechtrommel‹. 1999 wurde Günter Grass der Nobelpreis für Literatur verliehen. Günter Grass lebte bis zu seinem Tod am 13. April 2015 in der Nähe von Lübeck. Sein gesamtes literarisches Werk ist auch im dtv erschienen.

Günter Grass

Grimms Wörter

Eine Liebeserklärung

Deutscher Taschenbuch Verlag

Ausführliche Informationen über
unsere Autoren und Bücher
finden Sie auf unserer Website
www.dtv.de

2. Auflage 2015
2012 Deutscher Taschenbuch Verlag GmbH & Co. KG,
München
© Steidl Verlag, Göttingen 2010
Umschlagkonzept: Balk & Brumshagen
Umschlaggrafik: Günter Grass (© Steidl)
Gesetzt aus der Bodoni Old Face
Druck und Bindung: Kösel, Krugzell
Gedruckt auf säurefreiem, chlorfrei gebleichtem Papier
Printed in Germany · ISBN 978-3-423-14084-3

Ute gewidmet, die Wort nach Wort dabei war

INHALT

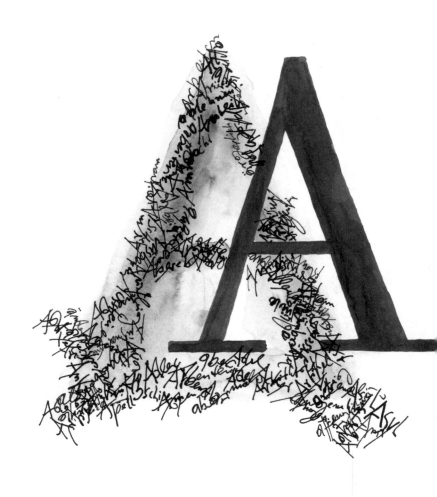

IM ASYL

Von A wie Anfang bis Z wie Zettelkram. Wörter von altersher, die abgetan sind oder abseits im Angstrad laufen, und andere, die vorlaut noch immer bei Atem sind: ausgewiesen, abgeschoben nach anderswo hin. Ach, alter Adam!

Es waren einmal zwei Brüder, die Jacob und Wilhelm hießen, für unzertrennlich und landesweit als berühmt galten, weshalb sie ihres Nachnamens wegen die Brüder Grimm, Grimmbrüder, auch Gebrüder Grimm, von manchen die Grimms genannt wurden. Selbst nach heutigem Sprachgebrauch, der sich gern mit Anleihen brüstet, sind sie als Grimm Brothers Redensart, und sei's nur vom Hörensagen als Märchenonkel, die uns von Allerleirauh und Aschenbrödel erzählen.

Geboren in jenem Teil Hessens, der mit der Obergrafschaft Hanau im deutschen Flickenteppich der Kleinstaaterei als einer von über dreihundert Flecken galt, blieb ihnen der dort übliche Zungenschlag bis ins Alter anhänglich, wenngleich gemildert durch Ortswechsel.

Jacob kam 1785 zur Welt, Wilhelm ein Jahr später, zeitlich nur eine kurze Spanne vor der Französischen Revolution, deren Folgen das europäische Machtgefüge bis in ferngelegene Kolonien, doch in Hessen kaum etwas änderten. Jedenfalls tat sich in ihrer Geburtsstadt Hanau, wo der Vater Philipp Wilhelm Grimm als Hofgerichtsadvokat, dann Stadtsekretär seines Amtes waltete, so gut wie nichts, desgleichen im nahen Frankfurt, abgesehen von einer Kaiserkrönung, an die sich die Brüder später aus dem trübenden Abstand der Jahre erinnern werden: das Schauspiel der landgräflichen Truppenparade bot bunte Bilder, die das Gedächtnis schönte. Kanonendonner und des Krieges Schrecken blieben fern, aber dunkel stand ihnen der Wald nahe, in dem sich Kinder und Wünsche verliefen und in vielerlei Gestalt die Angst wurzelte.

Danach lebten die Grimms in Steinau, einem an der Handelsstraße zwischen den Messestädten Frankfurt und Leipzig gelegenen Städtchen, in dem Jacob und Wilhelm von Hauslehrern unterrichtet wurden, bis sie nach dem Tod des Vaters nach Kassel zogen, wo sie bei karger Lebensführung aufs Lyzeum gingen, unterstützt von Tante Zimmer, die als Hofdame Ansehen genoß und über ein kleines Vermögen verfügte.

Von drei weiteren Brüdern, der Schwester, die nach dem Tod der Mutter von Jacob und Wilhelm versorgt werden mußten, wurde der Nachwelt nur Ludwig Emil Grimm bekannt. Er, von allen Geschwistern Louis gerufen, hat die namhaften Brüder, um die es zu allererst und fortan gehen soll, mit weichem Blei gezeichnet, mit schneller Feder karikiert und mit harter Radiernadel auf Kupferplatten verewigt: Jacob vor Wilhelm aus seitlicher Sicht gestellt, so daß sich ihre Profile gestochen scharf eingeprägt haben. Beide in edler Haltung, der ältere mit geschlossener Halsbinde, des jüngeren Kragenspitzen stehen ab. Ihr Geradeausblick auf etwas fixiert, das fernab zu finden sein mag. Des einen Haar fällt gelockt, des anderen leicht gewellt glatt. Ihr jeweils ausdrücklicher Ernst.

Die Gebrüder. Das bürgerlich gekleidete Brüderpaar. Auf Titelblättern, dem Tausendmarkschein gedruckt, als Briefmarken gestempelt. Deutsche Wertzeichen, für Denkmäler, Straßennamen, Festspiele tauglich und fürs Anwerben wan-

10

derfreudiger Touristen geeignet: eine Märchenstraße folgt ihrer Lebensbahn. So augenfällig anheimelnd und angepaßt dem allgemeinen Geschmack wurden sie uns überliefert und zur Harmlosigkeit verurteilt.

Ich aber sehe sie als Doppelgespann lebenslänglich vor den stets überladenen Bücherkarren gespannt. Wie sie in Schweinsleder gebundene Schwarten wälzen, Folianten stapeln, Mythen, Sagen, Legenden, verschollenen Manuskripten auf der Spur sind, schon in Marburg als Studenten und später anderenorts, wo immer sich Vergessenes abgelagert haben mochte. Romantiker, unterwegs ins Biedermeier, die wortvernarrt Wörter klauben, Silben zählen, die Sprache nach ihrem Herkommen befragen, Lautverschiebungen nachschmecken, verdeckten Doppelsinn entblößen, Entschlafenes wachküssen, von altehrwürdigen Sprachdenkmälern den Staub wegwedeln und später als Wortschnüffler um jeden Buchstaben und besonders pingelig um anlautende Vokale besorgt sein werden. Ihre heillose Sucht und selbstverordnete Fron; Spötter meinten, man könne sich Jacob zwischen Buchdeckel gesperrt, in kostbares Leder gebunden vorstellen.

Doch soll vorerst ungenannt bleiben, was alles die beiden in Bibliotheken mit Spürsinn aufstöberten – Wilhelm in Kellerarchiven, Jacob sogar auf Reisen, so in Wien, während walzerselig der Kongreß tanzte oder Länderschacher betrieb – und dank fleißiger Beatmung, bei Luther noch Odem, wiederbelebten. Nur soviel: beide waren, so vergattert sie als Brüderpaar auftraten, eigen und gegensätzlich. Wenn sie sich, anfangs noch im Auftrag des Dichters Brentano, gemeinsam tätig sahen, hat dann aber – »weil es Clemens an Ausdauer oder Lust mangelte« – allein Wilhelm alle gehorteten Märchen, wie sie in Hessens Spinnstuben erzählt wurden und die ihnen befreundete Zuträger geliefert hatten, vorerst in grober, weil ursprünglicher Fassung, danach behutsam geglättet und in gemäßigten Ton gebracht, sodann als Buch herausgegeben, auf daß sie nicht in den allzeit offenen Schlund des Vergessens fielen. Auflage nach Auflage verbreitet, sind sie uns als Grimms Kinder- und Hausmärchen noch immer zur Hand.

Der ältere der Brüder, Jacob, kümmerte sich mehr ums Herkommen der Wörter und ging ihrem grammatischen Regelwerk nach. Wo Wilhelm dem schönen Klang zuliebe ab und an schummelte, blieb er wortgetreu. Sie ergänzten und grenzten sich ab. An verschiedenen Orten lagen ihre Gelehrtenstuben nebeneinander und erlaubten später, bei gelegentlich offener Zwischentür, stummen Austausch von Geschriebenem, heitere Anrede, auch halblauten Disput von Stube zu Stube. Dabei kam ihnen viel Bücherstaub in die Lungen, der besonders Wilhelm, dessen Gesundheit von schwacher Natur war, wenig bekam. Er kränkelte häufig, gab Stimmungen nach, sah unverwandt in Abgründe, schien dann wie abwesend zu sein und bedurfte der brüderlichen Aufmunterung.

Oft suchten sie Ausgleich in der Natur, weshalb sie mir bald und immer wieder, sei es in Kassels Schloßpark oder entlang dem Ufer der Fulda, sei es später in Berlins Tiergarten, aber auch gegenwärtig auf Wunsch oder aus listiger Absicht herbeizitiert, als Spaziergänger begegnen werden. Mal vereinzelt, weil ich Jacob schnelleren Schritts als Wilhelm unterwegs weiß, dann auf kurzer Strecke Seit an Seit. Beide sind zuinnerst vom Andrang der Wörter bewegt, die gerufen wie ungerufen zur Stelle sind, wispernd anhänglich

12

bleiben, drängeln und laut auf Vortritt bestehen. Kaum abgerufen, sind sie wortwörtlich da, ergeben Sinn oder klingen nur nach; fast alle erheben Anspruch, mit Zitaten bestätigt zu werden.

Ein Auftrag besonderer Art hat die Brüder beredt gemacht. Schritt nach Tritt höre ich Jacob, nachdem er vom Adel auf die Ader gekommen ist, den Atem abwandeln, wobei er ihm zwischenlautlich ein H gönnt und das »athemholen« bei Schiller, des »lebens athemkraft« bei Goethe nachweist, dann Fischart althergebracht beim Wort nimmt, der die »sackpfeifer, die für geld ihren athem verblasen«, »athemverkaufer« nennt; derweil Wilhelm, dem Bruder hinterdrein, von Dank über Dorn und Durst der Wortstrecke des Buchstaben D kein Ende absehen kann: jetzt ist er bei drei, dreierlei, den drei Wünschen im Märchen.

So, über Wortbrücken, sind wir verbunden: Lustwandler auf eingetretenen Wegen. Ich bin dem einen, dem anderen beiseite oder wahre Abstand zu den Lautverschiebern, Wortschnüfflern, Silbenstechern. So sehe ich sie: aufrecht, noch ungebeugt von der Jahre Last schreitet der eine aus, verzögert der andre den Schritt.

Auf Dauer jedoch waren beide als stubenhockende Sprachgelehrte von krümmender Seßhaftigkeit, wie sie mir nun als Bibliothekare in den Blick geraten. Nicht während ihrer kurhessischen Frühzeit in Kassel, wo Wilhelm eher abseits sein Auskommen fand, Jacob jedoch mehreren Herren, so Jérôme, dem Bruder Napoleons, zu Diensten war und sechs Jahre lang bei gutem Salär dessen Bibliothek besorgte, vielmehr sind sie mir inmitten ihrer Lebensbahn nahe gerückt: in Göttingens Universität, der weitberühmten Georgia

Augusta, wo sie zudem, was heißt, wenn sie nicht in der einstigen Paulinerkirche über Büchern hocken, vom Katheder weg als freiredende Professoren eher unlustig ihr Allwissen vergeuden; gute Lehrer sind sie nicht. Ich stelle mir vor, wie Jacob über die Köpfe seiner Studenten hinwegredet.

Zu dieser Zeit schreibt er bereits alles, gleich ob Brief oder Manuskript, in Kleinschrift, die jedes Hauptwort einebnet. Sogar hinterm Punkt darf kein Großbuchstabe auf sich aufmerksam machen. Nur Eigennamen sind Ausnahme. Sein Bruder eifert ihm nach, wenn auch weniger konsequent. Und ich beuge mich ihrem Diktat, sobald die von ihnen angehäuften Zitate danach verlangen, kleingeschrieben zu werden.

Sie wohnen mit Blick über nachbarliche Gärten auf die Türme der Johanniskirche in der Alleestraße Nummer 6. Als Ehemann hat Wilhelm mittlerweile drei Kinder am Bein. Für Jacob ist das Familie genug. Von den Studenten mehr verehrt als geliebt, wären sie wohl bis ins hohe Alter seßhaft zu Füßen des Harzgebirges geblieben, wenn nicht der Landesherr, Ernst August, als jüngst inthronisierter König von Hannover aus machtversessener Willkür und übler Laune ein krummes Ding gedreht hätte, indem er als Nachfolger seines Bruders die von jenem gegebene und von den Ständen im Jahr 1833 gutgeheißene Verfassung für null und nichtig erklärte. Selbstherrlich hob er sie auf. Zu liberal! Weg damit! Worauf der Eid seiner Bediensteten, so auch der aller Göttinger Professoren, wie nie geleistet zu werten war. Eidbrüchig sollten sie werden, untertänigst kuschen. Sogleich sicherte er seine absolute Herrschaft mit einer neuen Verfassung, die der längst abgelebten und reaktionären aus dem Jahr 1819 glich.

Diese Anmaßung rief nicht nur die Brüder Grimm, sondern zugleich fünf weitere Professoren, die man fortan in ganz Deutschland, so uneins das Vaterland war, »die Göttinger Sieben« nannte, zur Protestation auf. Weil des Fürsten Zumutung ihr Gewissen wachrief, ergrimmten sie allesamt wie angestoßen vom Namen der Brüder, denn das althochdeutsche grimme ist im Nibelungenlied schon dem Zorn zugeordnet, »des wart ich grimme genuoc«, was nicht nur die beiden Sprachgelehrten, sondern auch die Professoren Dahlmann, Albrecht, Ewald, Weber und der Literaturhistoriker Gervinus wußten; denn grimmig sind wir und grimmen, ergrimmen. Gepaarte Wörter hängen zusammen: wie grimmgrau und – nach Goethes »Reineke Fuchs« – der Dachs als grimmbärtiger Grimmbart. Noch früher sprach Konrad von Würzburg von »grimmen herzen«, Sebastian Brant von »grimmem sinn« und im frommen Kirchenlied warnte Paul Gerhardt vorm »grimmen seelenfeind«. Nicht außer acht gelassen sein will jener Grimm, der auf den Magen schlägt und Bauchgrimmen macht. Wir geraten in Ingrimm, lassen ein M fallen und schneiden Grimassen. Dazu verkuppelte Wörter wie grimmschnaubend, grimmentbrannt, grimmerfüllt, desgleichen der »grimmwütige zorn«, der bei Hans Sachs zu finden ist und nun »grimmigst«, wie ihn Andreas Gryphius in kriegswüster Zeit heraufbeschworen hatte, angesichts fürstlicher Willkür entbrannte.

Ein Schreiben wurde von Dahlmann, der einst in königlichem Auftrag die nun gebrochene Verfassung mit anderen zu Papier gebracht hatte, in Eile aufgesetzt, dann gründlich von allen bedacht, wiederholt abgeändert, bis allzu Anstößiges gekappt war. Also bändigten die Göttinger Sieben ihren Grimm und verfaßten die Protestation in gemäßigtem, dennoch deutlichem Ton: »Ohne ihr Gewissen zu verletzen« wollten sie nicht stillschweigend geschehen lassen, daß das Staatsgrundgesetz »ohne weitere Untersuchung und Verteidigung von Seiten der Berechtigten, allein auf dem Wege der Macht zu Grunde gehe.«

Und wie verhielten sich die übrigen Professoren der Georgia Augusta? Wenn auch scharfzüngig kein Georg Christoph Lichtenberg mehr zu ihnen zählte, der mit aus wenig Wörtern abgeleitetem Witz zwei Zeilen zum Possenspiel hätte beisteuern können, ergibt sich dennoch die Frage: was taten der hervorragende Mathematiker Carl Friedrich Gauß und die in Sachen Moral profunden Pädagogen, Theologen, Juristen und Philosophen?

Wie der eine sich hinterm Zahlenzauber abstrahierender Formeln absonderte, so stellten andere sich gegen die Sieben. Der Rest schwankte schon bei lindem Gegenwind, maulte pflichtschuldig ein wenig, wollte aber mit Politik nichts am Hut haben.

So bürsteten sie ihre Talare und pilgerten demütig zum Fürsten, vor dem sie sich wie gelernt unterwürfig gaben. Danach suchte ein jeder seine heimische Stube auf, in deren Wärme er als Pantoffelheld vorbeugend jene Haltung übte, die ein Jahrhundert später als »innere Emigration« zum Widerstand gegen die ermächtigte Gewaltherrschaft gezählt werden wollte.

Nur sechs von ihnen entschlossen sich, als das Berufsverbot gegen die Sieben längst ausgesprochen und die Ausweisungserlasse für drei der Sieben wirksam geworden waren, zu einer »Nachprotestation«, die aber vom König und der hannöverschen Landesregierung durch bloße Nichtachtung bestraft wurde und deshalb echolos verhallte.

Stille kehrte ein und hielt an. Nichts Neues unter der Sonne, denn fortan blieb man an deutschen Universitäten in sich gekehrt oder tat vornehm abgehoben. Man fachsimpelte am liebsten mit seinesgleichen, bezog Nischen, gefiel sich im nimmermüden Intrigenspiel, wollte auf keinen Fall anecken, muckte allenfalls in geselliger Runde auf, pflegte ansonsten, bei aller Gelehrsamkeit, wohlbedachte Duckmäuserei, scheute jedenfalls das öffentlich wirksame Wort oder suchte den Dunstkreis der jeweils Mächtigen, so daß – kein Wunder! – knapp hundert Jahre nach der Protestation der Göttinger Sieben, als es landesweit dreiunddreißig schlug, aus Professorenmund keine Widerworte laut wurden, sobald in allen deutschen Universitäten, so auch in Göttingen, begonnen wurde, die Hörsäle von jüdischen Professoren und Studenten, wie es in Aufrufen hieß, zu »säubern«, auf daß sie, was als Leistung anerkannt werden wollte, fortan »judenfrei« waren, wobei sich der NS-Studentenbund von Königsberg bis Freiburg, ob in Leipzig oder Heidelberg als antreibende Kraft der landesweit arisierenden Barbarei erwies. Denn nirgendwo, in keinem Seminar oder Labor, wo jeweils gelehrt und geforscht wurde, war die Spur von einstigem Professorengrimm und jener studentischen Aufsässigkeit geblieben, die Wirkung zeigte, als drei der Göttinger Sieben – Dahlmann, Gervinus und Jacob Grimm – nach dreitägiger Frist, und bei Zuwiderhandlung unter Androhung von Haft, des Landes verwiesen wurden; man kann auch abgeschoben sagen, wie es nach gegenwärtiger Amtssprache der alltäglichen Praxis entspricht.

Auch das nahmen die Talarträger der Georgia Augusta hin. Begründet wurde die Ausweisung mit der den Landesfrieden störenden Veröffentlichung der Protestation. Deren Wortlaut aber hatten nicht die beschuldigten Professoren freigegeben, vielmehr fand sich auf dem behördlichen Dienstweg – mit oder ohne Absicht offengehalten – eine undichte Stelle, worauf der Text handschriftlich in Tagundnachtarbeit von über zweihundert Studenten abgeschrieben und als Flugblatt verbreitet werden konnte.

Gleich danach sorgten sie für Kurierdienst. Dabei half kein Kopiergerät. Keine Presseagentur war scharf auf Aktuelles. Was heutzutage sekundenschnell übers Internet oder den Mobilfunk um die Welt eilt und dabei, dank der Schläue neuester Medien – und sei es als albern plapprige E-Mail nur – jegliche Zensur unterläuft, war zur Zeit der Brüder Grimm ein ungeschütztes Abenteuer. Dennoch entstand in Kürze ein Netzwerk, das in Deutschlands überwachten Fürstentümern, in halbwegs freien Städten, ja, bis nach England und Frankreich von der Ungeheuerlichkeit des Verfassungsbruches Bericht gab. So kam es dazu, daß an entfernten Orten die Göttinger Sieben gefeiert wurden.

An Ort und Stelle jedoch hat die Stadtpolizei studentische Versammlungen niedergeknüppelt. Dragoner zerstreuten Zusammenrottungen auf Straßen und Plätzen. Die Bürger duckten sich weg. Allenfalls mag der eine, der andere »Die Gedanken sind frei…« gesummt haben.

Als aber in allen Studentenquartieren bekannt wurde, daß in wenigen Tagen, datiert ab dem 11. Dezember des Jahres 1837, die drei Ausgewiesenen das Königreich Hannover auf dem Kutschweg über Witzenhausen verlassen würden, um im kurhessischen Nachbarland Asyl zu suchen, machten sich über siebenhundert Studenten in der Nacht vom sechzehnten zum siebzehnten auf den Weg, zu Fuß, weil die städtische Polizei alle Kutschfahrten sowie das Leihen von Pferden und Wagen bei Strafe verboten hatte.

Doch keine amtliche Allmacht konnte sie aufhalten. Schnell lernten die Studenten, die Erlasse der Behörden zu umgehen. Schon vortags waren sie, trotz drohender Knüppelgewalt, die dreidreiviertel Meilen bis zur Grenze am Fluß Werra unterwegs gewesen. Viele auf Umwegen. Als Alleingänger und in Gruppen. Man zerstreute, sammelte sich. Nun erwarteten sie anderentags an der Brücke nach Witzenhausen die von ihnen so hochverehrten Professoren. Es soll frostig gewesen sein, doch lag kein Schnee, auch deckte kein Eis die Werra. Bestimmt aber waren – vermutet oder erkannt – Spitzel zur Stelle.

Friedrich Christoph Dahlmann und Jacob Grimm kamen in der ersten Kutsche, Georg Gottfried Gervinus in der zweiten. Schon eine halbe Meile vor der Brücke liefen junge Leute neben dem erzwungenen Abtransport. Einige mit qualmenden Fackeln, andere schoben die Gespanne. Hochrufe trieben die Pferde an. Der überlieferte Bericht des theologischen Stiftsrepetenten Ernst Bertheau, der sich den Studenten angeschlossen hatte, spricht von Immortellenkränzen, die den Ausgewiesenen verehrt wurden. Auch habe man Wegzehrung in die Kutschen gereicht. Gleich nach der Ankunft vorm Brückenzoll hätten die Asylsuchenden in Abschiedsreden die Studenten ermuntert, so der Historiker Dahlmann: »Daß die nicht die schlechtesten Staatsbürger sind, welche dafür halten, daß die Eide ungebrochen bleiben...« Und Jacob Grimm hat auf seine, eher ins Allgemeine schweifende Weise die studierende Jugend ermahnt: »Ihre Herzen sind noch empfänglicher für die Erkenntnis des Rechten. Bewahren Sie sich dieses Besitztum

Ihrer Jugend bis ins späteste Alter, so werden Sie Ihr Leben in Frieden vollenden.«

Gervinus, der weit jüngste der Ausgewiesenen, wird bei Bertheau nicht zitiert. Und unerwähnt ist im Bericht des Stiftsrepetenten, daß sich – kaum hatten nach Peitschenknall die Pferde angezogen und die Kutschen, von Hochrufen und Gesang begleitet, ab Mitte der Brücke das ungastliche Land Hannover verlassen – Jacob Grimm aus dem Kutschenfenster gelehnt und rückblickend mit wehem Abschiedsblick den Einsilber »Ach« mehr gehaucht als gerufen haben soll: »Ach...«

Nun ist dieser Wehruf eine Ableitung des früheren Ah! und des eher erstaunten Aha! Doch schon Luther läßt Jeremias sagen: »ach, dasz ich wasser gnug hätte« – »ach, wie ist das gold so gar verdunkelt«. Auch wird geklagt und frohlockt: »ach, ich elender« – »ach, wie schön ist das.«

Anschließend weiß ich, wer alles noch dem Verlust ein Ach abgenötigt oder aus Vorfreude vorangestellt hat, »ach, armer Yorick«, »ach neige, du Schmerzenreiche«, »ach, wie gut, daß niemand weiß, daß ich Rumpelstilzchen heiß«. Und weitere Zitate, die zum Bad einladen. In meiner Jugend röhrte Zarah Leander im Kino als Orpheus seiner ihm abhanden gekommenen Eurydike nach: »Ach, ich habe sie verloren...«

Außerdem ist, etwa bei Lessing, ein substantivisches Ach in Gebrauch: »sie antwortete mit einem ach...« Leider wollte später Jacob, in dessen Zitatenfülle mit Goethe Schluß sein sollte, nichts von Alkmene und dem dramatischen Ach bei Kleist wissen. Häufig tritt es verdoppelt auf: »Ach, ach!« Und als ich unlängst »Die Box« schrieb, rief in den Dunkelkammergeschichten mein Knipsmalmariechen angesichts des familiären Kuddelmuddels wiederholt: »Achachach!«

Nie hat es an Anlässen gefehlt. Geläufig ist wegen schwieriger, also unter Klagen und Ächzen verrichteter Arbeit die Kurzfassung »mit Ach und Krach«. Und Fleming verstand sogar, aus dem allzu häufigen Ach des Liebeskummers ein Verbum zu drechseln: »auch ich war krank in ihr, in ihr hab ich geachet...« Und was sonst noch mit einem Ach beginnt, endet oder umgangssprachlich geachet wird: »Achgottchen! Achdumeinegüte!«

Als aber Jacob Grimm Abschied nahm und sein Ach mehr seufzte als rief, galt dieser Wehlaut weniger der Stadt und ihrem gesellschaftlichen Treiben, das ihn ohnehin angeödet hatte, doch mehr dem in Göttingen zurückgebliebenen Bruder sowie dessen Frau und den drei Kindern Herman, Rudolf, Auguste, die ihm Familie waren. Auch all den Schätzen in der Paulinerkirche, der den Brüdern bis vor kurzem noch anvertrauten und als eigen erachteten Universitätsbibliothek, seufzte er nach, den sieben Jahren Hockerei über Büchern, einer Zeitspanne, in der der dritte, dann vierte Band der deutschen Grammatik an Umfang gewonnen und er der Sprache stetigen Wandel abgelauscht hatte, entrückt ins Urzeitliche erster Lautbildungen, andächtig besorgt allein um »Sprachdenkmäler«, wie er Altwörter nannte, so daß er sich ohne Parteinahme, weil fern dem Ansturm der Gegenwart, abseits vom alltäglichen Parteiengezänk sehen konnte.

Abscheulich schmeckte ihm jegliche Politik. Weder als Liberaler noch als Konstitutioneller wollte er dafür oder dagegen sein. Selbst seinen Nebensätzen, die dem traurigen Zustand des Vaterlandes galten, war nichts Anstößiges, kein demokratisches Rumoren abzuhören gewesen, nur Wehlaute, die einander genügten. Er verhielt sich als Bürger, bei allem Abstand zum Adel, den er als abgelebt ansah, überparteilich. Nur seinem grammatischen Regelwerk sah er sich verpflichtet und – wie sich zeigen sollte – der Landesverfassung, wenngleich er sie, wie alles Menschenwerk, als reformbedürftig erachtete.

Nun aber war sie gebrochen worden. Zum Eidesbruch hatte man ihn nötigen wollen. Seiner Haltung verlustig, hätte er sich aufgeben müssen. Das ging nicht an. Auch war ihm der Eid aus Gründen, die in seiner Erforschung germanischer Mythologie zu finden sein mochten, unverbrüchlich, wenn nicht heilig; hatte er doch schon im Text der Nibelungen den Klageruf gefunden: »war sint die eide komen...«

Deshalb sein Name und der des Bruders unter der Protestation. Deshalb die Ausweisung. Deshalb saß er nun in der Kutsche, schon über die Brücke und das Grenzwasser hinweg, Seit an Seit mit Dahlmann. Oder saßen sie einander stumm gegenüber? Jedenfalls lauschte er seinem rückläufig geseufzten Ach und gleichwohl dem ursprünglichsten aller Laute, dem wohlklingenden, einzig vom Atem oder Odem getragenen A nach. A wie aller Arten Anfang. A, das jedes Kind zu allererst lallend hervorbringt. Das kurze wie das lange A. Inlautend, auslautend. Und anlautend mit gedoppeltem A folgen ihm Aal und Aar, des Adlers altehrwürdiger Name, dann das Aas, drauf die Aasgeier, doch bald schon mit der Partikel ab eine Flut von Ableitungen wie abackern, abgründig, abhören, abmetzeln, bis hin zum Abschied, Abweg, dem Abzweig, als wäre zu ahnen gewesen, daß ihm das A und alles, was dem A anhing, bevorstehen würde.

Nun soll, was nicht verbürgt ist, doch vorstellbar bleibt, noch bevor die Kutschen zur Fahrt ins asylversprechende Kurhessen rollten, ein Student zu den Immortellen einen Apfel als Wegzehrung durchs Fenster gereicht haben, worauf Jacob Grimm, nachdem sein Ach verweht war, angesichts des Apfels, der, wie anzunehmen, ein Winterapfel gewesen ist, zu Dahlmann sagte: »Ach, lieber Freund, von A bis Z oder vom Adamsapfel bis zur Zwangsausweisung, wir bleiben auch anderswo unserer altwüchsig reichen, so vergeßlichen wie – sobald sie sich amtlich gibt – pedantischen Sprache treu.«

Sogleich waren ihm zum geschenkten Apfel das Apfelgrau des Apfelschimmels, Orangen als Apfelsinen, der hessische Apfelwein, dann noch zum Apfelbaum, den er späterhin als überladenes Wortgespann kritisieren wird – »wir sagen ja auch nicht eichelbaum wenn wir die eiche meinen« –, dennoch und trotz der bis ins Kutscheninnere spürbaren Dezemberkälte der Apfelbaumblütenzweig zu Munde. Dazu fiel ihm die altdeutsche Frühform »aphul« ein. Und was die Paradiesäpfel betraf, zitierte er auswendig Goethe, dann, den Apfelbiß und dessen Folgen wägend, Logau und Jean Paul. Schillers faule Äpfel ließ er aus. Desgleichen jenen Apfel, der nicht weit vom Stamm fällt. Ich hätte ihn gerne auf neuesten Stand bringen mögen, denn in der Welt der Computernutzer wird A wie Apple buchstabiert.

Zum Schluß – da waren die Papiere schon prüfend gesichtet und beide Kutschen am Zollhäuschen vorbei – kam er erst rückläufig, sodann vorauseilend vom Urlaut A zum Z und also auf den Zankapfel, eine Frucht, vor der er vorhin noch die ihm nachtrauernden Studenten in seiner Abschiedsrede, wie der Chronist Bertheau versichert, gewarnt hatte: »Verzankt Euch nicht im politischen Heute und Jetzt, wenn Ihr doch Freunde fürs Leben sein wollt…«

Vorm Witzenhausener Zollhäuschen, wo man kurz Rast einlegte, vertrat sich Jacob die Beine. Nur Schritte entfernt fanden Dahlmann und Gervinus ins Gespräch. Der ferne Bruder Ludwig Emil hätte diese Versammlung ernster Männer mit schnellem Stift skizzieren können, leicht karikierend.

Neben der Kutsche ging Jacob auf und ab, bis ihm eine alte Frau, die beiseite ihr Enkelkind hielt, von Gesicht zu Gesicht gegenüberstand. Kälte, Atem, der frostig verwehte. Für einen Augenblick stach die Sonne durch. Krähen im kahlen Geäst. Da sagte die Alte zum Enkel hinab: »Kind, gib dem Herrn die Hand. Er ist ausgewiesen, ein Flüchtling.«

So tat das Kind. Nicht nur Dahlmann und Gervinus hörten und sahen. So wurde diese Begegnung zur Legende. Jacob, weil angesprochen, erschrak und flüchtete sich in die Kutsche. Doch noch während der Fahrt nach Kassel, das ihm aus seiner Zeit im Dienst wechselnder Herren vertraut war, nun aber eher zögerlich Zuflucht versprach, und während restliche Studenten, die sich im Hessischen reittaugliche Pferde gemietet hatten, die Asylsuchenden begleiteten, lief, angestoßen vom kennzeichnenden Wort »ausgewiesen«, seine innere Rede weiter, in deren mäandernden Verlauf Sätze und Nebensätze geflochten waren, die alle dem Buchstaben A anhingen: Anmut und Amme, des Storchen uralter Rufname Adebar. Vielleicht stand ihm auch der Abgrund vor Augen, jene Aussicht ins Nichts, die in späterer Zeit viele Exilierte teilten, deren Quartier abschätzig »Grand Hotel Abgrund« genannt wurde. »Aua!« kam ihm über die Lippen, der Ausruf »autsch!« bei Schmerz. Dann fiel ihm aus des lebenslang asylsuchenden Arztes Rabelais wortmächtigem Angebot der Arschwisch nach Fischarts freier Übersetzung ein. Welch satte Auswahl! Anschließend trug ihm der Fleiß der Ameise, die einst Emaz, Emeisz, Omeis und Aumeise geheißen hatte, Wörter zu: Augenmerk, Arglist, Altgesell. Etwas wurde altbacken genannt. Er erinnerte sich, daß seine Mutter in Hanau und Steinau von allen Leuten die Amtmännin genannt wurde. Plötzlich reizte ihn ein ins hohe Altertum zurückweisendes Wort. Alfanz, rief er, Alfanzerei, alfänzig. Wer mochte damit gemeint sein? Vermutlich seine in Göttingen verharrenden, in ihren Talaren verschanzten Kollegen, diese Alfanzer!

Schließlich, oder weil ihn Dahlmann, der Freund, besorgt musterte, berief sich der Asylsuchende auf jenen alttestamentarischen Aussiedler, von dem wir abstammen, alle:

Ach, alter Adam!
Ab Anbeginn setzten dir Angstläuse zu,
plagte dich Aftersausen, war zu ahnen,
es könnte etwas, das ähnlich der Schlange
sich aalt, länglich aalglatt ist,
ein Angebot machen, das seit Augustinus
Erbsünde heißt und ab dem Apfelbiß
Anspruch erhebt auf Vaterschaft, Alimente.
Danach wurde im Schweiße des Angesichts
nur noch geackert.
Arbeit im Takt nach Akkord,
und deren Mehrwert abgeschöpft,
bis abgesahnt nichts mehr da war.
Ach, alter Adam!

Jacob Grimm, der als Hesse von Geburt hätte ahnen müssen, was den Heimkehrer erwartete, erschrak dennoch angesichts der Ackersleute, die er in eilig durchfahrenen Dörfern sah: schreiende Armut allenthalben. Billig wie beim Ausverkauf fiel ihm zu, was redensartlich in aller Munde war: armer Wicht, armer Teufel, armer Schelm, auch noch das Armutszeugnis, bis ihm ein Zitat abrufbar wurde: »ich armes käuzlein kleine«, das als Lied in »Des Knaben Wunderhorn«, jener Sammlung der Jugendfreunde Achim von Arnim und Clemens Brentano, an der die Grimmbrüder mitgewirkt hatten, zu finden ist und deren Entstehen in dem Roman »Der Butt« ausführlich im Kapitel »Die andere Wahrheit« nacherzählt wird. Allerdings erregt dort der aus Pommern anreisende Maler Philipp Otto Runge Anstoß, weil er mit dem plattdeutschen Märchen »Von dem Fischer un sine Fru« für Streit sorgt, der bis heute anhält, weil an allem der Mann, immer der Mann...

Dann aber fiel Jacob ein, was bei Matthäus steht: »selig sind die da geistlich arm sind«, die Armseligen. Und bei Hans Sachs, rief ihm Erinnerung zu, trat die Armut sogar als Person auf: »hierin wohnt fraw armut leider.«

Zu Dahlmann gewendet, der mit seinen Gedanken woanders sein mochte, hob er die innere Wortsuche auf: »Sehen Sie nur, bester Freund, so viel Armut. Welch unbeschreibliche Armut!«

Gleich darauf aber wurde ihm des verlorenen Paradieses Kehrseite, die mit der Armut Arm in Arm gehende Arbeit wichtig und mit ihr alles, was sie an Wörtern mit sich schleppt: die Mühsal, den Fleiß, die Ausdauer bei kärglichem Lohn. Von nichts anderem war sein Leben bisher bestimmt, aber auch abhängig gewesen. Deshalb sagte er, als Abschied genommen werden mußte, zu Dahlmann und Gervinus, die weiterzogen, weil ihnen Kurhessen kein Asyl gewährte: »Was uns bleibt, ist die Arbeit.«

So kann nicht verwundern, daß ihn, kaum war er in Ludwig Emils, seines malenden Bruders gemieteter Wohnung im Haus an der Schönen Aussicht Nummer 7 ansässig geworden – doch nunmehr seiner Bücher entblößt und arbeitslos –, ein Angebot verlockte, das vorerst aberwitzig, dann jedoch einzigartig anmutete: im Namen der Weidmannschen Buchhandlung zu Leipzig schlugen die Verleger Karl Reimer und Salomon Hirzel ihm und seinem Bruder handschriftlich vor, ein neues großes Wörterbuch der deutschen Sprache abzufassen, um, wie sich Jacob rückblickend erinnert, »die unfreiwillige Muße auszufüllen«.

Welch ein Antrag! Eine Sternstunde im Verlagswesen. Und welch ein Verlegerpaar, ebenbürtig den Brüdern. Hätten sie ahnen können, daß etwas beginnen sollte, dem kein Ende abzusehen war? Wörterhalden, aufgeschüttet und abgelagert. Nun galt es, sie abzutragen. Zu zweit, allein? Oder mit allseits angebotener Hilfe?

Um das Angebot zu stützen, besuchte Reimer, begleitet von dem Philologen Moriz Haupt, der den Anstoß zu dieser Reise gegeben hatte, Jacob in Kassel. Als er davon nach Göttingen Bericht gibt, antwortet Wilhelm am 2. April 1838: »Eben kommt dein Brief, lieber Jacob, mit der Nachricht von dem Besuche der Leipziger. Ich gestehe daß ich die Sache nicht beurtheilen kann. Ist die eigentliche Last der Ausarbeitung eines Wörterbuchs damit verbunden, so erregt sie mir einen gewissen Schrecken...«

Dann aber, nachdem versichert wird, der Bruder solle entscheiden, kommt er sogleich auf die geschäftliche Grundlage des Unternehmens: »Man dürfte uns nicht mit einer bestimmten Zeit der Beendigung drängen können. Es müßte auch bestimmt ausgedrückt werden, welches Einkommen uns jährlich dadurch könnte gesichert werden. Endlich müßte, da ich aus Erfahrung weiß, wie bedenklich allgemeine nicht bestimmt ausgesprochene Verhältnisse mit Buchhandlungen sind, alles schriftlich und mit deutlichen Bestimmungen festgesetzt werden...«

Abschließend wird von stadtinternen Zänkereien, lästigen Besuchen, albernem Gerede, stadtinternem Klatsch und üblichem Zank berichtet. Er übermittelt dem fernen Bruder liebe Grüße seiner Frau Dorothea, gewöhnlich Dortchen gerufen, und der Söhne Herman und Rudolf, der kleinen Auguste. Man vermisse den »Apapa«, wie Jacob von den Kindern geheißen wird.

Wenige Tage später ist Wilhelm dem Unternehmen Wörterbuch schon geneigter: »Ich habe die Sache überdacht und fange an zu glauben, daß wir dadurch für unser Leben könnten gesichert werden. Dein Name wird der Sache einen entschiedenen Erfolg geben u. gesetzt es würden 10 000 Ex. abgesetzt, u. möglicher weise könnten es ja 20 bis 30 000 seyn, so würde der Gewinn sehr groß werden...«

In offenbar gesteigerter Begeisterung für das auf lange Sicht geplante Unternehmen und zugleich die Göttinger Schmach bedenkend, fügt er hinzu: »In der Stimmung, in der ich gegenwärtig bin, ist mir der Gedanke an sich recht, von jedem Staatsdienst unabhängig zu seyn.«

Jacob berichtet auch brieflich in der ihm anhänglichen Schreibweise über den Besuch aus Leipzig: »Ich hatte ihnen vorgestellt, du würdest dich lieber schriftlich als mündlich erklären. Haupt hat mir persönlich so wol gefallen, wie früher seine briefe schon, und auch Carl Reimer hat etwas ernstes und ruhiges...«

Wilhelm bestätigt, er halte gleichfalls »den jungen Reimer für einen sehr braven Mann«, läßt dann jedoch seinem Argwohn freien Lauf, »aber der Vater ist der Eigenthümer der Buchhandlung, u. ich weiß gewiß, daß der Sohn nichts für sich thun darf, was einigermaßen von Bedeutung ist. Hinter dem Vorschlage steckt der alte u. wir müßen durchaus vorsichtig zu Werke gehen...«

Mit dem Eigentümer der Weidmannschen Buchhandlung war Georg Andreas Reimer gemeint, der als gerissen und knauserig galt. Anfang der dreißiger Jahre hatte er den Verlag seinem Sohn und seinem Schwiegersohn Salomon Hirzel zumindest formal übergeben. Wilhelms Mißtrauen war begründet.

Nach brieflichem Hin und Her, in dem Jacob sich für eine vom Dortchen geschenkte Spieldose bedankt, zugleich aber klagt, weil seine Leselampe qualmt und das Auge trübt, ein Übel, das abzustellen er ungeschickt ist, beginnt Wilhelm mit den Verlegern ein günstiges Jahressalär auszuhandeln. Anfangs ist von tausend Reichstalern die Rede, zu verrechnen mit späterem Honorar. Als beharrlich Fordernder tritt er auf, der die Geduld des Jungverlegers strapaziert. Der geschäftsmäßige Ton läßt anmutigen Wendungen und poetischem Überschwang, die seinen Briefen sonst eigen sind, keinen Raum.

Ein nüchternes, mir merkwürdiges Verhalten, hatte ich doch den jüngeren Grimm bis dahin als verträumt, weich, mit schwärmerischen, von Herzen kommenden, zu Herzen gehenden Worten, jedenfalls fern allem Pekuniären als einen Bilderbuchromantiker vor Augen, der die ihm angeborene Schwermut zu ertragen hat und nah seinen anheimelnd erzählten Märchen zu finden ist, in denen allenfalls ein Esel Dukaten scheißt, des Müllers Tochter Stroh zu Gold spinnt und dem armen Kind Sterntaler regnen.

Nun aber sehe ich ihn, weil verlassen vom Bruder, auf sich gestellt. Mürrisch hockt er in der trotz Frau und Kinderschar entleert wirkenden Göttinger Bleibe. Eine Kappe aus Filz oder Samt deckt sein Haupt, dessen Haar strähnig auf die Schultern fällt. Er sitzt über Papieren, auf denen Zahlen gereiht stehen. Er erwägt Gewinn und Verlust, rechnet Anteile der Autoren aus. Andererseits will er sich zeitflüchtig ins »Rolandslied« vertiefen, um ihm wie vormals den dänischen Heldenliedern singbaren Klang abzugewinnen. Nun aber soll, nach des Bruders gradlinigem Willen, Arbeit beginnen: wortwörtlichem Geröll sieht er sich gegenüber, abgelagert seit tausend und mehr Jahren, Schicht auf Schicht. Lastende Ahnungen bemächtigen sich seiner. Mir ist, als hörte ich ihn »Nein!« rufen. »Keine Verträge! Nichts, Bruder, das uns fesseln könnte…«

Und draußen vorm Fenster quakt unablässig des Nachbarn Ente, von der kürzlich Jacob, als er wegen der qualmenden Leselampe lamentierte, wissen wollte, ob sie immer noch eintönig Laut gebe.

»Ja, Bruder, sie quakt. Und eine nicht qualmende Leselampe wird dir mit nächster Post zukommen. Doch achte bitte darauf, daß mit den Verlegern, so brav gesittet sie anmuten mögen, nichts Schriftliches fixiert wird, das uns neuerlich in Abhängigkeit bringen könnte. Du fehlst mir sehr. Auch zeigen die Kinder nach dir Verlangen. ›Wo ist Apapa!‹ rufen sie. Was aber das Wörterbuch betrifft, bleibe ich schwankend.«

Schon nach einiger Zeit, in deren Verlauf die Brüder einander in Briefen über häusliche Mißlichkeiten und allerlei Querelen berichten, zudem immer wieder ihre Trennung beklagen, fingen sie dennoch an, eher planlos als nach

Methode, Wörter zu sammeln: von A bis Z oder von Auge um Auge bis Zahn um Zahn. Mehr dem Zufall als der alphabetischen Reihenfolge hörig, legten sie Zettel an und baten mit dem Überschwang des Beginns Fachkundige wie die gelehrten Philologen Lachmann und Haupt, aber auch weit verstreut lebende Freunde, zu denen Achim von Arnims umtriebige Witwe, die auf Anhieb zu begeisternde Bettine gehörte, mit ihnen auf Wörtersuche zu gehen und dabei jegliches Wort mit Anleihen aus den Schätzen deutscher Dichtung zu belegen. Jacob zog Wilhelm mit sich.

Einschränkend muß bemerkt werden, daß, während noch Wörtersucher und Zitatsammler – schon waren es dreißig und mehr – in Dienst genommen wurden – wenngleich Lachmann und Haupt bald absprangen –, erste Zettel nach Ordnung verlangten. Von Anfang an sollte gestrenger Wille Maß und Auswahl bestimmen.

So begann ihre Zettelwirtschaft. Von überall her schneite es Wörter und wortbezügliche Zitate. Jedem aufgelesenen Wort hatten die Sammler seine Herkunft nachzuweisen. Es galt herauszufinden, bei welchem Dichter das jeweilige Stichwort bereits Vorklang gefunden hatte. Von Parzivals Gralsuche und dem Nibelungenlied über Luthers Bibeldeutsch bis zu Goethes und Schillers Gereimtem fand sich Zitierbares. Außerdem wollte Jacobs Ehrgeiz wissen, ob dieses oder jenes Wort bei dem arianischen Bischof Ulfilas bereits gotisch nachzuweisen sei, wie es sich alt- oder mittelhochdeutsch gewandelt habe. Die Lautverschiebung und ihre Folgen. Was war dem Wortschwall der Mundarten abzuhören? Welches Echo fand das eine, das andere Stichwort in den skandinavischen Sprachen? Was klingt bereits im Sanskrit an? Welches deutschstämmig anmutende Wort ist dem Latein entlehnt? Was soll mit anstößigen, weil schmutzigen Wörtern geschehen, zumal wenn sie lebendig, weil volksnah sind? Welche Dichter waren besonders stichhaltiger Zitate trächtig?

Nein, ordnet Jacob an, keine Gegenwärtigen, kein Heine oder gar Gutzkow! Und wer sich sonst zum »Jungen Deutschland« zählt. Eine Rasselbande Radaubrüder, wie Wilhelm sagt. Er selbst wollte den Straßburger Prediger Geiler von Keisersberg erschließen, aus dessen wortmächtigem Sprachvorrat »gleichsam naschen«. Einen seiner Zuträger bat er brieflich, mit Fleiß Fischarts Nachdichtung des Gargantua auf kräftige Anwendungen und Wortschöpfungen abzusuchen, weil Fischart, gleich Rabelais, sprachvermögend gewesen sei. Andere sollten bei den Barock-Poeten fündig werden. Jemand versprach, sich um Hans Sachs zu kümmern, ein anderer, aus Lessings Werk beizusteuern.

Zugleich mußte gelesen und gesammelt werden. Schnell greifbare und rar gewordene Bücher wurden gewälzt. Es galt in Schottels und Adelungs überkommenen Wortsammlungen nachzuschlagen, auch wenn Jacob deren Bemühungen eher geringschätzte. Doch hatten die Brüder noch immer kein System gefunden. Planlos und wie auf gut Glück fraßen sie sich durch den Wörterbrei. Einige Lieferanten mußten, weil unzuverlässig, abgewiesen werden. Von arg war Ärger abzuleiten. Und auch noch das: Im fernen Göttingen schien Wilhelm von wechselnden Stimmungen eingetrübt zu sein – der ihm angeborene Trübsinn. Und Jacob lief Gefahr, sich zu verzetteln.

Hinzu kam, daß hier wie dort durchreisende Besucher störten. Vage Andeutungen von Berufungen nach Hamburg, in die Schweiz, nach Marburg, wo die Brüder studiert hatten, wirkten irritierend, überdies Sorgen um den Bruder Ferdinand, der von schwachem Charakter war, ständig begonnene Arbeit abbrach, stets in Geldnot steckte und aus nur spärlich gefüllter Haushaltskasse unterstützt werden mußte.

Weil aber die neuen Lebensumstände, bevor der Verleger Reimer zu zahlen begann, allzusehr drückten, zehrten die Brüder von Spenden, die zu Gunsten der »Göttinger Sieben« gesammelt wurden. Das bekümmerte Wilhelm mehr als Jacob, dem es nun unablässig aus der Feder floß. Als Ausgewiesener fand er mit Hilfe der Wörter Asyl und Armut, die ihm seit der Kutschenfahrt über die Werrabrücke im Ohr waren, zum Anfangsbuchstaben des Alphabets, indem er seinen ersten Artikel, der aber erst nach vielen Jahren zweieinhalb Spalten lang gedruckt vorliegen sollte, dem Stichwort Arbeit andiente – vielleicht in Vorahnung kommender Mühsal. Worauf er zwei weitere Spalten der Tätigkeit arbeiten widmete.

Welch anderes Wort sonst? Sein Leben ergibt sich aus Arbeit. Alles muß nach Ursprung und Wandel befragt werden. Ihm genügen nicht die gotischen Nachweise arbaits und arbaidjan. Das polnische rabota und das lateinische labor werden in die Spalte gerückt. Er weist darauf hin, daß Arbeit ursprünglich nur auf dem Knecht lastende war, so beim Ackerbau. Er zitiert Moses: »und die kinder Israel sufzeten uber ire erbeit«, denn Luther sagt als Bibelübersetzer noch erbeit für Arbeit. Dann findet er heraus, daß, »seitdem die thätigkeit der menschen unknechtischer und freier wurde«, sich das Stichwort »auf leichtere und edle geschäfte« ausgedehnt habe. Bald ist Arbeit »das gearbeitete,

das zu arbeitende«. Er zählt auf, was Handwerker, Tagelöhner tun, kommt auf allerlei künstliche Arbeit, solche »in
elfenbein«, ist nun bei der Kopfarbeit, der geistigen, der
gelehrten, also bei sich und seinem Tintenfleiß. Arbeit kann
süß sein oder, wie Goethe bei der Besteigung des Vesuv
stöhnt, als »saure arbeit« gewertet werden. Sogar die Natur
arbeitet, was er mit einem Zitat belegt: wie man sie auch
kreißen und gebären läßt, »das tobende meer, die wellen
sind in arbeit«, wie sich gärende Stoffe, der Wein, das Bier
in Arbeit befinden.

Und weitere Arbeitsfelder, bis der Artikel geschlossen war
und mit dem Psalm, laut Luther, trösten durfte: »unser leben
wehret siebenzig jar, und wenns köstlich gewesen ist, so ists
mühe und erbeit gewesen.«

Dem will ich, der ich nunmehr das achtzigste Jahr hinter mir
habe, aber noch immer den Anschein erwecke, ausreichend
bei Kräften zu sein, freudig beipflichten, zumal das Abar-
beiten kein Ende finden will. Selbst altherkömmliche Geschichten wollen aufs Neue erzählt werden. Immer war was.
Zu aller Zeit fing etwas an. Und nach jeweiligem Schlußpunkt war mir weitere Arbeit gewiß bis heutigentags.

Oft sind es verjährte Anlässe, die sich verkapselt hatten,
dann aufbrechen und mich antreiben, meinen Faden zu
spinnen. Diesmal hat mir Jacob Grimm, der nunmehr im
Lichtkegel einer nicht mehr qualmenden Leselampe hockt,
mit einschlägigen Artikeln auf die Sprünge geholfen. Mir ist,
als müßte ich aus der Asche lesen. Zusätzliche Wörter wie
Arbeitsamt, neuerdings Arbeitsagentur, Arbeitgeber und fol-
gerichtig arbeitslos rufen einerseits jugendliche Erfahrung in
Erinnerung, als gegen Kriegsende beim Reichsarbeitsdienst

der Spaten als Arbeitsgerät im Verlauf militärischer Ausbildung vom Karabiner 98 abgelöst wurde, und bringen mir andererseits meine aus Bürgersinn nicht endenwollende Tätigkeit in der politisch betriebenen Tretmühle nahe.

Was abzuarbeiten war: die Ausbeutung der Arbeiterklasse, Akkordarbeit und Angst um den Arbeitsplatz, die Geschichte der europäischen Arbeiterbewegung, August Bebel, der Drechslermeister und dessen Reichstagsreden, die seines Widersachers Bismarck, die Drangsal der Sozialistengesetze, der andauernde Revisionismusstreit, Aufstieg und Niedergang, schändlich Noske, standhaft Otto Wels. Was noch: der Arbeiteraufstand dreiundfünfzig, die Baustelle Stalinallee. Parteiprogramme von Gotha über Erfurt bis Godesberg, wo, wie es hieß, endlich Eduard Bernstein siegte. Drauf immer wieder die totschlägerische Anklage: »Wer hat uns verraten, Sozialdemokraten!« Und was sonst noch die Söhne aus zu gutem Haus den Arbeitervertretern ins Gesicht schrien. Wer alles abtrünnig wurde, nach weit links abdriftete und ganz rechts wieder rauskam. Meine Wahlkampfreisen in den Jahren fünfundsechzig und neunundsechzig: von Passau bis Flensburg rauf runter. Die Gründung von Wählerinitiativen bundesweit. Auf Stimmenfang zwischen Aufschwung und Absturz. Und immer ging es um Wörter wie Arbeitermitbestimmung und Kündigungsschutz für Arbeiter und Angestellte. Auch um Verlust, was schmerzte, doch sein mußte: die Anerkennung der Oder-Neiße-Grenze. Legalisierte Abtreibung, ein Reizwort. Die Abwertung, Aufwertung der D-Mark. Gestritten wurde um das Kohleanpassungsgesetz und weitere Wortungeheuer wie Arbeitsbeschaffungsmaßnahme, die nicht in den zweiunddreißig Bänden des von Jacob und Wilhelm Grimm in

Arbeit genommenen, aber erst gut hundertzwanzig Jahre später im zum abschließenden Z gebrachten Wörterbuch zu finden sind: wie sie mir greifbar nahe stehen, so daß ich zu suchen beginne, mich festlese, mich immer wieder festlese.

Doch im ersten Band, der von A bis Biermolke reicht, hat zwar kurz vorm Arbeiterlohn die Arbeiterin Platz gefunden, nicht aber die Arbeiterfrau, wie ich sie während meiner neunundsechziger Wahlkampfreise in Mehrzahl, es waren an die dreihundert, versammelt sah.

In Gelsenkirchen war das. Eine Werkkantine bot Platz. Zwischen zwei Veranstaltungen wurde mein Auftritt geschoben. Auf Wunsch des örtlichen Kandidaten. Oder ist es ein Gewerkschaftssaal in Wanne-Eickel gewesen?

Jedenfalls saßen dreihundert ältere Frauen – nur wenige ganz junge unter ihnen – an gedeckten Tischen bei Kaffee und Gebäck. Ihre Söhne und Männer mochten auf Schalke und anderen Zechen untertage malochen. Kein Mann hatte sich zwischen die Arbeiter- oder besser Bergarbeiterfrauen gewagt, die ganz und gar auf Streusel- und Butterkuchen konzentriert zu sein schienen. Außerdem hatten sie einander was zu erzählen. Nur halblaut, aber unablässig. Kaum hörten sie, was ihnen von der Stirnseite des Saales, wo ein Podest das Stehpult erhöhte, an wiederholt gehärteten Argumenten und weichgespülten Ausflüchten geboten wurde. Dort bemühte sich ein Gewerkschaftsfunktionär, der zugleich als Bundestagskandidat auftrat. Mit Hilfe des Mikrophons versuchte er, Statistiken zu beleben, indem er längst Vergangenes, die Kohleförderung während des Hungerwinters siebenundvierzig, der bitterkalt war, in Erinnerung brachte: »Ohne uns Kumpel wär überall der Ofen aus gewesen!«

Dann aber beschwor er mit nunmehr ins Heisere umschlagender Stimme zukünftige Gefahren für den Kohlebergbau an sich, nicht nur für die Schachtanlage Schalke. Zu Halden aufgeschüttete Zahlen. Statistischer Auswurf. Der Abraum von Bandwurmsätzen, die, wenn überhaupt, nur atemlos ihr Ende fanden. Anfänglich ging es um drohende Arbeitslosigkeit, dann um das zukunftsverheißende Kohleanpassungsgesetz.

Ich sah den mittlerweile übermäßig angestrengten Gewerkschaftsfunktionär und spürte in meinem Rücken die Arbeiterfrauen. Ich ahnte, daß sie kaum Anteil nahmen. Von Lohnabhängigen und gesetzlicher Lohnfortzahlung sprach er, von gewinnsüchtigen Aktionären und bedrohten Arbeitsplätzen. Wiederholt das Wort Ausbeutung. »Wir Arbeitnehmer«, rief er, »lassen uns nicht die Butter vom Brot nehmen!« Schließlich ging er ab, entlohnt mit sparsamem Applaus.

Nach ihm sollte ich reden. Doch über was? Wenn schon der Kandidat, der über Arbeitsbedingungen mehr zu sagen wußte, als auswendig zu lernen mir möglich gewesen wäre, kaum Gehör fand, was hätte ich den knapp dreihundert Frauen bieten können?

Schon bevor ich ans Pult fand, brach mir Schweiß aus, der sprichwörtliche. Aber das Wort Angstschweiß steht ohne literaturkundiges Zitat im Grimmschen Wörterbuch. Hier wird eines nachgeliefert: mir stand er auf der Stirn.

Mein ausgefeiltes Manuskript, dessen rhetorischer Aufwand Jungwähler, lesende Hausfrauen und vom Schuldienst erschöpfte Lehrer motivieren mochte, wäre zu hochfahrend gewesen. Also ließ ich es liegen, sprang ins kalte Wasser und begann freiweg zu reden, indem ich Geschichten erzählte, zum Beispiel die über Gustav Heinemann, den erst vor kurzem ins Amt des Bundespräsidenten gewählten Sozialdemokraten.

Knapp sei es dabei zugegangen. Die Christdemokraten hätten keine Scheu gehabt, die über zwanzig Stimmen von Altnazis als NPD-Angehörige der Bundesversammlung zugunsten ihres Kandidaten in Kauf zu nehmen. »Schamlos!« rief ich. Zum Glück habe es dennoch, weil ausnahmsweise die Liberalen nicht gewackelt hätten, für Heinemann gereicht, worauf er, frisch gewählt, auf die Fallenstellerfrage eines Journalisten, »Herr Bundespräsident, lieben Sie den Staat?«, kurzangebunden und mit trockner Gradlinigkeit Antwort gegeben habe: »Ich liebe nicht den Staat, ich liebe meine Frau.«

Das schien beklatschenswert zu sein, sogar zum Lachen. Die Frauen ließen vom Kuchen ab. Nicht alle, aber immer mehr wandten sich mir mit halber Körperdrehung zu, wollten, so kam es mir vor, weitere Anekdoten hören. Also geizte ich nicht, machte ihnen, weil aus der Grimmschen Sammlung der Allesbesitzer »König Drosselbart« nicht genug Zunder hergegeben hätte, mit Andersens wahlkampftauglichem Märchen »Des Kaisers neue Kleider« ein abermals zu beklatschendes Angebot, erwähnte beiläufig mit Zitat die Chinesenfurcht des noch amtierenden Kanzlers, den ich mit dem Kind aus dem Andersenmärchen nackt nannte und unter »Es war einmal« abbuchte.

So sprach ich mich von Anekdote zu Anekdote frei, ahnte unterschwellig, welch gefährlichen Reiz die frei gehaltene Rede bot, denn schon lockte es mich, meine glaubwürdigsten Lügengeschichten aufzutischen, fand ein gefälliges Ende und erlebte, gemessen am Applaus, einen Achtungserfolg.

Später saß ich zwischen den Bergarbeiterfrauen, aß mit ihnen Kuchen, trank Kaffee, wurde wegen meiner Kunst des unablässigen Zigarettendrehens – Schwarzer Krauser – gelobt, war bei ihnen angekommen.

Nun ließe sich, wie es die Grimmbrüder, ausgehend vom Wörtchen an taten, mit dem Wort ankommen eine längere Liste aus anbeten, anfangen, angehörig, anverwandt und so weiter anreichern oder weiterhin mit Hilfe des Stichwortes Arbeit aus dem Wortschatz einer anderen Paarung, die als Marxengels bekannt ist, Einschlägiges zitieren, denn was das Wörterbuch unter dem Stichwort Art als artbar, Arten, artig abhandelt und mit Zitaten spickt – bei Gryphius steht: »befeuchte meinen garten, so wird er besser arten« –, findet sich bei Engels in dessen »Dialektik der Natur«, in der er auf Erkenntnisse des Forschers Charles Darwin anspielt. Dessen alles verändernde Schrift »Über die Entstehung der Arten« war aber zur Zeit der getrennt lebenden Brüder noch nicht zu Papier gekommen, weil die »Beagle« mit Darwin an Bord gerade erst ihre Heimreise angetreten hatte. Dennoch meine ich, sollte der »Anteil der Arbeit an der Menschwerdung des Affen«, ein Satz, der zum Sprichwort wurde, auch für die Entwicklung des menschlichen Sprachvermögens gelten und von den äffischen Urlauten bis zum spitzfindigen Zungenbrechen der Hegelianer von Marx bis Adorno als fortschrittliche Arbeitsleistung gewürdigt werden. Unablässig züngeln Linguisten. Man spricht vom Sprachlabor. Neue Wörter wie Abwrackprämie und Arbeitsspeicher drängen ins Wörterbuch, wollen durch Aufnahme geadelt werden.

Und noch mehr Ableitungen, die mich mit dem Aufruhr der Arbeiter klassenkämpferisch zur Aktion aufrufen, mich zu weiterem Aufwand mit dem Buchstaben A verführen. Deshalb soll, bevor ich wiederum auf die Zeit Bismarcks und auf August Bebel, also vorschnell auf den Buchstaben B komme und dabei die Axt vergesse, die bei Keisersberg noch eine agst ist, das vielgenutzte Wörtchen aber bedacht werden.

Kaum hat Jacob Grimm diese, wie er sagt, »uralte partikel« auf drei Spalten eingeführt, verläßt er das Haus »Zur schönen Aussicht«, weil ihm der malende Bruder mit seinen Künstler-Allüren und fixfertigen Karikaturen auf die Nerven geht. Er macht sich mit immerfort wechselndem ja aber, nein aber, wenn aber auf den Weg. Ich nehme an, in den nahgelegenen waldigen Park um Schloß Wilhelmshöhe, der bis zur Schildwache hin begehbar ist.

Einst hat er, vor und nach König Jérômes Herrschaft wie auch zu dessen Zeit, die Bibliothek gehütet. Nun aber ist er ohne Salär von kurfürstlichen oder napoleonischen Gnaden, kann sich aber des Weidmannschen Auftrags gewiß sein, mithin des anhaltenden Ansturms der Wörter.

Aber ja, aber nein, abersinnig seh ich ihn unterwegs. Bei Lessing hat er kürzlich fehlerhaft Aberglaube als Aberglauben gefunden. Streng rügt er solch schlampiges Sprachverhalten.

Jetzt ist ihm im Sinn von wieder und wieder ein hübsches Goethe-Zitat geläufig: »Galateas muschelthron seh ich schon und aber schon«. Später, im gedruckten Wörterbuch, wird er sich mit Hinweis auf seinen alten, nun aber, weil aus Göttingen vertrieben, neuerlich bezogenen Wohnsitz beziehen: »das mit hundert und aber hundert lampen erleuchtete Kassel«.

Hier, zwischen altstämmigen Eichen, unterm ausladenden Blätterdach eines Ahorn, fällt ihm ein einschränkendes aber ein: »arm aber tugendhaft«, das allerdings ein doch ersetzen könnte, wie etwa »das leben ist kurz aber schön« durch »kurz doch schön«. Freilich, sagt er sich, kann gleichfalls »kurz aber doch schön« Verwendung finden.

Nun, da ihm Schloß Wilhelmshöhe breitgelagert in den Blick kommt, möchte er sein, wo ihn jahrelang altehrwürdige Bücher beatmet hatten, ruft sich aber mit einem »aber, aber!« zurück. Er flüstert »kein abermals steht uns bevor« und wendet die Partikel im Munde, kaut, zerkaut sie, bis ihm das Wörtchen widersinnig, aberwitzig, irr vorkommt, wie schon bei Gryphius der Irrsinn waltet, wenn von einer Fürstin die Rede ist, »die voll von aberwitz ein creutz pflegt anzubeten«.

Dazu paßt ihm das vorsätzliche aber, wie es sich in den vom Bruder Wilhelm allzu lässig edierten Märchen findet: »Aschenbrödel aber kam…« Gleichfalls dient es als Füllsel in Tierfabeln: »Isegrim aber der wolf begann die klage…« Und selbst bei Luther steht: »Jesus aber kam wieder von dem Jordan…«

Schon auf dem Heimweg, nunmehr mit Schloß Wilhelmshöhe samt lastenden Erinnerungen im Rücken, fällt ihm ein, wie Wieland das aber sogar substantivisch verwendet: »manch aber ihm zu kopfe steigt.« Und nahe dem Haus »Zur schönen Aussicht«, wo Ludwig Emil ihn gewiß mit aberklugen Einfällen und neuesten, den Bücherhocker betreffenden Karikaturen erwarten wird, erinnert er sich, kürzlich bei Bürger ein aberbezügliches Zitat gefunden zu haben – oder hat es ihm der inzwischen abtrünnige Moriz Haupt mit anderen Belegzetteln geschickt? –; jedenfalls betritt er kichernd das Haus: »ha, lachte der kaiser, vortreflicher haber, ihr futtert die pferde mit wenn und mit aber.«

Nein aber, ja aber.
Aber ja doch, aber nein doch.
Wenn aber nicht das, sondern abermals das,
oder aber ganz anderes geschehen wäre...
    Als sich gegen Abend das Aber und das Oder trafen,
um ihre Bedenken zu tauschen,
war schon das vorlaute Doch da.
    Vor jedem aber lauert ein doch,
und hinterm dennoch kichert der Aberwitz,
gibt aberklug Antwort: doch aber, aber doch...
    Als aber die Abereh,
wie die Nebenehe bei Fischart heißt,
als Abersaat aufging, riefen alle Aberkinder,
uns aber hat niemand gewollt.

Bevor ich mich aber, wie Jacob es spaltenlang tat, weiterhin im Abermaligen verliere, indem ich den gegenwärtig waltenden Abersinn im Kreis laufen lasse oder das Übergewicht jener kleinwüchsigen Wörter betone, die mit den Vokalen A, E, I, O, U anlauten, also vom es aufs ist, vom oder aufs und komme, mich gar mit der Silbe all befasse und andächtig in jene Spalten vertiefe, in denen allgemein und zugleich mit der Vorsilbe all das All abgehandelt wird – Brockes ruft: »o wunderbares all, eröfne mir die augen«, und bei Schiller heißt es: »von des lebens gütern allen ist der ruhm das höchste doch« –, oder aber, weil ich all das und auch das All satt habe, mich an das Zahlwort acht halte, nur weil all die Briefe, die zwischen Göttingen und Kassel hin und her gingen, aufs Jahr achtunddreißig datiert sind, zudem acht aber auch achten, achtlos, achtsam, ferner den Ruf Habt Acht! zur Folge hat, oder abermals, nur weil Jacob die verfluchte Universitätsstadt so überhastet verlassen mußte, das Stichwort Abschied bemühe, welches bei ihm auch als Abscheid zu finden ist, etwa für tot oder ableibig sein: »abscheid von diesem jammertal«, hingegen Wieland schon von »abgeschiednen seligen geistern« spricht, Goethe jedoch seinen Wilhelm förmlich Abschied vom Theater nehmen läßt: »als er fühlte, dasz er schon abgeschieden sei und nur zu gehen brauchte«, bevor ich also versucht bin, mich an den kurz anlautenden Partikeln an und ab abzuarbeiten oder noch einmal die Mutter der Brüder Grimm, wie später im Wörterbuch vermerkt werden wird, als Amtmännin ehre oder gar Anlaß nehme, über das Alter zu lamentieren und all meine Altersgebrechen sowie vorauseilend die der Grimmbrüder aufzähle, sodann auf Abfahrt komme, also die Göttinger Arschkriecher, auch Alfanzer genannt, hinter mir lasse und als Augenzeuge der Kutschenfahrt von Göttingen über die Werrabrücke nach Kassel Jacob ins Asyl folge oder mit Hilfe des Wortes Austreibung und Luthers Bibeldeutsch nochmals den alten Adam anrufe, um dann auf Abel, Abraham, Aaron, den Propheten Amos und den Apostel Andreas zu kommen, um gleich nach letztem Abendmahl ein frommes Amen gegen ein heidnisches Nema zu tauschen, wie es geschah, als ich Mitte der sechziger Jahre im Auftrag des Komponisten Wolfgang Hufschmidt den ketzerischen Antitext zum »Meißener Tedeum« dichtete, das dann, nach einigen Zensurschnitten, wie sie im deutschen Arbeiter- und Bauernstaat üblich waren, sogar in Meißens Dom uraufgeführt werden durfte – mir aber wurde der Antrag auf Einreise abgeschlagen –, will ich jegliches Angebot zur weiteren Ausbeute außer acht lassen, auch nicht auf den drückenden Alp kommen, gar Alpträume bemühen, zumal sie im Grimmschen Wörterbuch nicht zu finden sind, sondern, wie Jacob es tat, den Buchstaben A mit Azur abschließen.

Diese himmelblaue Farbe kam, wie sein Kommentar weiß, in Zeiten der Romantik als Reimwort zu Flur, Spur und Natur besonders den Dichtern gelegen, so Achim von Arnim und Clemens Brentano, während Bertolt Brecht seinerzeit Azur auf nur reimte; mit Brentano jedoch, und mit Clemens' Schwester Bettine, die kürzlich in Kassel auf Besuch weilte, wo sie ihrem kindlich gebliebenen Benehmen entsprechend einigen Wirbel machte, grüßt schon der Buchstabe B.

BRIEFWECHSEL

Mit dem barsch anlautenden Ausruf Ba! und dem Bä blö-
kender Lämmer hebt, nachdem das A abgeschöpft ist, im
ersten Band des Wörterbuchs das B an. Gleich danach ist
baba als frühester Kinderlaut zu finden. Doch bevor Jacob
Grimm dem Gebabbel der Urlaute, die bis heutzutage unver-
wandelt geblieben sind, das Stichwort baar und, in Klam-
mern gesetzt bar für nackt und bloß folgen ließ, beschwor
er den Sprachgeist, als hätte er zu Beginn eine übergeord-
nete Instanz beschwichtigen wollen: »die sprachen standen
nicht still, aber in ihren bewegungen waltete regel.«
    Noch aber ist er nicht so weit. Eine Reihe Jahre wird ver-
streichen, bis es zum Druck erster Lieferungen kommt. Noch
immer bedrücken Jacob die Kasseler Verhältnisse. Immer
noch geht er in enger Schreibstube auf und ab. Nur be-
grenzte Fensteraussicht hat der Asylsuchende in seines Bruders Wohnung gefunden. Kein Blick mehr auf die Orange-
rie und den zum Horizont hin bergaufwärts dunkelnden
Wald. Gezählte Schritte hin und her. Auf blankgescheuertem
Bretterboden. Eine Wortstrecke liegt vor ihm, die er kaum
begonnen hat zu beschreiten. Vorhin noch scheiterte der
Versuch, seinem Zettelkasten Ordnung beizubringen. Jetzt,
zwischen Tisch und mager bestelltem Bücherbord, fehlt,
was in Göttingens Universitätsbibliothek auf in die Breite
gehenden Regalen greifbar gewesen war und mit dem zweiten Buchstaben des Alphabets zurück ins Althochdeutsche
hätte führen können, in dessen Wortschatz oft P für B stand.
Und noch weiter zurück, bis zum Sanskrit muß er, in dem
das BH in bhadsch und bhag bereits des Bäckers backen

vorklingen läßt. Weit holt er aus, als müsse er wie der einstige Passagier der »Beagle«, der, nach England heimgekehrt, aus ersammelter Beute die evolutionäre Entstehung der Arten zu beweisen begann, nun seinerseits die Ursprünge jeglicher Wortbildung freischaufeln und in seinem Zettelkasten bergen.

Er sitzt am Fenster, gebeugt. Kein Blick nach draußen. Er notiert Lautverschiebungen, wie früh und rabiat das F das B bedrängt hat: »weshalb wir hafer für haber sagen und käfig setzen, wo einst kebich stand.« Er greift in den Kasten voller Belege: »unsere vorfahren müssen für berg ferg gesetzt haben.« Ihm ist sicher, wie vormals das B verloren gegangen ist, »denn wenn die barockdichter mit inlautendem B, etwa bei hembde und frembde übertrieben haben, so fehlt es nunmehr bei wams und beim amt, die einst als wambes wärmten und als ambt unumgänglich waren.«

Jetzt scheint ihn etwas zu belustigen, er lächelt, weil ihm kürzlich Besuch aus Leipzig, der mit den Verlegern kam, beiläufig zu einer Notiz verhalf: »die Sachsen sagen heute noch, wie früher geschrieben stand, berle statt perle.«

Nach einer Pause, die lang genug ist, B gegen P und P gegen B auszuspielen, höre ich: »ein verdoppelt inlautendes B hat sich bei ebbe gehalten, doch niemand will mehr abbt für abt schreiben.«

So kommt er mir nah. Vorm Fenster ist Winter. Bald wird ihm die neue Leselampe, die Wilhelm als Ersatz für die qualmende geschickt hat, beistehen. Mit rundem Buckel, wie von Ludwig Emil karikiert, sitzt er vorm überladenen Tisch, kramt im Zettelkasten, schlägt eines der wenigen Bücher auf, die ihm geblieben, genießt deren Altersgeruch, wird, so scheint es, von familiären Sorgen eingeholt, denn nun schreibt er mit kratziger Stahlfeder dem fernen Bruder: »vorhin kam der brennende rothschopf und brachte mir deinen gestrigen brief. die überschuhe hab ich erhalten. noch ein brief von Ferdinand, nebst einer antwort, die du dem geld beilegen kannst. wenn einen noch etwas verdriessen könnte so wäre es seine unbescheidene rücksichtslosigkeit…«

Wilhelm wird antworten: »An Ferdinand will ich das Geld senden; so wird es immer mit ihm bleiben; er gibt seine höffärtige Narrheit nicht auf u. Dortchen hat ihm Kleider geschickt.« Doch dem faulen, wenngleich nicht unbegabten Nichtsnutz der Familie war nicht zu helfen.

Als aber Jacob nach ba und bä auf baar und dann ohne verdoppeltes a auf bar wie barfuß und barhäuptig kam, könnte er, zumal ihm Goethe ein Zitat zuspielte, »das scheint doch wirklich sonnenklar, ich geh mit zügen frei und bar«, weniger an den fortlaufend Bargeld benötigenden Bruder Ferdinand, eher an Bettine von Arnim gedacht haben, die noch während seiner Göttinger Zeit, nunmehr als Witwe, ihren ersten Bestseller auf den Buchmarkt gebracht hatte. In »Goethes Briefwechsel mit einem Kinde« steht, mehr frei erfunden als beweiskräftig belegt, zu lesen, wie unschuldig sie auf des Bewunderten Schoß gesessen habe, recht offenherzig, dabei sei des Berühmten Hand behutsam, aber doch spürbar ihren kindlich sprießenden Brüsten nahe gewesen.

Diese publizierte Episode erregte Anstoß. Ihr Bruder Clemens, der seit Jahren fromm und fern von ihr, doch in Nähe zu einer besessenen Dorfheiligen lebte und erbauliche Bücher unter wundergläubige Leute brachte, schrieb noch vor der Veröffentlichung des ihm peinlichen Briefwechsels seiner allzu bedenkenlosen Schwester, um deren

Seelenheil er besorgt war. Er, der einst beredt Berge versetzt und Blumen das Sprechen gelehrt hatte, bat nun um einen tilgenden Strich.

Sogar aus der Schar ihrer Kinder, die Achim von Arnim samt verschuldeten Gütern und ungedruckten Manuskripten der fünfzigjährigen, doch ganz und gar nicht matronenhaften Bettine hinterlassen hatte, gab sich einer der Söhne empört: es könne die veröffentlichte Barbusigkeit der Mutter den Verlauf seiner Diplomatenkarriere behindern.

Die bigotten Beschwerden ihres Sohnes Siegmund bekümmerten Bettine kaum. Der Philisterei die Stirn zu bieten, war ihr ein immergrünes, weil ständig nachwachsendes Bedürfnis. Und als wenige Jahre später die Göttinger Sieben mit Entlassung bestraft, Jacob mit zwei Leidensgenossen ins Exil getrieben wurde, zögerte sie nicht, besuchsweise oder mit spontan aus der Feder geflossenen Briefen zur Stelle zu sein. Mit begeisternden Bittgesuchen wollte sie sogleich die Berufung der Brüder nach Berlin bewirken.

An Wilhelm, dem sie seit Jugendjahren besonders zugetan war, schrieb sie, aber auch an den eher spröden Jacob. Weil der jedoch die preußischen Bedenkenträger, unter ihnen der Jurist Savigny und der Philologe Lachmann, zu kennen meinte, zudem nicht wünschte, durch öffentliche Betriebsamkeit aufs Podest gestellt und als Beispiel für standhaftes Beharren von Leuten begafft zu werden, deren politische Radikalität ihm abscheulich war, antwortete er ihr: »wie sehr musz uns Ihr unablässiger eifer rühren, mit dem Sie sich unserer sache annehmen; auch wenn alles mislingen sollte wird uns ein solcher beistand unvergeszlich bleiben, er flöszt uns mut ein und hoffnung. thun Sie aber, liebste freundin, lieber zu wenig als zu viel. und lassen Sie allen entschlieszungen, die man dort zu unseren gunsten fassen könnte, einen ganz ruhigen lauf…«

Aber Bettine von Arnim, geborene Brentano, konnte niemand bremsen, mit ihrem Schwager Savigny zu hadern, Lachmann zu mißtrauen und den preußischen Kronprinzen und späteren König Friedrich Wilhelm den Vierten brieflich und sogar mit der beigelegten Abschrift eines heftigen Briefes an Savigny zu bedrängen, indem sie ihm die Brüder Grimm beschwörend ins erlauchte Blickfeld rückte.

Darauf bekam die Bittstellerin Antwort: »Die Blicke die Sie mir in Herz und Sinn der beyden gegönnt haben, erwärmen mich wie der beste Trunk im Rhein-Gau und steigern mein Verlangen, sie die unseren zu nennen, unsäglich…«

Dann aber bittet der sich im Wartestand befindliche Thronfolger, den die in ihn gesetzten Hoffnungen und damit verbundenen Wünsche nach Verbesserungen allzu sehr beschweren, die »gnädigste Frau«, seinen Brief so zu bewahren, »dasz Niemand davon erfahre; machen Sie Papilotten daraus für's Haar Ihrer holden Töchter, die ich schön grüsze; oder noch besser: verbrennen Sie sie. Glauben Sie's mir; wenn sich davon etwas herumspricht (im In- oder Auslande) so scheitere ich gewisz! Darum helfen Sie durch Schweigen Ihren Freunden und Ihrem treu ergebenen Diener FWKP.«

Also wurde auf die lange Bank geschoben, was sich Bettine kurzbeschlossen wünschte. Kronprinzen haben sich zu bescheiden, solange der Vater als König selbstherrlich befiehlt. Dennoch wollte ihr Briefverkehr kein Ende nehmen. Und weil sie sich mit ihrem dreibändigen Buch, das wenig Überliefertes von Goethes Hand mit viel von ihr Erfundenem als Briefwechsel zum Titel erhob, einen Namen gemacht hatte, war sie nicht nur in der Berliner Salongesellschaft, sondern weit über Preußens Grenzen hinweg in aller Munde: die bestaunte, aber auch ein wenig berüchtigte Bettine. Immer in Bewegung. Ein Irrlicht und Energiebündel.

Nun, da ihr neuestes Buch über ihre einstige Freundin, die unglückselige Günderode, so gut wie druckfertig war und der Zensurbehörde keinen Anlaß für Verbot oder kürzende Beschneidungen zu bieten vermochte, weshalb es bald in allen Buchhandlungen auslag und viel später, zu meiner Zeit, eine andere Schriftstellerin dazu bewegte, den Schmerz der Günderode zu bestätigen. Bettine jedoch sah sich nun frei für neue Bemühungen zugunsten der Brüder, und sei es auf Biegen und Brechen.

Weil man sich in Berlin, aus Rücksicht auf den hannöverschen Hof, mit dem man versippt war, ablehnend verhielt oder – was den Kronprinzen betraf – zögerte, sollte nach ihrem Willen und auf den Vorschlag des französischen Historikers Michelet die Berufung der Grimms an die Pariser Universität das deutsche Vaterland beschämen. Dagegen verwahrte sich Jacob, den zurückliegende Parisaufenthalte zu Napoleons Zeit und nach dessen Abgang immer noch bedrückten. Er war zu deutschsinnig, um sich für Frankreich begeistern zu können, so sehr man die Brüder dort hochschätzte, mehr noch, bewunderte. Zudem hoffte Wilhelm auf dem Prozeßweg zu Geld zu kommen. Das stünde ihnen zu, meinte er und war bereit, stellvertretend für die Göttinger Sieben in Hannover Ansprüche einzuklagen. In Briefen, die nach Kassel gingen, gab er Bericht.

Ein Grund mehr für Jacob, Bettines Tatkraft zu mäßigen: »wir können die nächsten jahre, was unser persönliches durchkommen betrifft, sorgenfrei heranrücken lassen; unser prozesz ist anhängig, gewinnen wir ihn, und musz uns der gehalt gröstentheils ausgezahlt werden, so stehn wir über dem wasser, und dürfen erwarten, was gott weiter verhängt. schriftstellerische arbeiten werden uns noch einige mittel mehr an die hand geben, ich habe mich zu Leipzig in eine weitaussehende unternehmung eingelassen. es soll ein groszes deutsches wörterbuch begonnen und ausgearbeitet werden, nicht der alten sprache, sondern der heutigen, lebendigen von Luther bis Göthe...«

Wenngleich Wilhelm zögerte, es war so beschlossen. Ein einsamer Entschluß, den Jacob vermutlich faßte, als er sich, wie oft an sonnigen Tagen, der ihn beengenden Familie seines Bruders Ludwig Emil entzog. Wahrscheinlich bereitete ein Spaziergang sein Ja zum Wörterbuch vor, das bald durch einen Brief der Verleger gefestigt wird, schreibt er doch schon am 28. Januar 1838 an Wilhelm: »heute gieng ich in die aue, und über die zugefrorne ganze Fulde; es ist immer schönes wetter, in der stadt aber steinkohlengestank...«

Was ihn in enger Schreibstube bänglich gestimmt und als Sorge bedrückt haben mochte, ist unter klarem Himmel und an einem frostigen Tag wie weggeblasen. Wieder gelingt der Sprung in die Wörterfluten des Alphabets. Ihn belebt das Bad in einer Sprache, die unbeständig an- und inlautende Buchstaben wechselt und aus, wie er später schrieb, »urverwandten und erborgten« Wörtern besteht. Sogleich bohrt die Frage, soll er die Vokale und deren Wohllaut ganz für sich beanspruchen, etwa aufs I kommen und irr, irrend, die Irre, den Irrsinn, Irrwitz, Irrweg, den Irrglauben lichten oder nochmal zum Buchstaben A zurück und ihn mit Abendrot und Abendruh feiern, oder soll jetzt schon dem E nachgegangen werden, zumal er auf der Eisesglätte des Flusses Fulda dahingleitet und vom Eis und von eisig zum jüngst geborenen Wort Eisenbahn findet, das eigentlich nicht ins Wörterbuch gehört, aber kürzlich in einem Brief des Verlegers Reimer aus Leipzig gestanden hat, denn von dort aus soll eine nahezu fertige Eisenbahnstrecke über noch zu bauende Brücken nach Dresden führen. Auch ist von einem Mann namens Friedrich List die Rede, der plant, ganz Deutschland mit einem Eisenbahnnetz zu verbinden. So soll, was Jacob gleichfalls zuinnerst begehrt, die Einheit des Vaterlandes gefördert und die bängliche Eigensucht der Kleinstaaterei überwunden werden.

Niemand begegnete ihm. Er war mit seiner Stimme, die bei frostigem Wetter weit trug, allein. Noch andere Buchstaben könnte er auf dem Eis der Fulda erprobt haben, so das W, indem er von wagen über Wagnis zum Wagemut kam; jedenfalls ergoß sich, kaum war der Beschluß gefaßt, waghalsig, wie ihn der eiskalte Januartag gestimmt hatte, mit der Wörtersuche zu beginnen, eine wahre Briefflut von der Messestadt in Richtung Göttingen, wo immer noch Wilhelm mit Familie hauste, desgleichen nach Kassel, von wo aus Jacob den Verlegern Karl Reimer und Salomon Hirzel Antwort gab. Auf des Bruders Bedenken reagierte er postwendend, denn Wilhelm war wenig bereit, Beschlüsse zu fassen.

Reimer hatte in einem Brief nach Göttingen sein Bestreben beteuert: »Vor Allem würde uns erfreun, wenn Sie uns zu dem deutschen Wörterbuch, dessen Bearbeitung unter Beihülfe von Freunden Sie doch nicht abgeneigt waren später zu unternehmen, eine auch nur entfernte Aussicht eröffneten...«

Diese Bewerbung spielte auf ein Angebot an, das Jahre zurücklag, hatte doch bereits der Verleger Cotta im Februar 1823 den Brüdern unterbreitet: »Mögen Sie mir die Frage erlauben, ob sie sich nicht zur Bearbeitung eines deutschen Wörterbuchs wie Adelungs entschließen könnten?«

Jacob, der wenig von dessen lexikalischen Bemühungen aus dem vorigen Jahrhundert hielt, notierte schon damals auf dem Briefrand in seiner beharrlichen Kleinschrift, die alle Substantive auf Scheitelhöhe der Verben und Adjektive beschnitt: »unterm 18. mai ablehnend höflich beantwortet.«

Mittlerweile war Cotta gestorben, ein Grund mehr für den Verleger Reimer, seinem Angebot Gewicht zu geben: »Rechne ich aber den Umfang des Ganzen ungefähr dem des Adelungschen Wörterbuchs gleich, so wäre mein Vorschlag, daß wir das Honorar für die Beiträge auf 10 000 Rthlr. festsetzten…«

Offenbar ahnten die Verleger nicht, welch beschwerliche Bergwanderung den Brüdern und ihnen bevorstand; wie ja auch Jacob von dem, was er innerlich bejahte und bereits begonnen hatte, ohne rechten Begriff war. In Wörtern schwelgend, schien ihm der Anfang gelungen zu sein. Schon auf dem Eis der Fulda glaubte er, alles, was dem A anhing, wenn nicht im Kasten, dann im erahnten Umfang geborgen zu haben.

Reimer fügte zwar seiner Bereitschaft zur späteren Honorarzahlung hinzu, für die Redaktion weitere 4 000 Reichstaler festzusetzen, und erbot sich außerdem, da die Schlußrechnung erst nach Jahren fällig werden würde, jedem der nach der Göttinger Entlassung mittellosen Brüder »500 Rthlr jährlich zu zahlen, und später nach dem Druck der einzelnen Bände allmälig wieder in Abzug zu bringen«, aber aus seinem Angebot sprach mangelnde Voraussicht. Auch saß dem jungen Verleger, was Wilhelm bereits bemängelt hatte, der geizige Vater im Nacken.

Nach kurzer Beratung – nur wenige Briefe gingen hin und her – lehnte er das Honorarangebot ab: »Ihr vorschlag, für die leitung eines so weitläuftigen und grossen werks, das sich auf wenigstens vier, vielleicht fünf kleinfolianten belaufen wird, uns in allem 4 000 rthlr. zu versichern, hat wenig einnehmendes ...«

Er wünschte für jeden 1 000 Reichstaler jährlich, wobei Wilhelm meinte, in vier fünf Jahren die Arbeit am Wörterbuch abschließen zu können; danach würden beide wieder frei sein für die ungebundene Wissenschaft.

Aber es sollte noch elende Durststrecken lang dauern, bis es zum Vertragsabschluß zwischen den Verlegern und den Brüdern Grimm kam; ganz zu schweigen von der viel größeren Zahl Bände, die im Verlauf einer von mehreren Kriegen bestimmten Zeitspanne greifbar wurden.

Also blieben sie weiterhin ohne festes Salär. Weil aber sogleich nach der Verbannung an vielen Orten, so in Hamburg, Kiel, auch im fernen Königsberg Geld gesammelt, sogar in Leipzig ein Hilfsverein gegründet worden war, konnte bald mit Beistand gerechnet werden. Schon im Dezember siebenunddreißig wurde ein Aufruf bekannt gemacht, der zu Beginn den empörenden Tatbestand der Entlassung in Erinnerung brachte und so die Protestation noch einmal befestigte: »Die sieben Professoren Dahlmann, die Brüder Jacob und Wilhelm Grimm, Albrecht, Gervinus, Ewald und Weber sind der festen Überzeugung, daß wer den Eid auf eine bestehende Verfassung dem Regenten und dem Vaterlande geschworen hat, nicht einseitig desselben entbunden werden könne…«

Zum Schluß des in ganz Deutschland in Umlauf gebrachten und überall ein beglückendes Echo auslösenden Aufrufs hieß es, ohne daß von dem bis heutzutage hier bemühten, dort mißachteten Wort Solidarität Gebrauch gemacht wurde: »Wir fordern daher die Wohlgesinnten unsres deutschen Vaterlandes auf, anzuzeigen, ob sie, wenn jene biedern Männer ihres Amtes verlustig werden sollten, zur Erleichterung ihres harten Geschickes beitragen wollen, und bemerken, daß wir auch die Unterzeichnung der kleinsten Gabe als ein äußeres Zeichen der Anerkennung jener Idee annehmen und zu seiner Zeit den Beitrag einfordern werden.«

Als erster gab der Verleger Salomon Hirzel einen beträchtlichen Betrag, danach spendeten Kaufleute, Professoren, ein Bankier, der Buchhändler Wiegand. Von außerhalb floß Geld zu. Bald trafen ansehnliche Summen ein, die Jacob verwalten und an alle von der Entlassung betroffenen Professoren vermitteln ließ.

Bis zum Oktober blieben die Brüder getrennt. In Jacobs Briefen stand von den Krankheiten seiner Schwägerin Marie und deren wunderlicher Mutter im Rollstuhl, auch von des malenden Bruders Louis Absonderlichkeiten und viel über regnerisches Wetter, aber nur Beiläufiges zum Wörterbuch zu lesen.

Wilhelm berichtete vom sichtlichen Verfall der Göttinger Universität, über beflissene Duckmäuserei und gehässige Nachrede: »Die Frau Hofräthin Langenbeck erzählt hier wir würden von Frankreich aus besoldet. Es gehört eine classische Niederträchtigkeit dazu, um sich so zu betragen.«

Seine Klagen hatten bitteren Beigeschmack: Nur wenige Freunde seien geblieben. Niemand wolle einen Ruf annehmen nach der Entlassung der Sieben. »Meinen Talar mit Barett habe ich an Ritter verkauft.«

Das muß schwergefallen sein, war es ihm doch einst lieb gewesen, von Ludwig Emil im Talar aquarelliert zu werden; während Jacob schon vor Jahren gegen professoralen Aufputz, gegen Barett und Talar polemisiert hatte.

Wilhelm geizte in seinen Briefen nicht mit gesellschaftlichem Klatsch. Er beklagte die Erkrankung der Tochter Auguste, Gustchen gerufen, und war besorgt, wegen der hohen Kosten für den geplanten Umzug nach Kassel. Der zu erwartende Besuch Bettines bekümmerte ihn, sie werde gewiß mit dem Wunsch anreisen, er, Wilhelm, möge den Arnimschen Nachlaß betreuen, was er gewiß tun wolle, doch nicht sogleich und sofort. Dem Bruder legte er einen Brief der gemeinsamen Jugendfreundin bei und erklärte dazu: »Er enthält einen abenteuerlichen Plan. Es geht bei ihr gleich ins Blaue u. in die Wolken hinein, darin hat sie einige Ähnlichkeit mit Clemens.«

Nach Wilhelms Umzug, und als ab November sicher war, daß keine Aussicht bestand, die Amtsenthebung der Sieben rückgängig zu machen, also mit der Fortzahlung der Gehälter nicht mehr zu rechnen war, beschloß das Leipziger Hilfskomitee, das den entlassenen Professoren zustehende Gehalt bis zu einer festen Anstellung zu zahlen.

Die insgesamt 22 000 gesammelten Taler halfen bis zum Jahr zweiundvierzig, als endlich Dahlmann, als letzter der Sieben, an Bonns Universität berufen wurde. Von Anbeginn kam den Brüdern Hilfe zugute, auch wenn sie sich scheuten, Geld anzunehmen. Bürgerlicher Stolz ließ sie zögern. Gewohnt, karg zu leben, wollten sie keiner Person oder gar parteiischen Gruppen dankbar sein müssen. Deshalb waren ihnen – Jacob wie Wilhelm – Zuwendungen von radikal demokratischer Seite bedenklich, ja, unerwünscht. Ihrer Haltung wegen, die ihnen selbstverständlich war, wollten sie nicht als Helden und Aufrührer gegen staatliche Ordnung angesehen oder gar bewundert werden. Liberale Zirkel, ob in Frankfurt oder um den Hamburger Verleger Campe, durften ihnen keinen Beistand leisten, denn die von ihnen bewiesene Verfassungstreue wurzelte in konservativem Beharren. Allenfalls erlaubten sie sich patriotische Bekenntnisse, die allerdings billig waren, weil sie, kaum ausgesprochen, gleich Herbstblättern zuhaufgekehrt wurden.

Immerhin förderte die, wie ich sage, »solidarische Hilfe« eine mündliche, jedoch nicht als bindend empfundene Annahme des Vertrages mit den Verlegern. In einem Brief Jacobs an Wilhelm heißt es: »Wegen des wörterbuchs kann man sich unmöglich noch mit andern einlassen; auch sind dieser Reimer und Hirzel zu feine leute, als dass wir hier übergrosse schwierigkeit machen dürfen.«

Damit beendete er des Bruders heimlich begonnene Bemühungen, mit einem anderen Verleger bessere Honorarbedingungen auszuhandeln. Sogar ein Umzug nach Leipzig wurde erwogen, was dem Wunsch Reimers entsprochen hätte. Aber nach einem Kurzbesuch in der ihm allzu betriebsamen Messestadt teilte Jacob mit, wie wenig er von ihr angetan sei. Und Wilhelms Frau Dorothea, die ohnehin das ihr vertraute Hessen bevorzugte, sperrte sich gleichfalls gegen den Wechsel.

Reimer ließ brieflich nicht locker: »Sollte noch irgend etwas Sie bestimmen, jetzt oder später Ihren Entschluß zu unsern Gunsten zu ändern, so würden meine Frau und Schwester sich angelegen sein lassen, Ihrer Frau Schwägerin die Gewöhnung an einen fremden Ort zu erleichtern…«

Die Brüder blieben nach Wilhelms Umzug in Kassel und werden, wenngleich räumlich beengt, sofort tätig geworden sein, da anzunehmen ist, daß die von den Verlegern bereits im Juli veröffentlichte Börsenblattankündigung, »In unserem Verlag wird erscheinen: Deutsches Wörterbuch von den Brüdern Grimm«, die Suche von A bis Z belebt haben wird.

Doch womit beginnen? Zurück zum A, der Silbe an und deren Anhängseln? Wahrscheinlich sind es die vielen ins Haus geschneiten Briefe voller Belegzettel gewesen, die Jacob bewogen, vorerst beim B zu bleiben und dem Brief mit bezüglichen Zitaten sein Herkommen – »litera brevis« – nachzuweisen. Die Apostelbriefe. Der Geleitbrief, wie ihn Luther zu seinem Schutz erhielt. Der Briefwechsel zwischen Weimar und Jena, auf den der Goethekenner Hirzel hingewiesen hatte.

Ich stelle mich neben den hockenden Jacob und versuche, ihn auf die Briefe Mendelssohn Bartholdys aufmerksam zu machen, doch die Musik und Musiker, selbst der in Kassel dirigierende und weitbekannte Komponist Ludwig Spohr finden nicht sein Interesse. Auch kann ihn mein Hinweis auf den berühmten Brief, den dreiunddreißig Klaus Mann aus dem Exil an Gottfried Benn geschrieben hat, sowie dessen entsetzliche Antwort nicht ablenken. Vergeblich bleibt mein Versuch, ihn mit dem Wort Briefmarke zu verlocken, indem ich vom Nachkriegsschicksal meiner kindlichen Briefmarkensammlung erzähle. Er scheint nur auf sich zu hören, gibt sich zugeknöpft, ist in sein Innerstes verkrochen: dieses beständige, die Vokale betonende Brabbeln.

So geht auch die Erwähnung meines öffentlichen Briefwechsels mit dem tschechischen Schriftsteller Pavel Kohout, damals, als in Prag der Frühling kleine Hoffnung machte, an ihm vorbei. Desgleichen Zitate aus dem Briefwechsel mit dem japanischen Schriftsteller Kenzaburō Ōe, in dessen Verlauf wir die schuldbehaftete Kriegsgeschichte unserer Länder in Vergleich brachten. Erst als ich mich abwendete und seine Zeitweil verließ, sah es so aus, als sei er geneigt, mir bei besserer Gelegenheit sein Ohr zu leihen.

Aus politischen Beweggünden habe ich mehrere Briefe als Offene Briefe geschrieben. Einer ging an die Schriftstellerin Anna Seghers, als am 13. August 1961 quer durch Berlin die Mauer gebaut wurde. Ich schrieb: »Heute stehen Alpträume als Panzer an der Leipziger Straße, bedrücken jeden Schlaf und bedrohen Bürger, indem sie Bürger schützen wollen. Heute ist es gefährlich, in Ihrem Staat zu leben, ist es unmöglich, Ihren Staat zu verlassen...« Ihre Antwort blieb aus. Und auch zu späterer Zeit, als ein Wort von ihr den von der Staatsmacht bedrängten Schriftstellern hätte beistehen können, beschränkte sie sich aufs Schweigen. Sie, die im mexikanischen Exil den tödlichen Schlag mit dem Eispickel beschwiegen und Stalins Terror überlebt hatte, fand keine Worte.

Einen anderen Offenen Brief schrieb ich im Jahr sechsundsechzig, als Kurt Georg Kiesinger Bundeskanzler der Großen Koalition wurde: »Ich frage Sie: Wie soll die Jugend in diesem Land jener Partei von vorgestern, die heute als

NPD auferstehen kann, mit Argumenten begegnen können, wenn Sie das Amt des Bundeskanzlers mit Ihrer immer noch schwerwiegenden Vergangenheit belasten? Wie sollen wir der gefolterten, ermordeten Widerstandskämpfer, wie sollen wir der Toten von Auschwitz und Treblinka gedenken, wenn Sie, der Mitläufer von damals, es wagen, heute hier die Richtlinien der Politik zu bestimmen?«

Dieser und jener Offene Brief, um nur aus zweien zu zitieren, haben weder den Mauerbau noch die Kanzlerschaft eines altgedienten NSDAP-Mitglieds behindert, doch wurde laut, was gesagt werden mußte.

Auch andere nutzten die öffentlich bekundende Briefform. So Heinrich Böll, der einen längeren Text im Herbst achtundfünfzig als »Brief an einen jungen Katholiken« den Werkheften katholischer Laien zum Druck gab. Darin sprach sich sein Zorn über die Amtskirche und deren beflissene Verquickung mit der sich christlich nennenden Partei aus.

Viel später, als ich mit ihm und der Journalistin Carola Stern eine Zeitschrift herausgab, die ständig in Geldnot war, bat ich Böll, mir aufzuzählen, welche Buchmanuskripte er in seine alte, mittlerweile ausgediente Remington getippt habe. Sein antwortender Brief und die Schreibmaschine, die er gleichfalls schickte, wurden Modell, als ich sie für eine Lithographie porträtierte, die später, von ihm und mir signiert, in hoher Auflage genügend Geld einbrachte, mit dem der Fortbestand unserer Zeitschrift »L' 80« für weitere zwei Jahre gesichert werden konnte; sie sprach sich für demokratischen Sozialismus aus.

Aus Heinrich Bölls Brief nenne ich mehrere Titel, nicht nur, weil in ihnen das B dominiert: »Das Brot der frühen

Jahre« – »Billard um halbzehn« – Die verlorene Ehre der Katharina Blum« – »Fürsorgliche Belagerung«.

Der Brief an sich, auf den ich nun wieder komme, ist im zweiten Band des Wörterbuchs zu finden. Jacob Grimm führt ihn im einleitenden Artikel als versiegelte förmliche Urkunde ein, belegt mit einem Zitat von Goethe, das zur vollen Befriedigung Jacobs, der in Sachen Zitate pingelig sein konnte, der Gymnasiallehrer Ludwig Klee exzerpiert hatte: »doch über ihre treue verlangt nicht brief und siegel«.

Dem folgt der Brief als Befehl, wie er bei Luther zu finden ist: »gefellet es dem könige, so gebe er mir brieve an die landpfleger jenseit des wassers, das sie mich hinuber geleiten«.

Und aus epistola, gotisch aipistaulein, wird in Bibeldeutsch: »da der könig Israel den brief las, zureisz er seine kleider«.

Danach ein Füllhorn Zitate, die den Brief zum Gegenstand haben, schließlich solche, nach denen er als »ein brief nadeln« und »ein brief tabak« anderen Bedürfnissen dient.

In der Börsensprache jedoch, das fand bereits Jacob heraus, heißt Brief »angebotnes papier«. Man denke an Anleihen, Bundesschatzbriefe, Schuldverschreibungen, aber auch an diverse Zertifikate, mithin an Schwindelpapiere, deren verbriefte Werte sich jüngst wie Asche im Wind verflüchtigt haben; oder sie faulen in sogenannten Bad Banks vor sich hin als Hinterlassenschaft von Lehman Brothers und anderer hochwerter Betrüger.

Als ich Heinrich Bölls Schreibmaschine und Brief porträtierte, zeichnete ich mit dem Lithostift eine Sonnenblume und eine Schere dazu, von der ich behauptete, sie sei zu fürchten. Denn man kann Geschriebenes, wie es die Zensur nicht nur zu Zeiten der Brüder Grimm handhabe, mit der Schere verkürzen. Auch unbefugt Briefe zu öffnen war und ist üblich. Aus Gründen der Sicherheit oder zwecks innerbetrieblicher Kontrolle wird bei Bedarf der E-Mail-Verkehr überwacht. Man kann Briefwechsel verbieten, Briefe, wie Bettine es tat, erfinden, Kettenbriefe in Umlauf bringen. Der hinter den Spiegel gesteckte Brief ist redensartlich geworden.

Beflissen, nichts auszulassen, werden die Brüder, denn Wilhelm hilft mit, fündig: zum »ablaszbrief«, der ihnen später als Stichwort im ersten Wörterbuchband Ärger bereiten wird, kommt der »mahnbrief«, der »adelsbrief«, von dem sich der mindere Briefadel ableitet. Er steht vorm »bettelbrief, drohbrief, frachtbrief, lehrbrief, schuldbrief«. Nichts kann den mit vielen Zitaten gefeierten »liebesbrief« ersetzen. Manch unnützes Geschenk eignet sich als Briefbeschwerer. Vor gefälschten Briefen ist niemand sicher. Briefromane kamen in Mode. Das Briefgeheimnis jedoch war schon immer Legende und ist mittlerweile nichtig. Mit dem Briefträger zu plaudern ist ein Bedürfnis vereinsamter Witwen. Und als mir während der Lesung der »Plebejer« im Theater am Schiffbauerdamm aus der Künstlergarderobe meine Brieftasche gestohlen wurde, in der sich die Fotos aller acht Kinder und meiner schönbrüstigen Ute befanden, begann eine Geschichte, die auf anderem Blatt steht…

Als aber die Brüder Grimm sich keine Briefe mehr schreiben mußten, weil sie nun Seit an Seit vor prallvollen Zettelkästen hocken durften, fanden sie auf den Belegzetteln des fleißig exzerpierenden Gymnasiallehrers Klee den Beweis, daß man, wie Goethe es tat, den Brief auch als Adverb nutzen könne. Schrieb jener doch an Zelter: »vielleicht vernimmst du brieflich lange nichts von mir.« Und die Witwe des Dichters Arnim wußte als nimmermüde Briefschreiberin zu melden, »schon haben mich manche entfernte freunde hier brieflich besucht...«

Ein Briefcouvert, Bettine,
von deinem Blaubeermund besiegelt,
gibt offen Botschaft mir,
wie blindlings unsre Briefe sich gekreuzt,
verloren blieben, dennoch neu erblühten
und sich erbarmten meiner Pein.
   Ach, such mich brieffrisch wieder heim,
wenngleich ich einst besorgt verbriefte:
»schreib keinen Brief, Brief kommt ins Archiv«,
worauf du unsern Briefverkehr,
der keines Endreims je bedurfte,
doch vom Geschmack her süß war, bittersüß,
mit einem Scheidebrief beenden wolltest;
   dann aber brachte eine Taube,
die deinen Brief im Schnabel trug,
als Bote briefgeheim Bericht,
wer kunterbunt dich in Berlin besucht
und dabei pausenlos Blabla geredet habe.

Wozu mir ein bierbäuchiger Flame in den Sinn kommt, der kürzlich nahe Brüssel eine Ausstellung meiner Zeichnungen und Bronzegüsse eröffnete. Weil er rundum die Figur dazu hat und mir ins literarische Bild paßt, nenne ich ihn Lamme, wenngleich ihm ein zeitbezüglicher Eulenspiegel als Begleitperson fehlt.

Lamme erzählte mir beiläufig, wie seine Familie, begünstigt durch Brieftauben, zu Geld gekommen sei. Mittels der Erfindung seines Großvaters – oder war es sein Urgroßvater? –, der als Bastler geschickte Hände gehabt habe, könne man bei nicht nur im flämischen und wallonischen Belgien beliebten Wettflügen von Brieftauben, die hier wie dort gezüchtet werden, deren Flugzeit auf die Minute bemessen. Ein besonderes Uhrwerk, das patentiert sei, werde am linken oder rechten Taubenbein befestigt und finde sogar in China, wo Millionen besessene Brieftaubenzüchter nach seinen Flugzeitbemessungsuhren begierig seien, reißenden Absatz. Mittlerweile produziere dort eine Filiale überaus billig für den asiatischen Markt. Denn nicht nur Chinesen seien von der Wettsucht befallen. Besonders in Krisenzeiten, wie wir sie derzeit erlebten, in denen Besitz von Schwindsucht bedroht sei, beweise sich die Brieftaube als verläßlicher Glücksbote.

Lamme berichtete mir von Wettflügen über bis zu siebenhundert Kilometer Entfernung. Daß Brieftauben sich auch in Kriegszeiten als Übermittler von todbringenden Befehlen bewährt haben, fand nur beiseite gesprochene Erwähnung. Und daß Tauben bösartig sein können, will er weder in flämischen noch in wallonischen Taubenschlägen bemerkt haben. Um ihre Symboltauglichkeit für Sanftmut zu beweisen, rief er: »Meine betragen sich friedlich!«

So sprach der von mir literaturbezüglich Lamme genannte Kunstfreund. Er versicherte, was die Zukunft betreffe, sei er unbesorgt. Solange ihn der Beistand uhrenbestückter Brieftauben begünstige, werde er sich um die Kunst bemühen, wie er es bereits mit meinen Zeichnungen und Skulpturen tue. Dabei seien ihm die sich in Gestalt von

Bronzegüssen begattenden Paare besonders lieb. Er streichelte einen bräunlich patinierten Guß.

Nun ist aber, um vom Brief auf die soeben erwähnte Bronze zu kommen, diese Kupferlegierung im zweiten Band des Grimmschen Wörterbuchs, der von Biermörder bis Dwatsch reicht, nur spärlich belegt. Nur bronzieren steht vermerkt. Kein Bronzeguß, kein Bronzegießer fand hinein. Jacob sperrte sich aus Prinzip gegen den Wortschatz der Handwerker. Ich aber will von einer Begebenheit berichten, die der Stadt Göttingen im Jahr 1991, als im Südosten Europas, kurz und unheilschwanger Balkan genannt, vieles aus den Fugen geriet, zu einer besonderen Bronze verhalf.

Wenngleich die Brüder Grimm dazumal aus dieser Stadt vertrieben wurden, komme ich nicht umhin, Göttingen immer wieder zu besuchen, weil nämlich dort mein Verleger seinen Sitz hat. Die von ihm bei Tag und Nacht betriebene Druckerei erweist sich als Magnet, zieht Künstler aus aller Welt an, so auch mich von Buch zu Buch. Außerdem ist er, weil Mitglied der Lichtenberg-Gesellschaft, mit einem Mann namens Tete Böttger befreundet, der sich als Held meiner zu berichtenden Begebenheit beweisen wird.

Er kam zum Zug, weil die Behörden meinten, die Stadt sei zu arm – manche sagten »bettelarm« –, um für den kleinwüchsigen, zudem buckligen Gelehrten und Sudelbuchschreiber Georg Christoph Lichtenberg, der Jahre vor den Brüdern Grimm der Universität zu blitzgescheiten Einsichten verholfen hatte, ein überfälliges Denkmal zu errichten, und zwar in Bronze.

Nun ergab sich, daß Tete Böttger, ein umtriebiger und keine Grenzen scheuender Mann, um jene Zeit auf dem

Balkan, kurz bevor dort wechselseitig das Morden begann, mit dem Ziel Albanien unterwegs war, um in der Hauptstadt Tirana eine von ihm betreute Ausstellung des Zeichners und Meisters der Griffelkunst Horst Janssen zu eröffnen. Übrigens sah er Janssen in Blutsverwandtschaft, was die Tinte betraf, zu Lichtenberg; beider Federstrich bringe das Kleine zu großem Ansehen.

In Tirana jedoch war man gerade dabei, wie zu jener Zeit allerorts im Osten Europas, Denkmäler zu stürzen. In Stein gehauene, aber auch solche, die überlebensgroß in Bronze gegossen waren. Sie bildeten allesamt den Diktator Enver Hodscha ab, der Albanien als Hort und letzten Lebensbeweis des Stalinismus beherrscht und als Bunker unbeirrbarer Glaubensstärke befestigt hatte.

Beim Sturz der Denkmäler fielen etliche Bronzegüsse in Stücke. Also wurde Buntmetall für den Schwarzhandel abfällig. Tete Böttger bewies ein Händchen für angebotene Beute, griff zu und kam gegen deutsche Mark recht billig zu Bruchstücken, die für einen Bronzeguß mittlerer Größe reichen mochten.

Nach einigem Bemühen fand er sogar den Bildhauer Fuad Dushku, der einst des Diktators überlebensgroßes Abbild geformt hatte. Nun sollte der metallene Abfall den Aufklärer und Meister scharfzüngiger Aphorismen, nämlich jenen Lichtenberg abbilden, dessen Denkmal auf Göttingens Marktplatz immer noch fehlte.

So geschah es. Nach Grafiken, auch solchen von Horst Janssens nachfühlender Hand, machte Dushku sich mit der buckligen Figur vertraut, modellierte sie in halber Lebensgröße, auf daß ein Gipsabguß als Modell für den erwünschten Bronzeguß tauglich wurde: Former, Gießer, der Ziselierer, der Patineur taten, was ihres Berufes ist.

Auch das geschah in Tirana. Eine Gießerei, die jahrzehntelang einen Hodscha nach dem anderen in unterschiedlichen Größen gegossen hatte, bewies nun aufs neue mit dem bronzenen Abbild eines Mannes gegensätzlicher Denkart bewährte Qualität: unterm Perückengelock stand in Schnallenschuhen und in gebrechlicher Schönheit jener Ausbund treffsicherer Worte, der seinem verfinsterten Vaterland manch Lichtlein gesteckt hatte, auf daß es seinen bedauernswerten Zustand – und sei es auch nur zwei einleuchtende Zeilen lang – erkennen mochte. In linker Hand hält er eine Kugel, die dem Reichsapfel gleicht, aber ein Atom mit den Lichtenbergschen Plus- und Minuszeichen für elektrische Ladung verkörpert.

Einige Schwierigkeiten bereitete der Transport. Noch gab sich Albanien abgeschottet, weil um seine Grenzen besorgt. Doch Tete Böttger verstand es, den mittelhohen Bronzeguß, verpackt und gesichert mit Klebeband, als Diplomatengepäck per Flugreise nach Paris und weiter nach Köln zu befördern. Rund vierzig Kilo wog die Bronze.

Beim Überbringen der Skulptur in Böttgers Benz kam es auf der Autobahn Richtung Göttingen zu einem kleinen Malheur. Nein, kein Blechschaden, doch durchschlug beim plötzlichen Bremsen die auf den Hintersitzen gelagerte Bronze die Frontscheibe. Der Guß nahm keinen Schaden.

Dann war es soweit. Endlich! Göttingen wurde mit einem Denkmal beglückt, das, gegossen aus der bruchstückhaften Bronze eines überlebensgroßen Potentaten und Parteibonzen, nun allseits sichtbar einen Mann darstellt, der mit einem seiner tausend Aphorismen dafür geworben hat, ein Paar Hosen zu Geld zu machen und für den Betrag ein Buch zu kaufen.

Seitdem steht Lichtenberg auf dem Marktplatz. Die Bodenplatte mußte mit Schrauben befestigt werden, so daß die Skulptur, falls sie stören sollte, jederzeit den Standort wechseln kann. Wer aber die Inschrift der Bodenplatte lesen will, muß sich beugen, vor ihm verbeugen. Und wer seinen Buckel streichelt, dem vermitteln sich jene blitzgescheiten Gedanken, deren wir derzeit bedürftig sind.

In Grimms Wörterbuch kommt er vor, verkürzt zitiert und meistens um den Witz gebracht. Doch für ein allseits zu bestaunendes Denkmal der Göttinger Sieben, wie es immerhin in Hannover zur Ansicht kommt, fehlt es den Stadtvätern sowie den Professoren der immer noch als berühmt geltenden Universität an Geld, also an Bronze. Vielleicht sollte sich Tete Böttger wiederum auf Reise begeben, sobald abermals bruchreife Denkmäler gestürzt werden und Buntmetall billig zu haben sein wird.

Juckt er euch wieder, der Buckel?
Ihn mit Schlägen salben,
einreiben mit Pfeffer und Salz.
Sich einen Buckel lachen,
auf dem sich rutschen läßt, bergab.
　Fischart weiß: »ein buckelich nas in der mitten
bedeut beredenheit und kluge sitten.«
Aesop war ein Buckliger.
Im Lied, das im Wunderhorn steht,
lacht das bucklicht Männlein.
　Und aus Lichtenbergs Buckel, sagt Tete Böttger,
der es wissen muß, könne man Funken schlagen,
auf daß uns die Tranfunzel Vernunft brenne und brenne.

Derweil, wenn auch rund hundertfünfzig Jahre vor dem Mauerfall und dessen Folgen bis hin nach Albanien, lief der Briefverkehr zwischen Leipzig und Kassel, Kassel und Berlin postwendend ab, gab pünktlich der Verleger Reimer den Brüdern Grimm Bescheid, ließ der Verleger Hirzel höflich jeweils Grüße bestellen, und auch Bettine war nicht schreibfaul, so daß Jacob wiederholt Gründe fand, sich in Briefen an Dahlmann und Gervinus besorgt zu zeigen. Doch wenn beide die öffentliche Betriebsamkeit der Witwe, bei allem Wohlwollen ihr gegenüber, mit kritischen Worten, vorlaut sei sie und von penetranter Beredsamkeit, beurteilten, mußte andererseits Dahlmann, der mit dem nüchternen Blick des Historikers wertete, Jacob brieflich ermahnen, als jener die reichlich fließenden Geldspenden – so wollten Bürger der Stadt Königsberg mit 1600 Talern Beistand leisten – nicht anzunehmen bereit war: »Die womöglich als hochmütig empfundene Ablehnung der Beihilfen könnte die landesweite Begeisterung für das beispielhafte Handeln der Göttinger Sieben dämpfen und das vaterländische Interesse ersticken.«

Also besann sich der ältere Grimm, nun auch ermuntert durch den jüngeren, der als Familienvater ohnehin haushälterisch handeln mußte, eines Besseren; schließlich galt es, der vielköpfigen Wohngemeinschaft im »Haus zur schönen Aussicht«, zu der außer der Familie des malenden Bruders Ludwig Emil immer wieder die schlecht versorgten Brüder Ferdinand und Karl zählten, nach Kräften beizusteuern. Bescheiden und auf jeden Pfennig bedacht ging es in Kassel zu.

Dahin kam alle Post. Doch so sehr die Verleger drängten, Jacob sah sich, wenngleich die Zettelwirtschaft bereits begonnen hatte und sich dem Alphabet zufolge alle Buchstaben zugleich in Szene setzten und mit Zitaten bestückt einander in Kolonnenstärke zu überbieten versuchten, vorerst genötigt, seine später berühmt gewordene Verteidigungsschrift zu Papier zu bringen.

Wilhelm hatte, noch von Göttingen aus, die erste Fassung gestrafft. Weil mehr noch als Jacob allen Parteiungen fern, strich er weg, was ihm allzu politisch vorschmeckte. Nur die Besorgnis um des Eides Bestand und den Kern, die Verweigerung als Haltung, blieb stehen, so daß beide als Verfasser hätten gelten müssen. Doch als der restliche Text dann, in Basel gedruckt und verlegt, seinen Weg nahm und dabei, wie erhofft, die überall im Vaterland geltende Zensur unterlief, machte er nur den älteren Grimm als Autor bekannt.

Wilhelm hatte in einem Brief bereits vorausgewußt: »Die Schrift, zumal in dieser eindringlichen Weise abgefaßt, wird großes Aufsehen machen, mehr als du vielleicht denkst...«

So geschah es wie zum Beweis. Jacob, dem Ausgewiesenen, hatte es zugestanden, seine Verteidigung mit einem Vers aus dem Nibelungenlied einzuleiten: »war sint die eide komen?«

Denn nur darum ging es. Den Brüdern galt der Verfassungsbruch des Königs von Hannover als Entwertung des von ihnen geleisteten Eides. Die Gebundenheit durch Eid an eine Verfassung, die gewiß nicht als freiheitlich gelten konnte, war ihnen dennoch bindend; nicht fürstliche Willkür konnte sie einseitig auflösen. Doch verlangte der Eid in späteren Zeiten eine Haltung ab, die jenen Gehorsam zur Folge hatte, der sich sogar Verbrechen gegenüber blind stellte.

Den Göttinger Sieben – Jacob Grimm voran – ist diese, dem Eid eingeborene Gefährdung als »blinder Gehorsam« nicht bewußt gewesen. Ihnen war Verfassungstreue erstes und letztes Gebot. Der verfaßte Text ließ allenfalls Bedenken zu, sein Bestand jedoch war unverbrüchlich. Weshalb auch Wilhelm, bezeichnend für ihn, den Wankelmut und die beflissene Feigheit der mehrheitlichen Göttinger Professoren, über zwanzig an der Zahl, in einem poetischen Bild festhielt: »Die Charaktere fingen an sich zu entblättern gleich den Bäumen des Herbstes bei einem Frosttag.«

Mir kommt dazu mein Versuch, mich »beim Häuten der Zwiebel« zu erinnern, in den Sinn: was bleibt und nur zögernd zu berichten ist.

Es geschah auf einer winterstarren Waldlichtung. Siebzehn zählte ich, als wir, ins Karree gestellt, unter frostklarem Nachthimmel auf Führer, Volk und Vaterland sowie auf den Reichsführer der Waffen-SS vereidigt wurden. Satz für Satz sprachen wir nach: »Ich gelobe...« Feierlich war uns, war mir zumute. Nach dem Schwur wurde gesungen: »Wenn alle untreu werden, so bleiben wir doch treu...«

Dazu kam es nicht. Das Kriegsende befreite mich von dem beschworenen blinden Gehorsam, ohne daß ich sogleich sehend wurde und begriff, welches Ausmaß an Verbrechen ein Eid, gesprochen in einer Frostnacht, bemänteln kann. Nie wieder würde ich einen Eid leisten.

Die Brüder Grimm jedoch meinten, gemeinsam mit fünf anderen ein frühes Beispiel für etwas gegeben zu haben, das gegenwärtig Verfassungspatriotismus genannt wird; aber mit Blick auf den jähen Verfassungsbruch des Königs Ernst August von Hannover fällt heutzutage auf, um wieviel Substanz betrogen die in der Bundesrepublik Deutschland seit sechzig Jahren gültige Verfassung mittlerweile ist.

Sie hält nicht, was sie verspricht. Weder ist die ihr eingeschriebene soziale Verpflichtung des Eigentums Wirklichkeit geworden, noch ist jeder Bürger vor dem Gesetz gleich. Als sich nach dem Zerfall des anderen deutschen Staates Aussicht auf Einheit bot, wurde der Schlußartikel des Grundgesetzes, der im Fall möglicher Vereinigung beider Staaten vorschrieb, der gesamtdeutschen Bevölkerung eine neue Verfassung vorzulegen, gebeugt und später getilgt. Und seitdem das Verfassungsrecht auf Asyl beschnitten, nur noch Fragment ist, sind Abschiebehaft und gewaltsames Abschieben von Flüchtlingen tagtägliche Praxis; beschämend nicht nur für jeden, der sich noch immer Verfassungspatriot nennt.

An diese beschädigte Grundlage des Staates könnte mich kein Eid binden. Und hätte ich, was mir erspart blieb – in welcher Funktion auch immer – auf ihren noch heilen, einst vielversprechenden Wortlaut einen Eid geleistet, müßte ich ihn nunmehr brechen, allein schon wegen des brutalen Umgangs mit Asylsuchenden, des Rückfalls in Barbarei.

Den Brüdern Grimm jedoch wurde, wenn auch widerwillig, Asyl gewährt. Aber eine Berufung als Bibliothekare in Kassel oder als Professoren an die Universität Marburg, wo Jacob und Wilhelm in jungen Jahren studiert hatten, scheiterte am Kleingeist der kurfürstlichen Regierung, so sehr Bettine von Arnim die Behörden mit Bittgesuchen bedrängte. Sie sparte weder an Tinte, noch war sie um werbende Worte verlegen, sobald sich irgendwo der Vorschein einer Hoffnung bot. Ungefragt bewarb sie sich stellvertretend für die Grimms.

So kann es nicht verwundern, wenn die mit vielerlei Talent begnadete Schwester des Clemens Brentano – sie schrieb, zeichnete, musizierte – besonders Jacob verstörte. Ihr unbekümmerter Mut. Ihr inständiges Räsonnieren. Ihre schwerelose Phantasie. Und ihr beflissenes Mitleid mit Bedürftigen, Verstoßenen, Verfolgten: niemand entging ihrer Barmherzigkeit.

All das erschwerte den Umgang mit ihr. Die trotz der Jahre Last – sie war in Jacobs Alter – immer noch jugendlich anmutende Mutter von sieben Kindern, deren ungestillter Liebesdrang sich nicht nur in Briefen ergoß, fiel selbst ihren Freunden zur Last. Dahlmann und Gervinus beklagten ihr kaum zu überhörendes Wortgetümmel. Immerfort führte sie Beschwerde. Einerseits bewundert, galt sie andererseits als Nervensäge.

Hinzu kam der Streit, den sie mit ihrem Schwager Savigny pflegte, weil der einstige Lehrer und väterliche Freund der Brüder Grimm – ein Staatsbeamter, dessen Betragen in einem biedermeierlichen Benimmbuch als beispielhaft hätte bebildert werden können – jenen nun, da sie in Not, nicht bedingungslos beistehen wollte.

Ganz anders Bettine. Schon seit Goethes Tagen war sie als irrlichternde Närrin verrufen. Und doch ist sie es gewesen, die schließlich allen anderen voran die Berufung der Brüder Grimm nach Berlin befördert hat.

Sie war der Mund ihrer Zeit. Ihr unwiderstehlicher Wortschwall, in Büchern, die immer aufs Ganze gingen, in Briefen, die kein Geheimnis wahrten. Besonders Jacob litt unter ihrer plapprigen Zudringlichkeit. Sie bewies immer wieder, daß ihr des Martin Opitz Botschaft, »dasz wir für unser maul kein blat nicht dürfen nehmen«, so recht wie billig war.

Hinzu kamen ihre Tiergartenbesuche mit Studenten – bei Vollmond! –, ihr, aus Bürgersicht, familiäres Chaos. Hingegen setzte unser von Zitaten auf vielerlei Belegzetteln eingeschneites Brüderpaar, das immer noch planlos und vom Zufall gefüttert von Kienspan auf Pastorenläuse kam und von der Gaupe ins Herzensweh flüchtete, nunmehr auf Ordnung. Man wollte sich in Zucht nehmen und vorerst nur dem Buchstaben B folgen. Jacob bestand darauf. Mit anlautendem be, das er zur nahen Silbe bei sah, der er späterhin drei einleitende Spalten widmete, reihte er das Beben, den Becher, den Bedarf, kam auf beabsichtigen, bearbeiten, beäugen und hätte mir, der ich mich in seine Schreibstube drängte, mit einem weiteren Stichwort, Beerdigung, Gelegenheit geben können, ihm von jenem Sommertag des Jahres fünfundachtzig zu berichten, als wir – seine Söhne, Wallraff, Kopelew und ich – Heinrich Böll zu Grabe trugen, wozu, dem Leichenzug vorneweg, Zigeuner aufspielten, deren Melodien wehmütig verwehten und zugleich alle Trauernden zum Tanz bewegen wollten.

Ich hätte Jacob mit Böllzitaten füttern mögen, wäre vom Befehlsnotstand zur Befehlsverweigerung, von der Beichte zum Beichtgeheimnis, vom stillen Gebet auf die scheinheiligen Betschwestern gekommen und hätte sprunghaft mit der ihn bis aufs Krankenlager bösartig verfolgenden Bild-Zeitung ein Stichwort mehr mitsamt Zitaten liefern können; dann aber ist es wohl Wilhelm gewesen, der mich zur Seite schob, an meiner Stelle dem Bruder über die Schulter schaute, meinen Wortbeitrag »Beerdigung« überging und märchenkundig, wie es sein Ruf verlangte, vom althochdeutschen pesamo über das mittelhochdeutsche beseme auf den bis heute gebräuchlichen Besen kam. Von ihm ließ sich Besenbinder ableiten. Und Bettines hexisch anmutendes Wesen wird ihm den Besenstiel nahegelegt haben. Hatte sich dessen Flugtauglichkeit doch bei besonderem Anlaß bewiesen: auf Walpurgis zum Beispiel, wenn von Göttingen aus nur einen Luftsprung weit ins Harzgebirge...

Bis auf den Brocken hoch
beeilen sich nächtens Hexen bergauf,
wo zur Begattung mit Beelzebub,
jede bereit ist, ihm beizuliegen,
sobald er sie bocksbeinig aufs Wolkenbett wirft.
    Seht nur: beritten auf Besen,
gebunden aus Binsenreis
oder haarig mit Borsten bestückt,
fassen sie beidhändig Stiele.
    Hört nur: ein bimmelnd Glöckchen
beendet die Brunst, weil die Zeit um ist.
Was gestern noch, bevor besondrer Besuch kam –
Belial, wer sonst! – dienlich dem Bretterboden,
bis er blitzblank und besenrein,
muß jetzt, sagt die biedere Hausfrau,
zurück in die Besenkammer:
Besen, Besen, seid's gewesen...

Was wiederum einen Hinweis auf den Gymnasiallehrer Klee erlaubt, der mit dieser altbekannten Beschwörung, die jedem Zauberlehrling geläufig sein sollte, zitatsicher den Brüdern Grimm zugearbeitet hat. Mir aber war keines Meisters wunderwirksamer Stab zur Hand, kein Besenritt konnte mich beschleunigen, vielmehr bewegte ich mich über Jahre hinweg nach Schneckenart bergaufwärts, dann wieder auf abschüssiger Bahn von B nach B, kritzelte beiläufig in mein Tagebuch, wie ich von Bebel zu Brandt gekommen, wobei mir auf dieser Wegstrecke immer wieder ein gewisser Eduard Bernstein begegnet sei, der es verstanden habe, auf nüchtern besonnene Weise zwischen August Bebel und Willy Brandt zu vermitteln.

Des erstgenannten Buch, »Aus meinem Leben«, hatte mich mit dem Beginn der Arbeiterbewegung bekannt gemacht. In des anderen Nähe brachte mich der Bau der Berliner Mauer. Was aber Bebel und sein Buch betrifft, hätte ich mich gerne – wäre es jemals dazu gekommen – an einem dreiteiligen Film fürs Fernsehen beteiligt, der dessen frühe Jahre als Drechslergeselle belichtet, dann seine trickreichen Bemühungen während der bedrückenden Zeit der Sozialistengesetze, danach Bebels Position im endlosen Revisionismusstreit, schließlich die Zürcher Beerdigung, wie im »Butt« beschrieben steht. All das hätte ich den heutzutage so geschichtsfernen Genossen bekannt gemacht; aber sie wollen nicht wissen, woher sie kommen, kaum ahnen sie, wer ihresgleichen mit deutlicher Kriechspur über Durststrecken hinweg bewegt hat.

Immerhin besitze ich einen Aschenbecher aus seiner Zeit. Den schnörkeligen Messingguß, der ihn als Relief im Profil zeigt, schenkte mir Leo Bauer, ein längst verstorbener Freund, der sich nach langer sibirischer Haft vom kommunistischen Glauben und dessen Unbedingtheit zum Einerseitsandererseits der Sozialdemokratie bekehrt hatte. Bauer war zugleich mit Brandt und Wehner befreundet; ein Meisterstück der Balance.

Oft ist Bebels Bekenntnis »Wir buhlen nicht um die Gunst der bürgerlichen Parteien!«, das als Inschrift meinen Aschenbecher schmückt, von abgebrannten Streichhölzern bedeckt. Er und hilfsweise der an ihn erinnernde Messingguß lehrten mich, Niederlagen als Wegbegleiter zu ertragen; sie machten mir Beine. In einem Film über sein Leben würde ich mich mit einer Nebenrolle bescheiden: als preußischer Büttel mit Schlagstock oder weit besser: als alles Grundsätzliche bezweifelnder Revisionist.

Wenn aber nun von meiner ersten Begegnung mit Willy Brandt erzählt wird, soll vorweg gesagt sein: dessen Mitte der siebziger Jahre für die Vereinten Nationen geschriebener Bericht über den reichen Norden und den verarmten Süden ist, was den Hunger als Dauerzustand betrifft, noch heute gültig, was unter dem Brandt-Zitat »Auch Hunger ist Krieg« als Titel in einem Film ohne Ende zu beweisen wäre.

Eigentlich hätte ich nicht dabeisein sollen, als Hans Werner Richter als Leiter und Herbergsvater der legendären Gruppe 47 ein gutes Dutzend Schriftsteller ins Schöneberger Rathaus führte, wo uns – Ende August oder Anfang September einundsechzig – Berlins Regierender Bürgermeister empfing. Richter befand, ich sei zu anarchistisch und seit dem Erscheinen meines Erstlingsromans »Die Blechtrommel« als Bürgerschreck zu berüchtigt, um für ein Treffen mit Brandt tauglich zu sein. Schließlich werde es bei dem Gespräch um den Bundestagswahlkampf gehen, der sich parallel zum anhaltenden Mauerbau hinziehe. Dieser Brandt sei immerhin eine Art Hoffnungsträger in trüber Zeit.

Mich aber hatte eine Rede des Bundeskanzlers Konrad Adenauer, gehalten in Regensburg, in der er seinen Gegenkandidaten als uneheliches Kind verlästerte und dessen

Überleben als Emigrant in Verruf zu bringen versucht hatte, aufs politische Gleis gebracht.

Dieser Rufmord aus allerchristlichstem Mund war nicht hinzunehmen. Also wollte ich, der schnauzbärtige Kaschube und Außenseiter, dabeisein, als das gute Dutzend empfangen wurde. Also gab Richter nach. Also hörte ich Brandt, dem sein Referent Egon Bahr zur Seite stand, von Berlins beängstigender Lage und beiläufig von sozialen Verbesserungen reden.

Er gab zu bedenken. Umständlich und zwischen lastenden Pausen versuchte er uns begreiflich zu machen, wie sehr ihn, den Regierenden Bürgermeister der nunmehr geteilten Stadt, einerseits der von Protesten, Fluchtszenen und besorgniserregender Untätigkeit der alliierten Schutzmächte begleitete Mauerbau in Atem halte, er aber andererseits als Kandidat der Sozialdemokraten unterwegs sein müsse, gefordert und begehrt als Redner in Sälen, auf Marktplätzen.

Dann kam er mit norddeutsch rollendem R zur Sache. Beleidigend verletze ihn der politische Gegner. Wie ein Feind und Vaterlandsverräter werde er von den Journalisten eines gewissen Pressekonzerns behandelt. Deshalb müsse sein Redetext täglich neu geschrieben werden. Oft bestehe Bedarf an unverbrauchten Worten. Indem er dafür Verständnis voraussetze, bitte er nun die anwesenden Schriftsteller, von ihrem erwiesenen Sprachvermögen Gebrauch zu machen und so der guten Sache mit belebenden Einfällen behilflich zu werden.

Anfangs sprach er eher gehemmt, als beklemme es ihn, zugefügte Verletzungen zum Thema machen zu müssen. Sein Vortrag hörte sich bemüht, wie von Wackersteinen belastet an. Er redete wie ins Leere. Dann aber schien ihm der Mauerbau visionäre Kraft zu leihen: eine neue Politik, die auf Dialog und Entspannung zwischen den Großmächten setze, langfristig die Vereinigung des geteilten Landes offen halte und so die Mauer eines, wenn auch fernen Tages hinfällig machen könne, sei dringend notwendig, bedürfe aber der Unterstützung geistig Schaffender, besonders der Schriftsteller.

Danach schwieg er. Auch das angesprochene Dutzend hielt sich vorerst zurück. Mag sein, daß Egon Bahr noch Ergänzendes vorgetragen hat, vielleicht Gedanken, die sich damals schon in Richtung seiner späteren These vom »Wandel durch Annäherung« bewegten. Jedenfalls gefiel sich das versammelte Dutzend bald darauf in Kritik. Anlaß genug bot die SPD. Ihre verbissenen Flügelkämpfe. Ihr beflissenes Kompromißlertum. Ihr betuliches Bravseinwollen. Ihr kleinteiliges Bessern von Verbesserungen und Bemühen um immer nur ein bißchen mehr Gerechtigkeit. Ihre kleinbürgerliche Bierärschigkeit. Ihr falsches Bewußtsein. Und was noch an Belehrung bekömmlich zu sein hatte.

Brandt zeigte Verständnis für fast jede vorgebrachte Beschwerde. Doch als er gegen Ende des zeitlich begrenzten Empfangs – er mußte nach Tempelhof und ab in den Westen, auf Plätzen, in Sälen reden und reden – das kritische Dutzend noch einmal fragte – oder war es Bahr, der die Frage stellte? –, ob vielleicht der eine oder andere bereit sei, mit kleinen, aber auch längeren Beiträgen des Kandidaten Reden zu bereichern, war, zum Erstaunen des Dutzends und wohl auch des Regierenden Bürgermeisters, ich, der Bürgerschreck, ein nur mit Vorbehalt zugelassener Gast, der einzige, der den Finger hob.

So geschah es. Solange der Wahlkampf lief, saß ich im Büro Egon Bahrs über Redemanuskripten und versuchte, was zu papieren klang, dinglicher, bildhafter werden zu lassen, etwa im Sinn von Butter aufs Brot.

Ich weiß nicht mehr, zu welch zündenden, womöglich Beifall auslösenden Einfällen ich gekommen bin. Hier spitzte ich zu, dort strich ich weg. Zum Beispiel umständliche Satzanfänge, die Brandts Scheu, ich zu sagen, entsprachen. So wurde es mir zur Regel, Wendungen wie »Der hier spricht, meint…« oder »Dem hier das Wort gegeben ist, drängt es…« durch selbstbewußtes »Ich sage, ich bekenne, ich habe, werde, ich bin« zu ersetzen.

Egon Bahr blieb skeptisch, was meine vorsorgliche Ich-Betonung betraf. Wenn es mir gelinge, auch nur ein Drittel der ins Manuskript geschmuggelten Ichs in die später gehaltene Rede zu retten, sei mein Beitrag zum Wahlkampf verdienstvoll gewesen.

Als sich Gelegenheit fand, bei der einen oder anderen Reise in die westdeutschen Provinzen, jeweils nach Charterflug von Berlin-Tempelhof aus, auf Marktplätzen, in überfüllten Sälen dabei zu sein, beschlich mich kindlicher Stolz, sobald ich hörte, wie er mit rollendem R die Bürger Heilbronns, die Bürger Darmstadts ansprach, indem er der Menge verkündete: »Ich bin…« – »Ich werde…« – »Ich sage…« – »Ich will…«

Es fiel mir leicht, mein »Hundejahre«-Manuskript zu verlassen, um Hilfsdienste für ihn zu leisten und fortan öffentlich Partei zu ergreifen. Von Zeit zu Zeit schraubte ich das Tintenfaß zu, verließ die Windstille meiner Werkstatt, setzte mich wechselndem Wetter aus. Das hatte Folgen: ich wurde zum gelernten Sozialdemokraten. Was heißt, ich kam nie an, suchte kein Endziel, blieb unterwegs, bin es immer noch…

Doch das sei abermals betont: angestoßen, politisch zu werden, hat mich nicht Willy Brandt, sondern der allerchristlichste Kanzler. Er, der sich aus Nächstenliebe den Kommentator der Rassengesetze, Hans Globke, als Staatssekretär hielt, er, dem das christliche Abendland nur bis zur Elbe reichte, er verdächtigte den Emigranten Brandt »alias Frahm« unterschwellig des Landesverrats. Sein Christentum katholischer Machart gab ihm ein, uneheliche Herkunft als Makel anzuprangern. Konrad Adenauer war jedes Mittel recht, weshalb er noch immer als Staatsmann gilt.

Doch mit dem Umweg über die christliche Heuchelei bis hin zum Mißbrauch des Stichwortes Christus, Christ, mittelhochdeutsch Krist geschrieben, bin ich beim Buchstaben C angelangt. Er galt, weil zum Austausch gegen andere Buchstaben geeignet, den wörtersammelnden Brüdern Grimm als Wechselbalg, weshalb er im zweiten Band ihres deutschen Wörterbuchs zwischen B und D nur siebenunddreißig doppelspaltige Seiten füllen durfte.

DIE CÄSUR

Sprechchöre höre ich, die bis in die achtziger Jahre hinein das Chaos beschrien: »Macht kaputt, was euch kaputt macht!« Aber ganz und gar kaputt, mit K geschrieben, waren am Ende die Schreier nur. Bettine von Arnim hingegen setzte, als sie wieder einmal von ihren Capriolen erschöpft im Schneidersitz auf dem Canapee hockte und dabei Wilhelm Grimm einen Brief schrieb, eingangs ein C: »ich fühle mich ganz caput«, weshalb in nur wenigen Spalten, in denen nach Jacob Grimms kritischer Auswahl im zweiten Band des Wörterbuchs hausgehalten wird, zwischen Cabale und Curtisane das Wörtchen caput samt Citat zu finden ist; dem jubilierenden hohen C jedoch, mit dem die heilige Cäcilie den Cherubim nacheifert und höchstoben tiriliert, wurde keine Zeile gegönnt.

Was sonst noch mangelt. Daß die Cisterziensermönche nicht vorkommen, entspricht den Regeln des Wörterbuchs, warum aber fand sich für Cosmos kein Platz? Das Chaos ausgespart. Kein Clown durfte im Circus Grimassen schneiden. Auffällig fehlt Calvins Lehre, denn die Geschwister Grimm wurden im churhessischen Städtchen Steinau nach reformierter Confession, was hieß, in calvinistisch farbloser Strenge erzogen. Zu Lutheranern hielt man Distanz. Die wenigen Catholiken in ihrer Umgebung, wie deren Catechismus, waren ihnen so bunt wie fremd.

Meine jungen Jahre jedoch wurden von einem Katechismus bestimmt, der wie alles Katholische dem K anhing. Dessen Lehrsätze sowie das Sündenregister des Beichtspiegels paukte mir ein Vicar ein, dem es schweißtreibende

Mühe bereitete, cölibatär zu leben, weshalb er uns Kinder, Knaben wie Mädchen, die ihm allesamt lieb waren, gerne befingerte. Danach verschwand er scheu lächelnd in einer Kammer neben der Sakristei, die ihm als Clausur oder Klausur diente.

Gleich einem Comic mit Sprechblasen und dennoch spannend wie ein Crimi liest sich, ab wann im Tauschhandel der Buchstaben etwas Halbrundes sich eckig zu spreizen beginnt, wie aus Cloake eine Kloake, aus Nicolaus ein Claus und später ein Klaus wird. Deshalb weist Jacob vorbeugend auf den schwankenden Gebrauch von C und K hin, zugleich auf Wörter, denen sich das Z anbietet. Schreiben wir doch Keller, aber auch Celle und Zelle, wie wir Cement als Zement mit Sand zu Beton mischen, den Cirkel als Zirkel kreisen lassen und nach gegenwärtiger Laune, sobald uns das Schaf Dolly im Traum chockiert, den Clon als Klon fürchten.

Schon früh wurde aus Capital Kapital, die Communisten erschreckten als Kommunisten die Bürger und wurden wohl deshalb im Wörterbuch mit Platzverbot bestraft. Doch jede Crise gebar die nächste Krise. Hingegen hielt das Kreuz als Cruzifix am C fest. Citrone blieb Citrone. Und Cicero und Cäsar wurden, wenn man vom Kaiser absieht, gleichfalls verschont. Bei Kaffee, Kakao, Kanone und Krone jedoch ging das C flöten, konnte sich aber, trotz des Handels mit faulen Krediten, bei der Commerzbank behaupten. In einer längeren Geschichte ließe sich erzählen, wie aus dem Cinema das Kino wurde. Wer erinnert sich noch? Einst gab es die Classen-Lotterie. Und als der Not gehorchend die »Sociale Frage« gestellt wurde, kam es zum Classenkampf.

Jacob wird, als er seine Wahl treffen und begründen mußte, Unbehagen gespürt und, wie er später einführend zum dritten Buchstaben des Alphabets schrieb, »dumpfe willkür« empfunden haben, als er aus dem Wust ursprünglich lateinischer Wörter, die nun ein K vor sich hintrugen, jene zu filtern begann, die, wie Calender, vorerst dem C anhänglich blieben. Er entschloß sich zur »radicalen auslese«. Was hieß: ihm fragwürdige Wörter ließ er aus nur zu erahnenden Gründen weg, sicher, weil ihm manch wörtliches Gebilde zu aufdringlich neuzeitlich roch oder ihn ängstigte, da es abseits und fremd seiner rückgewandten Wissenschaft mit dem C prunkte.

Zum Beispiel die Chemie, vor deren Retortenwörtern er später, viel später in einer Rede die von ihm versammelten Germanisten warnte. Und mit der Chemie censierte er alle Chemikalien, gab der Chemieindustrie keine Chance, sich Fremdwörter heckend in seinen Spalten zu entwickeln, was sie allerdings nicht hinderte, nah und fern gelegene Märkte mit immer neu gerundeten Pillen zu füttern, bis sie als in Concernen geballte Wirtschaftsmacht so allumfassend herrschte, daß ihr Ärzte, Apotheker und Politiker hörig wurden: anfangs corrupt, dann korrupt, allzeit geschmiert.

Als gegenwärtige Lobby kauft sie sich in Parlamente und Ministerien ein. Sie fördert Gesetze, creiert Minister, die ihr gefällig sind. Sie regiert mit, ohne gewählt, controlliert, ohne unter Controlle zu sein. Sogar die Landwirtschaft folgt der Chemie als Agrarindustrie aufs Wort, denn ihr Angebot reicht vom chemischen Dünger bis zu Pestiziden, denen kein Unkraut gewachsen, kein Insekt heilig ist.

Ganz zu schweigen von Medikamenten, deren Nebenwirkungen nach weiteren Medikamenten mit anderen

Nebenwirkungen verlangen. Fromm, als wollten wir ein Credo anstimmen, schlucken meine Ute und ich einträchtig vorm Frühstück, nach dem Abendessen jeweils einen Cocktail bunter Pillen; wie landesweit Millionen Greise und Greisinnen Pillen schlucken. Pillen für, Pillen gegen. Zum Beispiel alles, was frei oder rezeptpflichtig im Handel ist, um den Cholesterinspiegel zu senken.

Zudem wartet die Chemie mit Produkten – vormals Producten – auf, die von creativen Biochemikern ersonnen wurden, damit wir, im Sinne von Fortschritt, der Cellmanipulation mächtig werden. Kaum noch redenswert ist der inzwischen genveränderte Mais; doch sobald mir Chimären vor Augen sind, frage ich mich, weshalb diese nicht erst seit Watson und Crick zu erklügelnden Ausgeburten menschlicher Hybris kein Stichwort hergeben durften. Von den Grimms einfach weggelassen, obgleich es sie von Anbeginn gegeben hat: dreiäugig, vielköpfig, bocksbeinig, verzwergt und aufgepumpt zum Coloß. Doch chocieren sie nicht, weil sie fernsehtauglichen Monstern, den Nachfolgern aus Doktor Frankensteins Baukasten gleichen oder in Gruselfilmen als späte Abkömmlinge der Wasserspeier an Frankreichs gotischen Cathedralen Gestalt gewonnen haben, sondern weil sie uns als Copien unserer selbst demnächst begegnen werden, so daß sich die menschliche Creatur – und sei es vorerst im Traum nur – als Chimäre gespiegelt sehen wird; denn das werden wir sein, sobald eine Horde Genetiker uns als Neugeborene erdacht hat: Chimären.

Weil aber das besagte Ungeheuer weder im Singular noch im Plural bei den Brüdern Grimm zu finden ist – wohl aber der Cyclop –, suche ich nach Gründen für diese auffallende

Blindstelle. Zählen doch Chimären in verwunschener, verhexter, vertauschter Gestalt zum Personal der von ihnen gesammelten Kinder- und Hausmärchen. Als Froschkönig, als Rumpelstilzchen treten sie auf. Verhext sind sie dies und das. Das tapfere Schneiderlein kämpft mit einem Riesen, der Wasser aus Steinen drücken kann. Erdmänneken und Einhörner, vielfingrige Wurzelwesen, den fast alle Wünsche erfüllenden Plattfisch gibt es. Man muß nur »Bricklebrit!« rufen, und schon scheißt der Esel güldene Dukaten. Aus des erschlagenen Mädchens Knochen wird eine Flöte, deren Gesang von der Mordtat berichtet. Was vor sich hinfabelt, seine Mär aufsagt, ist von chimärenhafter Natur. Und unser Aschenputtel, das nach norddeutscher Mundart Aschenbrödel, in Schwaben Aschengrittel heißt und anderswo Cinderella genannt wird, erbittet sich von den Turteltauben Hilfe, worauf diese in Windeseile Linsen aus der Asche – lateinisch cinis – lesen und gegen Schluß des Märchens den bösen Stiefschwestern links rechts, rechts links die Augen aushacken. So hübsch und artig einerseits, so monströs andererseits ist Aschenputtel geraten. Aber Chimären haben ja, wie wiederholt bedauert, im Grimmschen Wörterbuch Platzverbot. Warum nur, warum?

Vielleicht weil die Brüder vom A und B vorerst erschöpft waren. Oder weil sich Wilhelm eigensinnig bereits aufs D caprizierte oder sein Sammlerfleiß anderswo fremd ging. Vielleicht aber auch, weil übers ABC hinaus alle Buchstaben zugleich ihr Angebot machten, citatselig durcheinanderquatschten, dabei wichtig taten und beide weiterhin eingeschneit unter Zetteln saßen, die ihnen die Post aus jeglicher Richtung zutrug.

Gleichwohl kann es sein, daß politische Veränderungen den Eifer der Grimms hemmten. Das Ende ihres Aufenthaltes im churhessischen Kassel – oft noch, ins C verliebt, Cassel geschrieben – wie Cöln lange für Köln stand – war abzusehen und brachte Unruhe in den engen Familienbetrieb.

Sobald sie das eine oder andere Briefcouvert ihrer Leipziger Verleger Reimer und Hirzel öffneten, sahen sie sich einem Ortswechsel näher, der erwünscht und zugleich befürchtet wurde; so sehr waren sie, trotz aller erlittenen Mißachtung, im hessischen Umfeld verwurzelt.

In den Briefen der Verleger ging es um den preußischen König Friedrich Wilhelm den Dritten, der, vorerst noch putzmunter und geübt im Ausüben der Censur, das Fest zur vierhundertjährigen Feier der Erfindung des Buchdrucks verhindern wollte.

Am 17. Februar 1840 hatte Reimer in einem Brief an Wilhelm das grundsätzliche Mißtrauen des Königs allem Gedruckten, mithin jedem Buchdrucker gegenüber herausgestrichen. Was ihm einst der Buchhändler und Vater seines Compagnons Salomon, der alte Isaak Elias Hirzel erzählt hatte, hörte sich wie ein Commentar zu diesem Geschehen an. Danach sollte eine für den Abdruck in der Staatszeitung vorliegende Rede, die am Grabe des verdienten Verlegers Cotta gehalten werden sollte, censuriert werden, und zwar in Rücksicht auf den dritten Friedrich Wilhelm, von dem es in Reimers Brief hieß: »Auf Befragen erwiederte der Redacteur, der König pflege die Staatszeitung zu lesen, und der würde die gestrichene Stelle mit Unwillen gesehn haben, da er es nicht liebte, wenn Dichter, und namentlich Goethe und Schiller, so gewaltig erhoben würden…«

Von diesem König, der mit dem von Hannover verwandt und ihm, was anmaßende Härte und dumpfe Selbstherrlichkeit betraf, ebenbürtig war, konnte gewiß nichts Gutes, gar eine Berufung der Grimms erwartet werden, weshalb die Brüder, fern aller Hoffnung und klamm an Mitteln, die Wörtersuche nur noch zögerlich betrieben. Es war, als fehlte ihnen ein Anstoß, Herr ihrer begonnenen Zettelwirtschaft zu werden. Schon wollte sich Jacob in seine Grammatik, Wilhelm ins hohe Mittelalter verkriechen, wo er bei Konrad von Würzburg Zuflucht zu finden hoffte, da fand freudig erregte Post von Leipzig nach Kassel.

Reimer schrieb: »Man erwartet hier stündlich die Nachricht vom Tode des Königs. Gebe Gott, dass die bevorstehende Aenderung eine günstige ist...«

Danach kam der Verleger sogleich auf das Wörterbuch. Er beklagte den schleppenden Verlauf der Suche nach Stichwörtern zum Buchstaben A und bedauerte, daß erste Lieferungen noch nicht im Druck seien. »Das wäre das schönste Denkmal zur Jubelfeier...«

Hiermit ist das Leipziger Fest zur Buchdruckerkunst gemeint. Anfangs wurden die Feierlichkeiten, wie in Berlin, gegen den Willen der Behörden geplant, dann kurzum verboten, schließlich fanden sie doch statt. Gegen Ende Juni ging es an drei Tagen hoch her. In Bierlaune wurden zünftig Deftiges, aber auch nach Freiheit lüsterne Forderungen laut. Von Reimer und Hirzel eingeladen, nahmen Jacob Grimm und Dahlmann daran teil, hielten aber Abstand zu lärmigen Wirtsstuben, in denen »radicale Declarationen« von Tisch zu Tisch flogen.

Um diese Zeit war der dritte Friedrich Wilhelm bereits tot. Er starb am 7. Juni. Abseits der angeordneten Ceremonien trauerten nur wenige. Ihm folgte ein gekräuselt backenbärtiger Sohn der einst sogar vom Volk geliebten Königin Luise auf Preußens Thron: der vierte Friedrich Wilhelm, den man, weil er altehrwürdige Bauwerke und mit der Zeit gedunkelte Bildwerke hochschätzte, den »Romantiker« nannte.

Das hatte Folgen und weckte Hoffnungen. Schrieb Karl Reimer doch den Brüdern: »Der neue König von Preussen scheint doch von vielen Vorurtheilen frei zu sein, die den verstorbenen befingen...«

Und Bettine von Arnim wird den Tod des einen wie die Nachfolge des anderen bejubelt haben, weil sie den einen ob seiner verstockten Haltung mißachtet, den anderen schon als Kronprinzen mit beschwörenden und im Sinne wohlmeinender Fürstenerziehung belehrenden Briefen eingedeckt hatte. Wenn Reimer, weil er das Ende adliger Vorherrschaft erwartete, beglückt meldete, »Eichhorns, eines Bürgerlichen Berufung ist gewiß«, konnte Bettine, die während Jahren nicht müde geworden war, allerorts die Bestellung der Grimmbrüder in gesicherte Position anzumahnen und schließlich laut zu fordern, doppelt gewiß sein, endlich Gehör zu finden.

Doch erst am 2. November 1840 kam Eichhorn zum Zuge. Bald erreichte die Brüder ein Schreiben des Cultus-Ministers mit dem verbrieften, an Jacob übermittelten Wunsch des Königs, »dasz Sie nebst Ihrem Herrn Bruder in den Stand versetzt werden, die große und überaus schwierige Aufgabe, welche Sie sich in der Ausarbeitung eines vollständigen critischen Wörterbuchs der deutschen Sprache gestellt haben, hier in sorgenfreier Musze unter Benutzung in der Hauptstadt sich darbietender Hilfsmittel und Förlernisse lösen.«

So sehr die Brüder von Jugend an im hügelig waldigen Hessen heimisch waren, folgten sie dennoch nach nur kurzem Zögern der Einladung, zumal sie nicht in Staatsdienst gestellt werden sollten; was hieß, sie mußten keinen Eid auf eine Verfassung leisten, die nach königlicher Willkür irgendwann hätte gebrochen werden können. Als Privatgelehrte durften sie, finanziert aus königlichen Dispositionsmitteln, mit 2000, später, befördert durch Alexander von Humboldts Fürsprache, immerhin 3000 Talern Salär ihrer Arbeit nachgehen.

So üppig hatte man sie weder im knauserigen Kassel – ausgenommen Jacobs Tätigkeit als Bibliothekar unter Napoleons Bruder Jérôme – noch während ihrer Göttinger Jahre honoriert. Hinzu kamen weitere Gesten des frisch Inthronisierten: es war ihnen erlaubt, an der Universität Vorlesungen zu halten, wenngleich beiden, aus Rücksicht aufs hannöversche Königshaus, keine Berufung zuteil wurde; Jacob war immerhin Mitglied der Akademie der Wissenschaften, geehrt seit der Göttinger Zeit.

Auch sonst tat sich einiges in Preußen. Der junge Komponist Mendelssohn Bartholdy erhielt als getaufter Jude den Auftrag, das Musikgeschehen der lutherischen Christgemeinde, mithin den Chorgesang zu reformieren. Und nach Erlaß des Königs hatte sich die Centralbehörde zur Verfolgung von Revolutionären und sonstigen Demagogen aufzulösen. Savigny setzte als Justizminister Gesetze in Kraft. Häftlinge kamen auf freien Fuß. Sogar die Pressecensur wurde, wennzwar nicht aufgehoben, so doch gelockert. Man durfte weitere Zugeständnisse erwarten.

Jedenfalls werteten die Brüder Grimm das königliche Angebot als verlockend, zumal von hessischer Seite ohnehin nichts zu erhoffen war. Jacob reiste für zwei Wochen nach Berlin, wo ihm Bettine von Arnim, die eigentliche Betreiberin seiner und seines Bruders Berufung, mit anhaltendem Eifer, zudem mit Spürsinn begabt, bei der Wohnungssuche behilflich werden wollte.

Vielzimmerig mußte die neue Behausung sein, mit geräumigen Gelehrtenstuben Tür an Tür, und mit Kammern für Wilhelm und Dorotheas Söhne Herman, Rudolf und die achtjährige Tochter Auguste. Ein größerer Salon für nachmittägliches Geplauder oder abendliche Empfänge war nicht vonnöten, weil Jacob geselligen Verkehr strikt ablehnte; Besuche und Gegenbesuche, so üblich sie in Berlin sein mochten, galten nach seinem Urteil, das immer noch calvinistisch vorgeprägt auf Grautöne hielt, als Zeitverschwendung. Geselligkeiten störten nur den Fortgang der Arbeit und könnten, so befürchtete er, verlockend für gewisse Cirkel sein, in denen es allzu liberal zuging oder gar »democratisch rumorte«.

Endlich fand sich in einer Straße am Tiergarten, also außerhalb der Stadt, doch nahe dem Brandenburger Tor, für 475 Taler Jahresmiete eine geeignete Wohnung. Im bitterkalten Dezember wurde gesucht und schließlich, weil Bettine nie aufgab, die freie Etage in einem noch trocken zu wohnenden Neubau gefunden. Vormals hatte die Straße Kanonenweg geheißen, war aber jüngst nach dem Generalgartendirektor Peter Joseph Lenné benannt worden. Mehr noch: ihm, dem nach detailliert gezeichneten Plänen die Neugestaltung des Tiergartens aus einem vormals fürstlichen Jagdgebiet, dann Knobelsdorffscher Irrgarten-anlage in eine weitläufige Baumgartenlandschaft in Auf-trag gegeben worden war, hatte bereits der verstorbene König, der eher als sparsam bis geizig verrufen gewesen war, das Haus Nummer 1 zum Geschenk gemacht. In sol-cher Nachbarschaft, in der Lennéstraße, sollten fortan die Grimms wohnen.

Erkältet und nicht frei von Fieber, doch entschlossen, den Umzug zu wagen, fuhr Jacob nach Kassel zurück. Er reiste über Jena, wo er den Göttinger Gefährten und Leidens-genossen Dahlmann besuchte, der ohne Anstellung von Spenden lebte. Anzunehmen ist, daß beide Gelehrte ihre auf wechselseitigem Respekt beruhende Freundschaft gepflegt, ihre politisch conträren Ansichten ausgespart, aber gemein-sam den zerrissenen Zustand des Vaterlandes beklagt haben.

Als im März des folgenden Jahres der Ortswechsel mit zwei Frachtwagen voller Bücher und Hausrat von insgesamt 35 Centnern Gewicht abgeschlossen war und beide Gelehr-tenstuben ihre unterschiedliche Ordnung gefunden hatten, konnte die Arbeit am Wörterbuch mit erneutem Antrieb beginnen, zumal der nahe Tiergarten mit befestigten Wan-derwegen belebende Spaziergänge versprach.

Jedenfalls schrieb Jacob an seinen anderen Göttinger Gefährten, den Literaturhistoriker Gervinus, nahezu begei-stert, gemessen an seinem sonst nüchternen Urteil: »wir wohnen hier in einer erst seit zwei jahren aufgebauten straze an dem rande des Thiergartens fast wie in einem landhause, auf der einen seite die gärten, auf der anderen von eichbäumen umgeben, die nicht so schön und prächtig sind wie in Hessen, aber doch ganz stattlich. was der sand-boden nicht vermag, wird durch grosze sorgfalt, mit welcher der ganze Thiergarten erhalten, gepflegt, so dasz ich meinen spaziergang machen kann, ohne die geräuschvolle stadt zu berühren...«

Ähnlich erfreut von der naturbelassenen Nachbarschaft, doch colorierter im Ausdruck, schrieb Wilhelm drei Jahre später, als Bettine gerade ihr bereits vormärzlich gestimmtes Werk »Dies Buch gehört dem König« in Druck gegeben hatte, ins Vorwort der fünften Auflage der Kinder- und Hausmärchen. Gegen Schluß seiner Widmung »An die Frau Bettina von Arnim« steht: »Sie haben uns ein Haus außerhalb der Mauern ausgesucht, wo am Rande des Waldes eine neue Stadt heranwächst, von den Bäumen geschützt, von grünendem Rasen, Rosenhügeln und Blumengewinden umgeben, von dem rasselnden Lärm noch nicht erreicht. Als ich in dem heißen Sommer des vorigen Jahres während der Morgenfrühe in dem Schatten der Eichen auf und ab wandelte und die kühlende Luft allmählich den Druck löste, der von einer schweren Krankheit auf mir lastete, so empfand ich dankbar, wie gut Sie auch darin für uns gesorgt hatten...«

Gestützt auf diese Citate wünsche ich mir nun, beide im Tiergarten zu sehen. Das kann ich: wünschen, wie im Märchen herbeigewünscht wird.

Schon bald nach dem Umzug sind sie unterwegs. Nach wechselhaftem Aprilwetter ist der Mai da. Jeder geht für sich. Jacob schnelleren Schrittes, weil immer auf ein Ziel aus, Wilhelm hier und dort verweilend, lädt die Natur doch dazu ein. Vielerlei Grün. Fliederduft. Düfte, die gereiht einen Catalog füllen könnten. Dazu Vogelstimmen. Überall öffnen sich Knospen. Und in so viel Natur gestellt: zwei

Mittfünfziger in altdeutscher Kleidung, die anderen Spaziergängern sonderlich vorkommen mögen. Jacob barhäuptig. Wilhelm trägt seine Kappe aus Filz oder Samt.

Weil von ihren Verlegern in immer dringlicher mahnenden Briefen bedrängt, höre ich, wie sie halblaut, doch meinem Ohr eingängig, Einsilber reihen. Jacob fallen Stichwörter für die sehnlich erwartete erste Lieferung zum Buchstaben A ein: Aas, Abt, Amt... Oder sucht er nach einem Wort, das die Lücke zwischen Bitte und bitter schließt? Wilhelm ist dem Buchstaben D hinterdrein: Dasein, Demut, Dunkel... Ganze Wortfelder, in denen die Wörtchen aber und als blühen und die Artikel der die das gleich Unkraut wuchern, sehen sie reifen, ernten sie ab, pflügen sie um.

Doch zwischendurch fliegen dem einen, dem anderen Wörter zu, die den bislang arm bestückten Buchstaben C bereichern sollen, macht doch seitab, das gleich hinterm Brandenburger Tor liegende Berlin sein Angebot mit rollenden Calessen oder Caleschen:

In städtischen Circeln werden Cabinetsumbildungen commentiert; auch wird flüsternd ein Complot vermutet.

Am Rande des großen Exercierplatzes sehen Corporale, aus deren Pfeifen Canaster wölkt, Recruten zu, die im Schatten der Caserne ums Commißbrot würfeln.

In der Vossischen Zeitung steht von Capitalverbrechen zu lesen. Und der Critiker einer Comödie berichtet von den Capriolen einer Schauspielerin.

Im Haus Savigny, in dessen Salon es nach höfischer Sitte conventionel zugeht, gehören Complimente wie übersüßes Confect zum Angebot.

Saufcumpane trifft man im »Fetten Capaun«, wo polternde Choleriker schnaufen.

Etwas ist curios, kommt jemandem curios vor, nimmt einen curiosen Verlauf.

Anderes will im Café »Stehely«, dem Treffpunkt inmitten der City, nicht convenieren, weil allzu scandalös.

Aber draußen, vorm Hamburger Tor, haust, wie bald in Bettines Socialchronik gedruckt stehen wird, das Elend christjämmerlich.

An jeder Ecke wachen Constabler.

Im Theater lärmen Claqueure.

Und in der Charité, wo Clistiere Wunder versprechen, riecht es nach Chlor.

Per Discretion geht es politisch controvers zu; contra und radical zu sein, gehört zum guten Ton; man gibt sich civilisiert.

Gerüchte circulieren: Wilhelm von Humboldt sei einst einer Curtisane gefällig gewesen, und über Alexanders Contacte wird colportiert...

Die Töchter aus gutem Hause jedoch sitzen sittsam klimpernd am Clavier, geben sich nur vorm Spiegel coquet.

Hingegen wollen die Calvinisten keine Choräle singen, wie es die Lutheraner tun, sobald ihr Cantor...

Doch im Tiergarten grüßt an der Schmalseite des Goldfischbassins eine steinerne Halbnackte: die Copie der Venus von Capua.

Und was sonst noch am C klebt. Aber Jacob Grimm weigert sich, das Chamäleon ins Wörterbuch aufzunehmen, wenngleich dieses Tier genau so lustvoll wie der dritte Buchstabe zum Farbwechsel und Convertieren neigt. Anders das Wort

Creatur, an dem er sich erfreut und das er später, wie im zweiten Band zu lesen steht, als »tönender und mächtiger als das deutsche wort geschöpf« werten wird. Mit Grimmelshausen lobt er die Tiere: »so viel unvernünftige creaturen, welche oft klüger als wir menschen handeln.« Und mit Bürger ruft er unter einer blühenden Linde: »zum himmel ächzt die creatur«! Bald danach sind es frischgrünende Birken, zwischen denen er von falschen, armen und mit Lessing von »nichtswürdigsten creaturen« spricht.

Sobald ihm Wilhelm entgegenkommt, leitet dieser, weil er den Bruder so inbrünstig die Eigenschaften menschlicher Creaturen feiern und verdammen hört, auf »creatürliches Verlangen« über, was heißen soll, man möge auf dem Rückweg zur Lennéstraße am Platz an den Zelten einkehren, wo Tische und Stühle auf ermüdete Spaziergänger warten und eine Conditorei den beiden Wörtersammlern Citronentörtchen, cremegefüllte Täschchen und heiße Chocolade verspricht.

Übrigens geht Wilhelm jetzt ohne Kappe. Schon graudurchwirkt fällt sein Haar leicht gewellt glatt, Jacobs gelockt auf die Schultern. Wäre Ludwig Emil hier, könnte er die Brüder in einem Conterfei mit schnellem Stift carikieren.

Doch so eifrig sie dem C hinterdrein waren, so mager sah ihre Beute aus: wenig fand ihre Gunst. Darüber verging der Sommer. Und als es herbstete, bewegten beide nur welkes Laub. Oder ihre Gedanken waren anderswo tätig. Jacob wird sich bemüht haben, der deutschen Grammatik zu weiterem Regelwerk zu verhelfen; Wilhelm kam vermutlich auf seine Kudrun zurück oder auf den mittelalterlichen Konrad von Würzburg. Correcturen schienen notwendig zu werden, Anmerkungen, Fußnoten, Kleinkram, der allerdings aufwendig war und gewiß nicht dem allseits anschwellenden Vorhaben diente, das dem sich von Gipfel zu Gipfel steigernden Gebirge und zugleich einem schachttiefen Bergwerk glich.

Dabei hatten beide – mehr Jacob als Wilhelm –, während sie noch die Wege des Tiergartens vom Platz an den Zelten am Spreeufer, über die Hofjägerallee bis hin zur Fasanerie ausmaßen, ohne Unterlaß die mahnenden Worte ihres Verlegers Reimer im Ohr, der in Briefen drängte: »Zum Wörterbuch fehlen wohl immer noch viel Materialien? Wir würden uns um so mehr freuen, wenn es erst zum Druck käme, da es ein so entsprechendes Unternehmen für die Zeit gewaltigen nationalen Aufschwungs ist...«

Weder noch. Wie der zwar wachsenden, aber ungestalteten, weil ohne Concept angehäuften Sammlung von Belegzetteln mit Citaten zu Stichwörtern nichts Druckfertiges abzugewinnen war, so verhielt sich das Vaterland unfertig. Uneins blieb es kleinteilig nur jeweiligem Fürsteninteresse dienlich. Nirgendwo konnte, wollte oder durfte sich etwas bewegen. Alles stockte, trat auf der Stelle. Unlust machte sich breit. Hinzu kam, daß den Spaziergängen auf Lennés vorgezeichneten Wegen durch allerlei Krankheiten ein vorläufiges Ende gesetzt wurde.

Nichts Lebensbedrohliches, keine Epidemie, etwa die Cholera warf sie aufs Siechenbett, wenngleich dieses Schreckenswort den Grimmbrüdern zum Stichwort hätte taugen können. Hebräisch leitet es sich von Chole gleich Krankheit und ra gleich böse ab. Im Wörterbuch ist es nicht zu finden. Dabei wird im Simplizissimus die »schnelle Catharina« erwähnt, ein oft zum Tode führender Durchfall, den auch die Cholera zur Folge hatte. Tausende, ob arm oder reich, schieden dahin.

Gegen Ende der zwanziger Jahre, als Jacob und Wilhelm gerade begonnen hatten, Göttingens Universitätsbibliothek zu ordnen, wütete sie in Berlin. Sogar die deutsche Philosophie nahm Schaden, hat doch die Cholera Hegel hinweggerafft und dessen deutlichsten Widersacher Schopenhauer vertrieben. Aber Bettine bot die tödliche Plage Gelegenheit, ihrer caritativen Neigung zu folgen, in Seuchenhäusern behilflich zu werden und Sterbenskranke mit Belladonna zu versorgen.

Die Brüder Grimm jedoch wurden ein Jahrzehnt später von Krankheiten geplagt, denen die Ärzte keine Namen zu geben wußten.

Bevor aber der eine, der andere Bruder kränkelte, dann beide zugleich, schließlich auch Wilhelms Frau Dorothea das Bett hüten mußte und Gustchen angehalten war, für kalte Umschläge und heißen Camillentee zu sorgen, wurde Jacob, kurz nachdem ihm ein zweitklassiger preußischer Orden angeheftet worden war, vom französischen Bürgerkönig Louis Philippe das Kreuz der Ehrenlegion verliehen.

Er, dem Orden nichts als Klimbim waren – »abschaffenswert!« –, er, dem Frankreich seit seiner Dienstzeit unter Napoleons Bruder Jérôme, auch »König Lustik« genannt, zuwider war, weil die Franzosen im Jahr dreizehn, als sie Kassel räumen mußten, in Hast und doch gründlich ganze Wagenladungen Bücher, Stapel Gemälde und sonstige Kunstschätze von Schloß Wilhelmshöhe als confiszierte Beute nach Paris verschleppt hatten; er, Jacob Grimm, der mitansehen mußte, wie der erlesene Bücherbestand der von ihm betreuten Bibliothek geplündert wurde, worauf er merklich an Auszehrung litt, sah sich nun mit dem Croix de la Légion d'honneur decoriert.

Und er, der bald nach dem Kunstraub und nachdem er als churhessischer Legationsrat den Beginn des Wiener Congresses, dieses elenden Tanzvergnügens bei gleichzeitigem Ländergeschacher, hatte erleiden müssen – damals begegnete ihm fettleibig der jüngere Schlegel, der mit steil rückgewandten Ideen Metternich zu Diensten war –, wurde von seinem Landesfürsten nach Paris beordert, um von dort die confiszierte Kunstbeute ins Churhessische heimzuholen; ihm, der fordernd als Sieger hatte auftreten müssen, worauf er in der Nationalbibliothek und im Louvre nicht mehr gern gesehen wurde – so vom einst befreundeten Bibliotheksdirektor –, wurde nunmehr die Gunst französischer Ehrung zuteil.

Dabei hatte es Anlässe genug gegeben, in Paris schier zu verzweifeln, weil kostbare Erstausgaben unauffindbar blieben. Doch immerhin konnten viele der geraubten Bücher aus Regalen und Archivverstecken gezogen werden. Auch glückte es, einen Teil der verschleppten Gemälde, unter ihnen welche von Rembrandt und Rubens, aus dem Louvre zu bergen oder in entlegenen Magazinen zu finden. Aber um welchen Preis! Jacob befürchtete, sich allerorts Feinde gemacht zu haben.

Er, der in Paris oft verärgert gewesen war, weil man ihm falsche Auskunft gegeben hatte oder weil ein Teil der churhessischen Kunstschätze mittlerweile von gewinnsüchtigen Franzosen ans gestern ihnen noch feindliche England und Rußland verkauft worden war; er, Jacob, der hinnehmen mußte, wie hilflos und gleichgültig die Commission der deutschen Fürsten diesem frechen Handel zugesehen hatte, erlebte nunmehr, gut dreißig Jahre nachdem ihm ein Sack voll böser Erfahrungen beschert worden war, mit welcher Hochschätzung man in Frankreich immer noch seine Gelehrtentätigkeit sah; war er doch ab sofort ein dort verehrter Ritter der Ehrenlegion.

Und was geschah von deutscher Seite, als es Jacob Grimm gelang, immerhin einen Teil des Raubes aufzustöbern und unversehrt auf den Rückweg zu bringen? Zwar erhielt er vom preußischen Staatskanzler Hardenberg ein anerkennendes Schreiben, in dem sein resolutes Zugreifen gelobt wurde, aber der hessische Churfürst unterließ jeden Dank. Diese Kränkung nahm Jacob als Gewohntes hin, litt aber aus anderem Grund: viele altehrwürdige Handschriften und Bücher, die ihm während der Kasseler Jahre zur Hand, ihm Quelle und Labsal gewesen waren, mußten als für immer verschwundene Kriegsbeute gelten.

Ein, wie anzunehmen ist, bleibender Schmerz. Dennoch findet sich das Beschlagnahme anzeigende Wort »confiszieren« nicht im Wörterbuch. Zwischen Confect und confus klafft ein Loch. Dabei ist Kunstraub von altersher Vorrecht der Sieger gewesen. Rom schmückte sich mit griechischem Marmor. Napoleon plünderte Ägypten. Spanier und Engländer klauten und waren nicht faul dabei. Und wenn die Deutschen zeitweilig als Sieger galten, nahmen sie und zeigten sich gründlich im Nehmen. Selten nur tauschte man Raub gegen Raub. In der Regel blieb alles Diebesgut in Räubershand. So bis in meine Tage, auf die der letzte Krieg immer noch Schatten wirft.

Beutekunst ist zum Stichwort vergeblich verhandelnder Commissionen geworden. Verlust wird mit Zugewinn verrechnet. Einstige Sieger und Besiegte halten fest, geben nur zögernd frei, wollen haben, wenn sie liefern. In dieser Sache handeln alle Nachlaßverwalter nach einer Confession.

Wohl deshalb nutzte ich, als mir im Jahr 2001 von Gesine Schwan, der Präsidentin der Europa-Universität zu Frankfurt an der Oder, der Viadrina-Preis verliehen wurde, die Gelegenheit, in meiner Danksagung, und nachdem ich aufgezählt hatte, wieviel Leid Deutsche den Polen, dann Polen den Deutschen zugefügt haben, einen Vorschlag zu machen, von dem ich annahm, er sei geeignet, das häßliche Wort »Beutekunst« zu entkräften, »wenn«, wie ich sagte, »Deutsche und Polen bereit sind, von nationalen Besitzansprüchen abzusehen und gemeinsam – um konkret zu werden – ein Museum zu bauen, in dem die umstrittenen Bilder, Skulpturen, Manuskripte, Partituren und Bibliotheken ihren bleibenden Ort finden. Ein solches Museum sollte in Grenznähe, womöglich beiderseits der Oder und – warum nicht – den Fluß überbrückend Gestalt gewinnen.«

Es gab zögerlichen, dann sich selbst ermunternden Beifall. Die Präsidentin, eine offenbar durch nichts zu erschreckende Frau, lächelte construktiv, was den Redner ermutigte. Also sah ich mich angestoßen, diese Idee, die sich bereits im Manuskript als verstiegen genug ablas, weiterzuspinnen und meinen Zuhörern, den polnischen, den deutschen Studenten, ein Bild zu suggerieren: »Ich sehe das Bauwerk vor mir: den großen Bogen über den Fluß. So stellt sich ein Stück zukünftiges Europa dar. Denn nicht den Nationen allein gehört die Kunst. Kunstwerke sind, so ortsgebunden sie sein mögen, von ihrer Wirkung her grenzüberschreitend. Sie dürfen nicht länger Kriegsbeute sein.«

Nachhallende Wörter. Obgleich vom Beifall begraben, wollen sie noch immer gehört werden und Tatsachen schaffen. Sehe ich doch weiterhin, wie das gewünschte Museum, reich an freigegebener Kunst, als Brücke den Grenzfluß überwölbt. Schön anzusehen. Ein Bauwerk, das für sich spricht, zugänglich von beiden Seiten. Doch scheint es, wie andere Brückenschläge auch, fixe Idee bleiben zu wollen; ein Luftschloß, verflüchtigt, sobald ihm Besucher nahen.

Ähnlich schien es um die Idee vom deutschen Wörterbuch bestellt zu sein. Es wollte und wollte nicht werden, auch wenn die Grimmbrüder nun endlich in ehrenvoll fester Stellung mit ausreichend vielen Reichstalern und Nebeneinkünften gesichert waren und mit Blick auf den Tiergarten eine geräumige Wohnung genossen, in der sie allerdings von seßhaften Krankheiten heimgesucht wurden.

Bei Wilhelm soll es das Herz gewesen sein, dessen Schlag von Jugend an chronisch stolperte. Überdies holte ihn immer wieder die Schwermut ein. Jacobs Leiden kam, je nach Meinung der Ärzte, von der Lunge oder aus dem Unterleib. Mit den Ärzten wechselten die Medikamente. In klagenden Briefen an die Leipziger Verleger ist nichts zu finden, das von erkrankten Kindern Bericht gibt, doch deren Mutter war von eher labiler Gesundheit, sie kränkelte mehr, als daß sie ernsthaft krank war.

So stelle ich mir den Haushalt in der Lennéstraße vor: leise gestimmt. Der Übermut der zwölf- und zehnjährigen Söhne gebremst. Sie huschen wie auf Strümpfen. Die kleine Auguste hilft der Zugehfrau in der Küche. Haferschleim gibt es. Die Brüder trinken mineralisches Wasser. Sie dämmern vor sich hin. Nichts, kein Stichwort will ihnen, von Citaten bestätigt, zum Artikel reifen. Was in der Stadt geschieht und lärmt, bleibt fern. Vorlesungen an der Universität, die Wilhelm sonst gerne, Jacob nur pflichtschuldig hält, müssen abgesagt werden. Keine Spaziergänge mehr durch den Tiergarten, so sommerlich schattig er einlädt. Selbst Bettine, die sich durch Krankheit noch nie abschrecken ließ, vermag die Brüder nicht aufzumuntern.

Das alles soll erklären, weshalb den mühsam geordneten Zettelkästen nur spärlich etwas zuwächst, das bis zum Wortartikel reift. Alle Buchstaben darben, besonders der dritte, dem Jacob, der vielen Fremdwörter aus französischer Erblast wegen, nur widerstrebend Zuneigung zeigt. Aber Verdeutschungen, etwa Bande für Clique, nennt er »unzulänglich«. Deshalb bleibt seine Auswahl lückenhaft, wirkt zufällig, schlampig, wie mit Mißmut gestückelt. Später wird er zur Charakteristik des wankelmütigen Buchstabens unter Punkt drei einleitend schreiben: »das wörterbuch kann nicht die unzahl aller mit C anlautenden ausländischen wörter sammeln wollen, woran auch gar nichts läge...«

Ein auf Sparsamkeit setzendes Concept. Immerhin werden die »cartaunenmächtigen worte« der Barockdichter und Schillers »cabale und liebe« citiert, doch bleibt der Buchstabe C auf Magerkost gesetzt, weil allzu überfremdet oder, wie man sagte, verwelscht.

Da man sich civilisiert gab, gehörten Centauren
der Fabelwelt an.
Noch war kein Chinin, gewonnen aus Chinarinde,
der Malaria gewachsen.

Ganz zu schweigen von Contergan
und dessen Nebenwirkung auf Embryonen.
Doch ließ das Metternichsche Censur- und Spitzelwesen
bereits zukünftige Sicherheitssysteme,
so die Central Intelligence Agency,
kurz CIA genannt, vorahnen.
Und noch immer schützte kein Copyright
die Kinder- und Hausmärchen.
Beim Wörtersuchen halfen weder Chips,
noch konnten die Brüder durch Raum und Zeit chatten.
Kein Computer öffnete ihnen den Corridor ins Cyberspace.
Wenn sonst dem Berliner Witz
jeder Calauer billig war,
fehlte dennoch beim Spiel zwischen Scham und Zunge
der Begriff Cunnilingus; aber Jacob war ohnehin
dem weiblichen Fleisch entwöhnt
und verkehrte oral nur mit Vokalen.
Kein Callgirl wurde ihm behilflich,
nirgendwo kam es nachweislich zum Coitus.
Und weil es kein Cinema gab, schnitt auch kein Cutter
obszöne Szenen aus Wilhelms Märchen,
in denen Rumpelstilzchen zum Clown mutierte,
Rapunzel keinen Coiffeur benötigte,
aber der Froschkönig naßkalt sein Comeback feierte.
Damals, als der Welt noch kein Countdown gezählt wurde,
nirgendwo Containerschiffe Ölspuren hinterließen,
und in Hannover keine Cebit-Messe den Consumenten
das absolute Communizieren verhieß,
damals, als sich die Brüder Grimm nimmersatt,
weil stets nach Wörtern gierig,
im Tiergarten ergingen,
der damals noch nicht nach Currywurst roch...

Wie ich gut hundertfünfzig Jahre später, also zur Currywurst-Zeit, im Tiergarten als Chronist zunehmender Collateralschäden unterwegs war. Zwar nicht im Grimmschen Sinne auf Wörtersuche, doch auf den Spuren Fontanes, dem alles Colossale zuwider gewesen war.

Oder lief ich mir selbst hinterdrein? Wie stets auf rückläufigen Wegen? Wie dazumal ihm, der den Brüdern Grimm während späterer Jahre nahe der Rousseauinsel begegnet sein mag, ging es jetzt mir um die fehlende Einheit des Vaterlandes, an der zu leiden deutsches Vorrecht bleibt: zu Grimms und Fontanes, so zu meiner Zeit, als nach dem Fall der Mauer und kurz aufschäumendem Jubel nur noch das Geld herrschte und sich die Raffgier des Westens der Treuhand bediente.

Wie sich die Zeiten ablagern und durchsuppen. In jedem Danach liegt ein Davor begraben. So zukunftsfern sehe ich mich auf Motivsuche von der Leipziger Straße quer über die bereits an Concerne verhökerte Wildnis des Potsdamer Platzes, dann auf Umwegen durch den Tiergarten bis hin zur Siegessäule, die es zu Zeiten der Grimms noch nicht gab.

Mich treibt Zorn an, der sich an westlichen Colonialherren reibt, die als Sieger des Kalten Krieges meinen, hemmungslos zugreifen, fortan auf Pump leben zu dürfen und nun, nach dem Triumph des Kapitalismus über den Kommunismus, beginnen, ihresgleichen zu zerstören, weil ihnen der Feind fehlt.

Nicht viel anderes sieht er, der bereits betagte und nunmehr in Romanen gesprächige Theodor Fontane, dem ich im Tiergarten in Gestalt seines Wiedergängers Fonty zu begegnen hoffe. Er hat, durch hugenottisches Herkommen gefördert, in der Stillage des Causeurs sein romantaugliches

Personal gefunden, zum Beispiel die Treibels, Jenny voran, deren neureiches Gehabe schnellen Gewinn und Zukunft verspricht. Ich hingegen bin noch auf Suche und sehe mich rückläufig »Ein weites Feld« abschreiten, während der Westen den Osten bereits zu schlucken beginnt.

Zur Zeit der Brüder Grimm jedoch blieb die Misere constant und konnte die Einheit des Vaterlandes allenfalls als etwas confus Unbestimmtes besungen werden. Wollten die einen sie großdeutsch mit Österreich verklammert sehen, setzten die anderen auf den kleindeutschen, von Preußen dominierten Verbund.

Bettine wünschte sich nach dem Vorbild der französischen Revolution des Jahres dreißig einen Volkskönig, den sie gleichwohl romantisch verklärt sah. Jener vierte Friedrich Wilhelm sollte es sein, dem sie ihr Buch gewidmet, sozusagen ans Herz gelegt hatte. Doch Preußens König blätterte kaum darin. Unberührt blieb er oder wird sich verwundert haben, daß seine Censurbehörde den im Schlußteil des Buches zum Himmel schreienden Armutsbericht, der das Elend vorm Hamburger Tor documentierte, hatte passieren lassen. Was kümmerte ihn die Not der brotlosen Weber!

Er sah sich von Gottes Gnaden berufen. Den Brüdern Grimm hingegen schwebte, bei aller erklärten Freiheitsliebe, eine durch Verfassungsrecht gezähmte Fürstenherrschaft vor. Weder wollten sie sich mit den Liberalen gemein machen, denen mit der ersehnten Einheit des Vaterlandes die Gewerbe- und Handelsfreiheit immer wichtiger wurde, noch mit Democraten, die jegliches Fürstentum abschaffen wollten. Ganz zu schweigen von den frühen Socialisten, die schrecklich-schöne Utopien in Umlauf brachten.

Das alles kam während vorrevolutionärer Zeit eher halblaut, weil gehemmt durch Censur unter die Leute. Besonders litten Buchhändler und Dichter unter der, nach kurzer Phase gemäßigter Praxis, nun wieder streng prüfenden Behörde. Wie Georg Herwegh konnte Heinrich Heine ein Lied davon singen. Beide lebten im Exil.

Ähnlich der Literaturwissenschaftler, Bibliothekskustos und Professor August Heinrich Hoffmann, der sich, wie manche spotteten, adelssüchtig oder auf Abstand zum Hoffmann des »Struwwelpeter« bedacht, nach seinem Geburtsort nahe Braunschweig von Fallersleben nannte. Er geriet mit seinen freiheitlich-patriotischen »Unpolitischen Liedern« in Bedrängnis und mußte in Breslau den Lehrstuhl räumen. Sogleich des Landes verwiesen, hielt er sich mal hier und mal da auf und führte, wie es in Spitzelberichten hieß, ein »unstetes Leben«. Doch vor seiner anhaltenden Flucht suchte er auf der Nordseeinsel Helgoland Quartier und schrieb dort im Jahr 1841 ein dreistrophiges Lied, das er »Lied der Deutschen« nannte. Sein Verleger Campe, der auch Heine verlegte, zahlte ihm dafür vier Louisdor. Obgleich er Fallersleben als eher mäßigen Poeten einschätzte, hielt er das neue Gedicht für ansprechend und immerhin singbar. Sich einigen Erfolg und kleinen Gewinn erhoffend, sorgte er sogar dafür, daß dem Text eine Melodie, entnommen Haydns Kaiserquartett, unterlegt wurde.

So kam es, daß es bald bei patriotisch gestimmten Vereinstreffen nach drei Glas Wein oder etlichen Humpen Bier von corporierten Studenten gesungen wurde. Und später, viel später, im Ersten Weltkrieg, stürmten nahe dem flandrischen Flecken Langemarck junge deutsche Kriegsfreiwillige ins englische Maschinengewehrfeuer, wobei sie die erste Strophe des Liedes sangen, bis ihnen, vom Blei getroffen, das Singen verging.

Erst im Jahr 1922 wurden alle drei Strophen zur Nationalhymne erhoben; weil aber nach dem Zweiten Weltkrieg die der doppelten Anrufung Deutschlands folgende Zeile »über alles in der Welt« allzu anrüchig klang, durfte ab zweiundfünfzig nur die dritte gesungen werden. Das geschieht immer noch, etwa vor Länderspielen gleich welcher Sportart, so daß dieses Lied seinen Urheber und dessen Erben hätte reich machen können, falls Tantiemen gezahlt worden wären. Er starb erst 1874.

Nun ergab sich aber, daß Hoffmann von Fallersleben in Berlin weilte, als am 24. Februar 1844 Wilhelm Grimms 58. Geburtstag gefeiert wurde. Eher zufällig gehörte er zu den Geburtstagsgästen, zu denen auch Bettine von Arnim mit einigen ihrer vielen Kinder zählte. Mit Familie war gleichfalls Savigny dabei. Es hätte auch der dänische Märchendichter Andersen unter den Gästen bemerkenswert sein können, doch der war, weil zuvor von den Brüdern und insbesondere von Jacob recht kühl, wenn nicht schroff abweisend empfangen, nach Dresden gereist, wo er sein geschwindes Märchen »Die Eisenbahn« schrieb. Wäre er dabei gewesen, hätte die Geburtstagsparty womöglich einen anderen Verlauf genommen.

Fallersleben war mit den Grimmbrüdern seit Jahren bekannt, teilte er doch deren Neigung zur Erforschung frühdeutscher Dichtung. Sie hießen ihn willkommen und zeigten Mitgefühl für sein erzwungenermaßen unstetes Leben. Als sich aber, wie schon während vorjähriger Geburtstagsfeiern, vor dem Haus Studenten versammelten,

um mit Liedern, Gedichten und Hochrufen bei Fackel-
schein dem Geburtstagskind Wilhelm und zugleich Jacob
zu huldigen, traten nicht nur die beiden vor die Haustür
oder ans Fenster, oder, falls es den gab, auf den Balkon
– die Berichte der Augenzeugen widersprechen einander –,
sondern noch jemand: nach einigem Zögern – später hieß
es, von Bettine dazu beredet – stellte sich Hoffmann von
Fallersleben neben die Brüder und sogleich erkannten ihn
die Studenten.

Nun kam es zu Hochrufen, die den Dichter des Liedes
der Deutschen beim Namen nannten. Nichts Ungewöhn-
liches, denn wie die Grimms war Fallersleben bei den Studenten beliebt. Doch kann es sein, daß einige, dann immer
mehr junge Leute aus den »Unpolitischen Liedern« zu citie-
ren begannen, etwa das anrüchige »Knüppel aus dem Sack«,
dessen letzte Strophe nach Manier des Kehrreims in den
Ausruf mündet: »Frisch: Knüppel aus dem Sack. Auf's Lumpenpack! Auf's Lumpenpack!«

Schlimmeres ist nicht verbürgt. Doch da es nicht an
Denuncianten fehlte, sah man sich im Umfeld des Königs
und mehr noch in Regierungskreisen strafwürdig verhöhnt.
Sogar Savigny soll die Citierfreude der Studenten als rüpel-
hafte Provocation gewertet haben. Er, der zuverlässig-
ste aller Bedenkenträger, hat vorahnend mit Sanctionen
gerechnet.

Tagsdrauf wurden Studenten und ein Docent verhaftet,
Fallersleben ausgewiesen. Ohne Frist mußte er Berlin verlassen, so daß sein unstetes Leben vorerst kein Ende nehmen wollte. Doch nutzte er zwischen Zuflucht und Zuflucht
die Zeit, eine Vielzahl Kinderlieder zu schreiben, die immer
noch, womöglich weit häufiger als das Deutschlandlied, zu

wechselnden Jahreszeiten nach seiner Melodie gesungen werden; etwa »Winter ade« – »Ein Männlein steht im Walde« – »Alle Vögel sind schon da« und, den Consum fördernd, weil zum Kauf von mehr und mehr Geschenken stimulierend: »Morgen kommt der Weihnachtsmann«.

Aber die Gastgeber der bespitzelten Geburtstagsfeier, von denen einer vor Jahren aus Göttingen vertrieben worden war, erhoben nicht nur keinen Einspruch gegen die Ausweisung des Dichters Fallersleben aus Berlin, sondern gaben, als sich die Presse des Scandals bemächtigte, in der Vossischen Zeitung eine von beiden unterzeichnete Erklärung ab, die sogleich Stadtgespräch wurde und bald außerhalb Preußens Unmut erregte, mehr noch, Anlaß für schroffe Widerworte bot; nannten die Brüder doch den Ausgewiesenen einen »ungelegenen Gast« und sahen in ihm jemanden, der »ihre Freude gestört« hat. Zwar beteuerten sie Mitgefühl »mit einem Mann, der von anderen gemieden wird«, waren aber nicht bereit, »seine Meinungen und Handlungen überall zu vertreten und gutzuheißen«. Ferner lehnten sie in der publicierten Erklärung ab, sich ihre politische Gesinnung, »die wir nie zur rechten Zeit verhohlen sondern bewährt haben«, von anderen abfordern zu lassen. »Nichts hassen wir bitterer, als sie jeden Augenblick ohne Not schauzutragen und frevelhaft preiszugeben. Vielmehr«, stand am 6. März in der Vossischen zu lesen, »wollen wir in Ruhe und Frieden arbeiten.«

Nunja, klare Parteinahme lag ihnen nicht. Doch schlug sich die schnell vermutete Rücksicht auf Preußens König, der die Grimms bezahlte, und ihre auf Rückzug ins Private beruhende Haltung in Zeugnissen satt an Zorn und Spott nieder, landesweit in vielen Gazetten.

Einer der Dichter des »Jungen Deutschland«, Karl Gutzkow, gab Spottverse in Umlauf: »Einmal erklärten wir uns, laßt uns doch ferner in Ruh!«

Dahlmann, der getreue Göttinger Leidensgefährte, ging zu den Brüdern deutlich auf Abstand.

Sogar Bettine, der schließlich nachgesagt worden war, sie sei die eigentliche Urheberin des Scandals, weil sie Fallersleben angestoßen habe, zu den Grimmbrüdern vor die Tür, auf den Balkon oder ans Fenster zu treten und sich mit ihnen feiern zu lassen, sagte zu ihrer Schwester Gunda, die mit Savigny verheiratet war: »Mit Ehren kann ich nicht mehr zu den Grimms gehen.«

Noch mehr waren die Studenten verwirrt und enttäuscht, weil sie ihre Idole ins Zwielicht gerückt sahen.

Es dauerte Jahre, bis sich Bettine wieder näherte, Dahlmann wiederum Briefe schrieb. Doch ganz war der Distanz schaffende Conflict nicht aufzuheben. Besonders Jacob verharrte im Starrsinn. Und sogar Wilhelm bestand darauf, gekränkt zu bleiben; wohl deshalb stockte die von ihm betreute Veröffentlichung des Arnimschen Nachlasses.

Nur Gervinus, wenngleich von radical-democratischer Gesinnung, hielt auf Dauer zu den Grimmbrüdern. Und Fallersleben, der allen Grund hatte, sich verletzt zu fühlen, blieb still, mochte die Narbe auch jucken. Weiterhin zog er von Ort zu Ort, schrieb seine unverwüstlichen Kinderlieder und fand später, als er endlich abseits der Politik zur Ruhe gekommen war, collegiale Contacte zu Jacob.

Auch hielten die Leipziger Verleger des noch immer ungedruckten und mittlerweile ins Vergessen geratenen Wörterbuchs unbeirrt zu den Brüdern. Hatte doch Salomon

Hirzel schon am 28. März 1844 beiden versichert: »Als ich Ihre Erklärung gelesen, war ich keinen Augenblick zweifelhaft, daß Hoffmann mit Vorwissen dessen, was geschehen werde, zu Ihnen gekommen. Ihnen gegenüber war das ein Bubenstück, dessen ich ihn nicht fähig gehalten hätte, an dem aber seine maßlose Eitelkeit nicht den kleinsten Theil haben wird.«

So conträr gingen die Meinungen auseinander und markierten, um nochmals auf den Buchstaben C zu kommen, eine Cäsur im sonst ereignislosen Leben der Brüder.

Wennzwar Jacob Grimm dieses Stichwort ausgespart hat, gibt es Gründe genug, es hier nachzutragen, mehr noch, sich selbst nach vergleichbar einschneidenden Conflicten zu befragen: In welche Controversen warst du verwickelt? Was hat dich ins Zwielicht gerückt? Wie bist du zu einem Schriftsteller, der dir in manchem nicht fern stand, in Distanz geraten? Was schmerzt immer noch und wäre besser nicht geschehen? Welch öffentlicher Scandal wurde dir, um nicht Einschnitt sagen zu müssen, zur Cäsur?

Anfang der siebziger Jahre, als der Protest sich verlaufen hatte, doch Aufrufe zur Gewalt immer noch Sprechblasen blähten, ging es um ein Theaterstück namens »Der Dra-Dra«, das der Liedersänger Wolf Biermann aus dem Russischen ins Deutsche übersetzt hatte. Nein, vielmehr ging es um das Programmheft zu diesem Stück, das in den Münchener Kammerspielen aufgeführt werden sollte. Noch genauer: um zwei Seiten des Programmheftes ging es, auf denen paßbildgroß die Fotos einiger als bekannt geltender Politiker, kirchlicher Würdenträger und sogenannter Führungskräfte aus den Chefetagen der Wirtschaft abgebildet werden sollten. Die Absicht war, sie als durch und durch korrupte Charaktermasken zur Schau zu stellen, was einigen der kenntlich gemachten Personen entsprach.

Damals war Charaktermaske ein geläufiges Schimpfwort, wie Cochon und Canaille zu Grimms Zeiten. Zwar wird es im Wörterbuch nach Jean Paul zitiert, der »das gesicht oder das äuszere, diese charactermaske des verborgenen ich« nennt, aber im Theaterstück »Der Dra-Dra« hatten Charaktermasken nach dem Willen der Regie als Drachen zu gelten; im Programmheft als solche aufgelistet, wurden sie kenntlich gemacht.

Zu oft hatte ich dieses Wort skandiert gehört. In Nürnberg zum Beispiel, als zum Parteitag der Sozialdemokraten deren Dreigestirn Brandt, Wehner, Schmidt vor dem Eingang zu den Tagungsräumen von einer geballten Horde als Charaktermasken beschimpft wurde. Dem Genossen Wischnewski, ein Sozi mit Ecken und Kanten, schrie jemand, der weißnichtwas zu studieren begonnen hatte, »du Arbeiterverräter!« ins Gesicht, worauf Wischnewski, der seiner Kontakte zu Arabern wegen parteiintern »Ben Wisch« genannt wurde, »Sie, bitte!« erwiderte. Sein Wunsch nach höflichem Umgang, selbst beim Ausruf eines althergebrachten Schimpfwortes, machte den Ankläger sprachlos.

Auf die paßbildgroßen Fotos jedoch, die im Programmheft der Münchener Kammerspiele veröffentlicht werden sollten, mußte andere Antwort gefunden werden.

Im April und im Mai einundsiebzig schrieb ich zwei Artikel, die unter den Titeln »Abschußlisten« und »Beim Kappenzählen« in der »Süddeutschen Zeitung« zu lesen standen. Nicht gegen das Drachentöterstück schrieb ich an – das versprach Kunst und durfte alles –, wohl aber gegen die Reihung von fotografierten Personen, die als gegenwärtige Drachen auf einer Abschußliste zur Zielscheibe wurden für eine Gewalt, die bislang nur in Sprechchören und an Ausrufezeichen reichen Proklamationen laut geworden war.

Verantwortlich für das Programmheft und dessen geplante Veröffentlichung zeichnete als Dramaturg der Schriftsteller Heinar Kipphardt. Im ersten Artikel erinnerte ich ihn an die Praxis rechtsradikaler Zeitungen sowie an die Methoden der Springer-Presse, den politischen Gegner als Feind zu diffamieren: »Heinar Kipphardt muß wissen, in welche Gesellschaft er gerät, sobald ihm das Aufsetzen von Abschußlisten keine Bedenken bereitet. Die in Biermanns Parabelstück verankerte Aufforderung, den Drachen, wie immer er sich verkleiden mag, zu töten, ist Bühnenwirklichkeit. Das namentliche und bildkräftige Aufführen von Personen als abschußreife Drachen jedoch setzt schlimmste deutsche Tradition fort: Hetze, die zum Mord führen kann.«

Daraufhin erschien das Programmheft ohne Abschußlisten, doch mit einem beinahe leeren Blatt, weil der Dramaturg Kipphardt nicht auf den Hinweis verzichten wollte: »Aus rechtlichen Gründen konnten die für diese Seite vorgesehenen Bilder von Drachen aus Politik und Wirtschaft leider nicht abgedruckt werden.«

Eigentlich hätte damit die Posse beendet sein können, doch der Oberbürgermeister der Stadt München, Hans-Jochen Vogel, der gleichfalls zu den Drachen hätte gezählt werden sollen, entließ den Dramaturgen, weil das sich närrisch gebende Spiel tödlichen Ernst zu erkennen gab; und wenige Jahre später wurden Personen, die als Drachen zu gelten hatten und Ponto, Schleyer, Buback, Herrhausen hießen, von Kriminellen, die sich Rote Armee Fraktion nannten, liquidiert.

Als wäre diese Mordserie vorzuahnen gewesen, schrieb ich in meinem zweiten Artikel: »Ich dramatisiere nicht. Ich sehe, wie Aufrufe zur Gewalttätigkeit und die Gewalttätigkeit gesellschaftsfähig zu werden beginnen. Auch warne ich nicht mehr: Die Narren könnten überhand nehmen; vielmehr stelle ich fest: Die Narren nehmen überhand. Neuerdings linksradikale Narren, die den rechtsradikalen Narren die Schelle gestohlen haben.«

Das hatte Folgen. Viele, die sich für linksstehend hielten, solidarisierten sich in Aufrufen mit Kipphardt und nannten mich einen Verräter. Man sah mich als Censor. Mit Fingern wurde auf mich gezeigt. Freunde nahmen Abstand. Und als ich mit meiner Frau Anna in Steins Schaubühne am Halleschen Ufer die »Peer Gynt«-Aufführung sehen wollte, zögerte sich der Spielbeginn auffällig hin. Dann aber begann kein inspiriertes Regietheater, vielmehr füllte sich die weit in den Zuschauerraum erweiterte Spielfläche mit Schauspielern, Bühnenarbeitern, Beleuchtern, den Garderobefrauen; auch die Dramaturgie und der Theaterleiter Stein zeigten sich. Und einer der Schauspieler las vom Blatt und wie geprobt einen vorbereiteten Text, nach dessen deklamiertem Wortlaut ich, der Verräter und Censor, aufgefordert wurde, das Theater zu verlassen. Ein Großteil des Publikums klatschte Beifall.

Was sich einprägt. Die Cäsur als Kerbe im Gedächtnis. Der lähmende Choc. Immerhin gelang es mir, nicht stumm zu bleiben. Anna und ich weigerten uns, die Plätze zu räumen, uns davonzuschleichen. Ich stand auf und redete, bevor das Ensemble die Spielfläche verlassen konnte, laut gegenan, indem ich Stein und sein Gefolge sowie das claqueurhaft reagierende Publikum daran erinnerte, daß im Jahr dreiunddreißig kenntlich gemachte Personen in Berliner Theatern aufgefordert wurden, sofort und für immer zu verschwinden.

Wiederum klatschte ein Großteil des Publikums erschreckend einmütig. Endlich begann die Aufführung von »Peer Gynt«; die war sehenswert, wie manche Inszenierung des frühen Regietheaters.

Viele Jahre später, und nachdem ich mich oft genug gefragt hatte: wäre es nicht klüger, mithin opportun und dem Zeitgeist entsprechend conform gewesen, die Abschußlisten zu übersehen oder als üblichen Theaterdonner zu werten, saß ich mit Heinar Kipphardt in Ostberlin an einem Tisch. Beide waren wir Teilnehmer einer Begegnung, zu der der Schriftsteller Stephan Hermlin eingeladen hatte und in deren Verlauf ost- und westdeutsche Autoren gegen die in beiden Staaten beginnende Stationierung von Mittelstreckenraketen mit atomaren Sprengköpfen protestierten. Nach sowjetischer Machart hießen sie SS-20, nach US-amerikanischer Pershing II. Kipphardt und ich – diesmal einig in der Sache – redeten nur wenige Worte miteinander, weiß nicht mehr welche.

Während dieser Zeit, in der das Wettrüsten der Atommächte jeglichen Credit auf die Zukunft mit Milliardensummen verschwendete und sich militärische Vernunft hier wie dort einredete, so, nur so könne die jeweils andere Macht gezwungen werden, sich totzurüsten, während einer Zeit also, gegen deren kalkulierten Wahnsinn ich den Roman »Die Rättin« schrieb, in dessen Erzählgefälle Ratten das

Wort haben und nur der Population dieser Nagetiere das Überleben nach dem Tag X garantiert ist, waren Tausende – jung und alt – bereit, der Hybris der Großmächte zu widerstehen, zum Beispiel dort, wo die US-Army ihre Pershing II stationiert hatte, nahe dem schwäbischen Städtchen Mutlangen.

Ute und ich reisten an. Weil man sich von der Teilnahme Prominenter, Promis genannt, mehr öffentliche Aufmerksamkeit versprach, waren auch Heinrich Böll und Walter Jens dabei. In Zeltlagern wurden wir Gruppen mit märchenhaft klingenden Namen zugeteilt. Unsere Gruppe hieß »Waisenkinder«. In ihr versammelten sich junge Leute, die während Wochen die gewaltlose Blockade des Raketenstützpunktes geübt hatten. Nun aber war man ratlos, weil die Polizei sich schlau weigerte, die Blockierer wegzuräumen. Deshalb suchte die Waisenkindergruppe in endlosem Gespräch – Gewalt provozieren oder gewaltfrei bleiben? – am nachmittäglichen Kaffeetisch und unter freiem Himmel den Consens.

Überhaupt war das Wort Consens im Schwange. Unermüdlich blieb man den langen Tisch lang bemüht, Consens zu suchen, zu finden. Prinzipiell hatte jeder Conflict consenstauglich zu sein. Wer nicht consensfähig war, wurde gerügt. Streng mit Fingerzeig.

So geschah mir, als ich aus alberner Laune einen Scherz wagte und für meinen schwarzen Kaffee die entfernt stehende Dose Condensmilch erbat, diese aber allzu betont Consensmilch nannte.

Danach traf mich abstrafendes Schweigen. Niemand war bereit, einen blödelnden Witz zu ertragen. Todernst ging es zu beim Consensfinden der Waisenkinder.

Erst als ich nachts und bei Dauerregen in einem extra errichteten Lesezelt aus Christa Wolfs Roman »Kassandra« ein zwei Kapitel vorlas, fand ich geneigte Zuhörer, die bis Mitternacht, während es regnete, regnete, einer Erzählung folgten, in deren Verlauf eine Frau bestraft wird, weil sie der Zukunft nur schlimme Nachricht absehen kann und eher bereit ist zu sterben, als sich, im Sinne ihrer Richter, consensfähig zu zeigen.

Wedernoch! Nicht der Consens und schon gar nicht Cassandra sind im Grimmschen Wörterbuch unter C zu finden. Verständlicherweise auch nicht Calcutta, jene exemplarische Stadt, in der Ute und ich, nachdem mein Roman »Die Rättin« vom Chor der Critiker wie vormals Cassandra abgestraft worden war, ein halbes Jahr lang zu Einsichten fanden, die so verstörend waren, daß kein Consens sie beschwichtigen konnte.

In Calcuttas Slumvierteln verkörpert die Göttin Kali das Prinzip Gewalt, indem sie Gewalt gebiert bis zur Zerstörung alles Bestehenden. Um ihre Hüfte reiht eine Kette die Köpfe enthaupteter, von ihr geköpfter Charaktermasken. Darüber hätte ich mit Heinar Kipphardt sprechen sollen; aber wir hatten uns nichts mehr zu sagen.

Und ähnlich wortkarg mögen sich später Jacob Grimm und Hoffmann von Fallersleben begegnet sein. Was ungesagt blieb. Was als Narbe bleibt. Was durch keinen Consens zu heilen, worüber die Zeit, dieser Vielfraß, hinweggegangen war. Was aber dennoch Anlaß und Datum hatte: Wilhelms Geburtstag, ein Theaterprogrammheft mit leeren Seiten, die Ausweisung des Dichters Fallersleben, die Entlassung des Dramaturgen Kipphardt, der Umschlag von verbaler in tödliche Gewalt.

Das eine geschah wenige Jahre vor der achtundvierziger Revolution und ihren Märzgefallenen; und der Streit um Abschußlisten war Folge der im Jahr achtundsechzig proklamierten Revolution, die sich in Sprechchören, Manifesten, Sit-Ins und Diskussionen erschöpft hatte. Schließlich wurden wie zu jeder Zeit Tote gezählt. Jeweils folgte bleierne Stille. Damals schrieb ich ein Gedicht unter dem Titel »Danach«, dessen Schluß befindet: »Danach kommen Rechnungen ins Haus. Unsere Schulden vergessen uns nicht.«

Ob Wilhelm Grimm, der sich den Buchstaben D reserviert hatte, sonst aber wie unbeteiligt Abstand zur Wörtersuche hielt, zu einem ähnlichen Befund hätte kommen können? Oder Jacob, der immer noch, wenn auch lustlos, dem C verpflichtet blieb? Wohl kaum. Beide schienen dem Zeitgeschehen des Vormärz entrückt zu sein. Erhaben, wie ein Denkmal ihrer selbst, wirken sie auf jener Radierung von Ludwig Emils Hand. Als Doppelporträt ins Profil gebracht, schmückte es späterhin Buchdeckel und machte ihr Ansehen weltweit bekannt.

Um sie aus starrer Pose zu befreien, muß ich mich von ihrem Conterfei lösen, sie endlich nach langwährender Krankheit auf die gewohnte Bahn bringen. Und schon sind sie täglich, weil als Stubenhocker von Wilhelms Frau Dorothea angetrieben, unterwegs, sobald es das Wetter erlaubt, wobei beide nun doch wieder, weil sie nicht anders können, Wortketten knüpfen, inwendig oder halblaut.

Jeder geht, wie üblich, eigene, von Lenné geebnete Wege, auf denen ihnen zu ihrem Ärger manchmal Pfeifen- und Cigarrenraucher begegnen, obgleich nach kurzer Duldung das Rauchen im Tiergarten verboten ist; doch dann treffen die Brüder einander wiederum und tauschen aus, was sich gespeichert hat.

Weil der Buchstabe C, wie anzunehmen ist, seines umstrittenen Besitzstandes wegen noch immer Jacob Sorge bereitet und er sich soeben, wenn auch nach längerem Zögern, entschieden hat, die Crise aufzusparen und später als Krise dem Buchstaben K zu überantworten, schlägt er dem Bruder vor, nunmehr die mehrfache Geltung des ch in Betracht zu ziehen. Es sind, wie er sagt, »die organischen hochdeutschen kehlaspirata der auslaute und inlaute«, die ihm Vergnügen bereiten. Ich höre ihn einsilbig Bach, Dach, Blech, Buch, aber auch frech, dich, ich reihen.

Wilhelm, dazu ermuntert, fügt zweisilbige Wörter dazu, die mit dem Kehllaut enden. Bottich sagt er, Rettich. Dann kommt er zu zwei- und dreisilbigen, die ein ch einschließen: Sache, Rache, Sprache, Sichel und brauchen, fauchen, suchen, fluchen, sowie versprochen, gebrochen, gerochen.

Sie stehen auf einer Brücke, die mit zierlich geschmiedetem Geländer einen Wasserlauf überwölbt. Gesträuch links rechts. Seitliches Sonnenlicht durchs Blattwerk gebrochen. Eine Ente mit ihrer Aufzucht im Kielwasser. Jacob weist auf den Kehllaut vor dem t und dem s hin, dem das gotische k zugrundeliegt. Flucht sagt er, Docht, Wicht, Hecht, Nacht. Und gleich k lautet es bei Wachs, Dachs, Fuchs sowie bei Achse und Wechsel.

Wilhelm ist sich sicher, daß vormals der Block Bloch geheißen habe. Ableitend will er aufs ck kommen, von Stock und Pflock auf Glucke und Zucker.

Aber Jacob weist, weil sie nun nahe der Luiseninsel stehen, auf einen Haubentaucher hin und ist nicht abzulenken.

Um die Nähe von ch zu k zu belegen, weiß er Beispiele aus dem Alemannischen, dem Schweizerischen, wo immer noch Chappe für Kappe und Chnopf für Knopf gesagt werde.

Sie trennen sich, um einander nach einzeln begangenen Wegen und Umwegen durch den sommerlichen Tiergarten abermals zu begegnen. Vorm Sockel eines Denkmals, das einen brandenburgischen Churfürsten erhöht, verlangt es Wilhelm danach, den Diminutiven in ihren Hauptarten zu folgen.

Jacob geht darauf ein, indem er die auf chen lautenden wie am Schnürchen gereiht aufsagt, Brüstchen, Kindchen, wobei er nicht versäumt, an gotische und altdeutsche Vorformen wie Prustili und Chindili zu erinnern.

Nachdem Wilhelm die Verkleinerungsform mit dem Hinweis auf das anhängliche lein bei Knäblein, Fräulein, Männlein erweitert hat, finden sie eine Steinbank, die im Schatten von Wacholdersträuchern steht.

Jacob ergänzt aus alter Quelle. Bluemeckin, Vögelchin sagt er, um dann mit dem gebräuchlichen Vögelchen auf Barockdichter wie Opitz und Lohenstein zu verweisen, bei denen sich aber auch Seelichin und Teuflichin findet.

Wilhelm, der nicht ganz bei der Sache zu sein scheint und bunt aufgeputzte Spaziergänger, die, wie der Berliner sagt, »ins Jrüne« streben, mit bissigen, das Hühnervolk bemühenden Vergleichen kommentiert, fallen nun Titel einiger seiner Märchen ein, in denen manch zärtliche Verkleinerung das grausam Böse mildern. Nach dem Wolf und den sieben Geißlein nennt er Brüderchen und Schwesterchen, danach das tapfere Schneiderlein. Er kann kein Ende finden und zählt nach dem gedeckten Tischlein die Mitglieder seiner anderen Familie wie ihm verwandte Seelen auf: Rotkäppchen, Dornröschen, natürlich Schneewittchen, aber auch das Mädchen ohne Hände, dann kommt er auf die Mär vom Tode des Hühnchens.

Jacob hingegen, dem später die Verwendung des Diminutivs eine längere Abhandlung wert sein wird, besteht darauf, den unterschiedlichen Gebrauch der Verkleinerung durch die Schlußsilben chen und lein systematisch zu ordnen. Zwar, sagt er, »heißt es männlein und auch männchen, wie schon im althochdeutschen mannilo und mannecho gesagt wurde, aber ansonsten ist chen mehr in der prosa des gemeinen lebens gebräuchlich, wie lein der poesie und der schwungvollen rede vorbehalten ist, weshalb chen natürlicher, lein edler und feierlicher klingt.«

Wilhelm, der plötzlich steht, wieder gehen will, hin zum Teich, in dem Goldfische sehenswert sind, wendet ein, daß die jeweilige Ansprache eine Rolle spiele. Man sage, wenn zärtlich gesprochen werde, deshalb nicht Äugchen sondern Äuglein, nicht Knöchelchen, sondern Knöchlein.

Was Jacob zu ergänzen weiß. Auf dem Weg zu den Goldfischen und der halbnackten Venus höre ich: »Nicht bächin, sondern bächlein.« Dann fügt er hinzu: »doch ist der höhere ton des lein dem zutraulichen des chen gleichbedeutend. wir gebrauchen männchen und weibchen, aber nach Luther spricht die Bibel von ›männlein und weiblein‹.«

»Doch der Hase macht Männchen, wenn er sich aufrichtet.«

»Und der Esel wird Grauchen genannt.«

»Wir sagen bisschen und nicht bisslein.«

»Aber im Oberdeutschen hört man oft bissel.«

Nun fallen Wilhelm angesichts einiger Rabatten am Wegrand, in Richtung der einladenen Stühle und Tische am

Platz zu den Zelten, Blumennamen ein: Tausendschönchen und Stiefmütterchen.

Und Jacob besteht darauf, daß Pünktchen genauer als Punkt und Krümelchen kleiner als Krümel oder Krume ist. »Übrigens«, sagt er, »nennt Lessing einen alten lieben Mann: mein Altchen.«

Sogar Adverben fügen sich für Wilhelm dem Diminutiv. Stillchen, Schönchen, ruft er und weiß, daß die Sprache des Volkes recht kühn und lebendig verkleinernde Wörter fügt: »Gutabendchen! Achgottchen! Im pommerschen Platt werden Vornamen zärtlich verkleinert und mit einem ing geschmückt: Dörting, Fritzing, Uting.«

»Und im Hessischen, lieber Bruder, wo wir im Grunde immer noch wurzeln, sagen die Leute, wenn sie ›was denn‹ meinen ›wasdennerchen‹.«

Dann aber, während sie schon beim Caffee, auch Mocca geheißen, am Platz bei den Zelten sitzen, wo an anderen Tischen fülligen Damen Törtchen credenzt werden und Sonnenschirmchen mildernde Schatten werfen, kommt Jacob abermals auf das C an sich und dessen Anfälligkeit für Wechsel. Er sagt, was später geschrieben steht: »bei längerer einbürgerung wird statt französischem ch auch sch geschrieben, so bei schalmei und schaffot, doch sagen wir weiterhin charpie und charmant...«

Indessen Brüderlein und Brüderchen am Rande des Tiergartens weiterhin den Diminutiv variieren und das Chamäleonhafte des Buchstaben C als etwas Confuses, weil Unbestimmtes definieren, erinnere ich mich daran, vor vielen Jahren in der holsteinischen Wilstermarsch bei wechselhaftem Wetter nahe dem Stör- und Elbdeich in einem Dorf namens Wewelsfleth gelebt zu haben. Dort begegnete mir auf dem Weg zu meiner Werkstatt oft ein alter Mann, der als Flüchtling aus Ostpreußen zu den vielen Vertriebenen zählte, die nach dem Krieg im Westen wenn nicht heimisch, dann seßhaft geworden waren. Alles was er sagte kam breit geplättet daher und atmete Stallwärme. Er hatte es mit der Endung kait, sagte: Ludrigkait, Damlichkait, Erbärmlichkait. Wenn er hinterm Gartenzaun zwischen Sonnenblumen stand, lüftete er seine Schirmmütze und begrüßte mich mit den Worten: »Naa, Lieberchen, waas macht de Polletik?«

So mir vom Klang her vertraut angesprochen, gab ich Auskunft über die Großwetterlage in Kalten Kriegszeiten und handelte den Kleinkram des demokratischen Alltags ab.

»Hat sich waas midde demokratsche Jerechtigkait!« rief er und kratzte sich unter seiner Schirmmütze.

Doch mit dieser unüberhörbaren Anrufung der Demokratie drängt sich nunmehr der Buchstabe D ins Wortgeschehen. D wie Dach und Deckel. Er sagt Dank und hat Durst. Mit ihm stehen die Artikel der die das stramm. Deren Aberwitz ist von deutscher Eigenart und macht alle einheimischen und zugewanderten ABC-Schützen zu Dummköpfen, weil ihnen nicht einleuchten will, warum es der Laut, die Sprache, das Wort heißt.

DÄUMELING UND DAUMESDICK

»Wie teutsch für deutsch stand, so setzte Luther noch tunkel für dunkel und tichten für dichten«, sagte Wilhelm, dem Jacob den Buchstaben D anvertraut hatte. Nach gelehrter Einleitung, in der das Mittelalter durchbuchstabiert und von Freidank bis Walther kein Dichter ausgelassen wurde, ging er vom demonstrativen da aus: »er steht da, das buch liegt da.« Dann bekräftigte er das da durch Goethes Ausruf: »pfui, speit ihr aus, die hure da!« und hatte vor, nach Wortstrecken über Darm, Delle, Dienst, Dorn und Dunst mit dwatsch zu enden, was dumm, dämlich bedeutet.

Ob ihm wohl, als er mit da begann, hätte dämmern können, daß der Kinderlaut dada späterhin als Bürgerschreck und für einen Ismus tauglich sein würde? Ich habe als Dreijähriger meine kleine Schwester, weil mir ihr Vorname Waltraut unaussprechlich war, Daddau gerufen, nenne sie heute noch so.

Warum aber verzichtete er darauf, zwischen Diakon und Diamant das Wort Dialekt zu rücken? Hatte er doch das plattdeutsche Märchen »Von dem Fischer un syner Fru« als beispielhaft gelobt und war ihm doch, was zu vermuten ist, die hessische Mundart bis ins späte Alter anhänglich, so im Gespräch – oder sage ich besser Dialog? – mit Bettine, die oft, oder solange die beiden noch gut miteinander waren, neben ihm auf dem Diwan hockte und mit zu Vögeln gefaltetem Papier um sich warf.

Sie konnte die Worte nicht halten: schon damals, als sie, ein dreistes Persönchen, den alten Goethe beschwatzte, und noch im Jahr dreiundvierzig ging ihr der Mund über, weil sie ihr Geplauder mit Goethes Mutter, »Frau Rath«, unter dem Titel »Dies Buch gehört dem König« endlich in Druck geben wollte. Nun versuchte sie, ihrem Jugendfreund Wilhelm die Dringlichkeit sokratischer Darstellung mit dem ihr eigentümlichen Babbeln zu deuten: »Muß ich mir da die alt' Frau Rath aus dem Grab herhole, den arm aufgestört' Geist citiere, damit er für mich streite und sich mit Philistern herumzause, bis ein Stück Wahrheit herausfällt! Ich hab ihr alles in den Mund lege gemußt, was man mir nit glaube mag.«

Gleich anfangs die Kutschfahrt nach Darmstadt. Ein Sturzbach Wörter: »Ei was, ei nu!« Ein Frankfurtsch Durcheinander, und munteres Räsonnieren über dies und das, was grad so fällt an Früchten vom Baum der Erkenntnis, wenn Arnims tolldreiste Witwe ihn schüttelt, damit jegliche Dummheit zu Fall komme.

Dagegengehalten verriet der Anhang zur »Socratie der Frau Rath«, nämlich der Bericht eines Studenten, den Bettine auf Besuch bei den Grimms in der Lennéstraße kennengelernt und gegen fünfzig Taler Dankeslohn in Dienst genommen hatte, in keiner Zeile helvetische Mundart, obwohl die Dokumentation unter dem Titel »Erfahrungen eines jungen Schweizers im Vogtlande« stand. Als nüchterne Sozialreportage trat sie zu Tage.

Zum ersten Mal wurden Armut und Elend dokumentiert, denn vor den Toren Berlins, dem Hamburger, dem Oranienburger, im sogenannten Vogtland, hatten landflüchtige, weil arbeitslose Weber, invalide Soldaten und Witwen mit Kindern, die aus städtischen Quartieren gedrängt wurden, »Armen-Colonien« gebildet. Demütigend ging es dort zu.

Der Student namens Heinrich Grunholzer schrieb einleitend: »Am leichtesten übersieht man einen Theil der Armengesellschaft in den sogenannten Familienhäusern. Sie sind in viele kleine Stuben abgetheilt, von welchen jede einer Familie zum Erwerb, zum Schlafen und als Küche dient. In 400 Gemächern wohnen 2 500 Menschen. Ich besuchte daselbst viele Familien und verschaffte mir Einsicht in ihre Lebensumstände. In der Kellerstube Nummer 3 traf ich einen Holzhacker mit einem kranken Bein. In der Stube 69 wohnt der Leineweber Berwig. Als solcher fand er keine Arbeit und kam vor sechs Jahren als Tagelöhner nach Berlin. Die Frau wird bald mit dem zehnten Kinde niederkommen. Sechs Kinder leben noch…«

Was danach kommt, drängt sich als Drangsal auf, ist von Stube zu Stube Mangel, für den das Stichwort darben stehen könnte. Als Beleg dafür fängt bei Lukas der verlorene Sohn »an zu darben«. Lessing meint wohl sich und seine Geldnöte, wenn »nach des schicksals ewgem schlusz ein jeder dichter darben musz«. Und Gryphius ist der Ansicht, »ein schönes angesicht kann schmink und anstrich darben«.

Ganz anders darben mußten die schlesischen Weber, als im Jahr 1844 ihr Aufstand vom preußischen Militär niederkartätscht wurde. Weshalb Bettine wieder einmal vergeblich ihren König mit Briefen eindeckte. Als mehr und mehr Weber aus den Dörfern Schlesiens und des Vogtlandes, weil ohne Lohn und Brot, in Berlins Vorstädte drängten, entrüsteten sich sogar liberale Geister, unter ihnen Alexander von Humboldt, über einen Tuchfabrikanten namens Zwanziger, weil der den Hungernden geraten hatte, wenn es sie hungere, Häcksel zu fressen. Das durfte nicht gesagt sein, zumindest nicht so deutlich herausposaunt werden.

Als knapp fünfzig Jahre später diese Hungerleider immer noch einen jungen Schriftsteller namens Gerhart Hauptmann bedrängten, sein Schauspiel »Die Weber« zu schreiben, in dessen dramatischem Ablauf der berüchtigte Tuchfabrikant Dreißiger heißt, kam es zum Theaterskandal und zum Versuch, durch Verbot weiterer Aufführungen den in ganz Deutschland nachhallenden Erfolg des Dramas einzudämmen.

Das Datum der Erstaufführung auf Berlins »Freier Bühne«, 1893, ist überliefert; auch sollen, nach dem Bericht von Zeitzeugen, bei der Premiere Wilhelm Liebknecht und August Bebel dabeigewesen sein; ich aber weiß nur ungefähr, daß es zu Beginn der siebziger Jahre des vergangenen Jahrhunderts gewesen sein muß, als mich der Leiter des IG-Metall Schulungszentrums Sprockhövel bat, mit Betriebsräten, die dort über zäh erkämpfte Rechte betrieblicher Mitbestimmung belehrt wurden, ergänzend einen Literaturkurs zum Thema »Dichtung und Arbeit« abzuhalten.

Vorerst stieß ich auf den Widerstand der festangestellten Dozenten. Bei einem vorbereitenden Gespräch hieß es: »Sowas ist bürgerlicher Luxus. Literatur hält unsere Kollegen nur von der notwendigen Aktion ab, den demnächst fälligen Demonstrationen.«

Man warf mir vor, mit intellektuellen Denkspielen den realpolitischen Druck, der auf der Arbeiterklasse laste, wegdiskutieren zu wollen, »Dampf ablassen! Sowas kennen wir.«

Aber nach längerem Debattieren stieß mein Wunsch, mit einem Dutzend gerade angereister Betriebsräte zu klären, ob vielleicht doch Bedarf nach Literatur bestehe, auf keine weiteren Einwände. Und als ich den im Halbkreis sitzenden Männern, deren Herkommen aus dem nahen Ruhrpott nicht zu überhören war, vorschlug, mit ihnen Hauptmanns »Weber« zu lesen und dabei die historischen Fakten des Weberaufstandes zu besprechen, also die andauernde »Relevanz« – ein bevorzugtes Wort jener Jahre – von Klassenkonflikten zu beweisen und zudem die bühnentaugliche Rede des Parchentfabrikanten Dreißiger mit gegenwärtigen Leitartikeln der »Frankfurter Allgemeinen Zeitung« in Vergleich zu bringen, glaubte ich wachsendes Interesse nicht nur bei den Betriebsräten, auch bei einigen der jungen Dozenten zu bemerken. Drei Doppelstunden lang sollten meine »Darbietungen bürgerlicher Dekadenz« geduldet werden.

Also verteilte ich Reclam-Heftchen. Also las ich Szene nach Szene. Also deklamierte ich Dreißigers Rede, so die Passage, in der er zu den murrenden Webern spricht: »Die Geschäfte gehen hundsmiserabel, das wißt ihr ja selbst. Ich setze zu, statt daß ich verdiene. Wenn ich trotzdem dafür sorge, daß meine Weber immer Arbeit haben, so setze ich voraus, daß das anerkannt wird.«

Diesen Ton kannten die Betriebsräte. Das Jammern der Fabrikanten ist von Dauer. Rufe aus Dreißigers Mund wie »Der Fabrikant ist der Sündenbock!« waren ihnen als Schlagzeile geläufig. Wann immer die bürgerliche Presse Forderungen der Gewerkschaften mit wohltemperiertem Jammerton madig machte, sprach aus ihnen der unsterbliche Lohndrücker Dreißiger: »Daß so'n Mann auch Sorgen hat und schlaflose Nächte, daß er sein großes Risiko läuft, wovon der Arbeiter sich nichts träumen läßt, daß er manchmal vor lauter Dividieren, Addieren und Multiplizieren, Berechnen und wieder Berechnen nich weiß, wo ihm der Kopf steht, daß er hunderterlei bedenken und überlegen muß und immerfort sozusagen auf Tod und Leben kämpft und konkurriert, daß kein Tag vergeht ohne Ärger und Verlust...«

Solche und ähnliche Töne waren den Betriebsräten vertraute Musik. Dreißigers Klage, »Was hängt nicht alles am Fabrikanten, was saugt nicht alles an ihm und will von ihm leben!«, kam ihnen zum Lachen komisch vor. Nur mit dem schlesischen Bühnendeutsch der hungerleidenden Weber hatten sie anfangs Mühe, wenn etwa der alte Hilse spricht: »Na, Mutter, nu wer ich d'rsch Rädla bringen«, und Mutter Hilse antwortet: »Nu bring's, bring's, Aler«, worauf der alte Hilse das Spulrad vor sie stellt und sagt: »Sieh ock, ich wollt' d'rsch ja zu gerne abnehmen...«

Aber vielleicht war einigen der Betriebsräte, die aus schlesischen Vertriebenenfamilien stammten, auch weil sich die Umgangssprache im Ruhrgebiet aus vielen Dialekten genährt hatte, der Redefluß der Hauptmannschen Weber nicht allzu fremd. Schon verteilten sie Rollen, lasen laut mit. Sogar meine historischen Rückblicke kamen an, so das Zitat aus dem Armenbericht des Schweizer Studenten, der vor Berlins Stadttoren für Bettines Königsbuch in Elendsquartieren recherchiert hatte: »Stube 53. Der Weber Hambach hat fünf kleine Kinder. Er macht buntgestreiftes Halbtuch und verdient in vierzehn Tagen 3 Thaler. Er ist mehrere Thaler Miete schuldig. Die meisten Kleider sind versetzt. Das neunjährige Mädchen weinte bitterlich, als es der Mutter Halstuch dem Gläubiger bringen mußte. In zwei Tagen hat die ganze Familie nichts als für vier Groschen Brot gegessen...«

Und als ich Heines Gedicht »Die schlesischen Weber« deklamierte, das er im Pariser Exil zum vierundvierziger Aufstand in Petersau und Langenbielau geschrieben hatte, erschraken die Betriebsräte, als wäre ihnen Heine mit den drei Zeilen, »Deutschland, wir weben dein Leichentuch, wir weben hinein den dreifachen Fluch, wir weben, wir weben!« zu nah gerückt. Desgleichen, als ich darum bat, einen Bildband mit Käthe Kollwitz' Radierungen zum Weberaufstand herumzureichen. Sie blätterten hastig darin, nur ein schon älterer Betriebsrat wendete Blatt nach Blatt, langsam und stumm, als hätte er zurückdatiert sich, als Weber, bedenken müssen.

Erst als ich allzu breit auf die Marxengelssche These hinwies, es werde in den industriellen Ballungsgebieten, wo das Proletariat organisiert sei, zum revolutionären Aufstand gegen Kapital und Ausbeutung kommen, dann aber sagte, diese Behauptung habe sich als falsch erwiesen, vielmehr seien es auf dem Land die gottergebenen und unorganisierten Weber gewesen, die aufständisch wurden, wollte mir niemand in unserer Tischrunde zustimmen. Und als ich mich weiterhin im Historischen verlief, von den Karlsbader Beschlüssen, der Demagogenverfolgung sprach, auf Arndt und Büchner, dann auf Herwegh, Freiligrath, Fallersleben kam und überdies allzu umständlich das widersprüchliche Demokratieverständnis vor und nach der achtundvierziger Revolution mit Dokumenten zu belegen versuchte, schwand die Aufmerksamkeit der Betriebsräte. Einige gähnten.

Nach jeder Gesprächsrunde, so nach der letzten, tranken wir Bier, Dortmunder, wenn ich mich deutlich genug erinnere, und schwatzten dummes Zeug. Dabei gings um »Dalli Dalli«, eine Fernsehsendung, dann war Fußball dran.

Es blieb bei dem einen Kurs im IG-Metall Schulungszentrum Sprockhövel. Kein weiterer Bedarf, sagte man. Danach Dauerstreit, Demonstrationen. Die Demokratie bewies sich in endlosen Debatten über Dekrete, die Berufsverbote zur Folge hatten. Dafür, dagegen, darum, darüber wurde gestritten. Und ums nackte Dasein ging's, dem Wilhelm Grimm, wie ich sehe, nur eine Spalte gewidmet hat.

Nach seinem Wissen kam es erst im achtzehnten Jahrhundert auf, als Dasein zunächst nur Gegenwart bedeutete. Erst danach wurde es in höherem Stil angewendet, etwa bei Fichte, dem das »göttliche dasein unmittelbar sein lebendiges und kräftiges daseien ist«.

Goethe, sagt Wilhelm, liebt dieses Wort: »die sicherheit des bürgerlichen daseins.« In der vom Bruder übernommenen Kleinschrift, die dem Wörterbuch als drakonische Maßnahme diktiert worden war, reiht er Zitate, in denen der Dichterfürst das Dasein feiert, so wenn »ererbte reichthümer eine vollkommene leichtigkeit des daseins verschafft haben«. Oder wenn es heißt: »die innere behaglichkeit seines daseins schien sich über alle zuhörer auszubreiten.«

Noch tobt kein »Kampf ums Dasein«, wie ihn spätere Mißdeutungen der Darwinschen Lehre von der Entstehung der Arten entfesseln werden. Bald wird, bei Verzicht auf die Vorsilbe da, das Sein dominieren. Seitdem gibt es die Seienden einerseits und die Seinsvergessenen andererseits.

Davon ahnt Wilhelm nichts. Doch stellt er fest, bei Schiller finde sich das Dasein »minder häufig«. Nur auf die »langweilige dasselbigkeit des daseins« weist er hin, das ihm allenfalls als abstrakter Begriff dient: »jede vollkommenheit muste dasein erlangen in der vollständigen welt.«

Weil sich aber schon anfangs der jüngere Grimm, kaum hatte er begonnen, dem Buchstaben D ein spaltenlanges

Vorwort zu widmen, genötigt sah, den Wankelmut zwischen D und T zu belegen, dann zwangsläufig auf die Silbe da kam, ist es abermals da, das da, durchsetzt von allerschönsten Zitaten, so wiederum aus Goethes Feder: »du machst mich gar zum diebe, da du die diebin bist.«

Darauf folgt alles, was dem da angehört, dabei, daneben, davor sein. Dazwischen drängt sich das Dach, dem der Dachbalken, die Dachkammer, das Dachgesims folgen und der Dachhase, wie die Katze genannt wird. Und bald nach dem Dachs, für den Bettines Briefe ein Zitat hergeben, »ich habe mich wie ein dachs, dem die winterwelt zu schlecht ist, in den warmen boden meiner eignen gedanken vergraben«, stehen dadran und dadrüber. Darauf folgt nach kurzgehaltenen Einschüben, die den verschollenen Wörtern Dafant für Taft und däffeln für schlagen oder klopfen eingeräumt sind, das Adverb dafür.

Dafür sein, dafür halten, dafür büßen. Jemand ist reich, dafür aber auch geizig. Oder das verneinende dafür im Fragesatz, wie bei Schiller zu finden: »kann ich dafür, wenn eine knechtische erziehung schon in meinem jungen herzen der liebe zarten keim zertrat?« Weshalb sich heutzutage jeder auf seit seiner Kindheit dauerhafte Beschädigungen berufen darf: Dafür kann ich nichts, ich kann nichts dafür, weil…

Und schon ist dem dafür ein dagegen gesetzt, auch dargegen wie bei Hans Sachs: »mir grauet aber hart dargegen, mein hand an meinen herrn zu legen.« Wenn jemand jedoch Hilfe erhalten hat und dagegen Treue verpfändet, steht dagegen auch für dafür, weil »die braut nicht schön, dagegen klug sein kann«. Und weitere Beispiele, die dafür wie dagegen sprechen, damit am Ende jeder Topf seinen Deckel drauf hat.

Dazu fällt mir ein, daß ich während der Wahlkämpfe, die unsere im Jahr neunundsechzig auf den Weg gebrachte Wählerinitiative bundesweit führte, einer werbenden Zeitung den Titel »dafür« geben wollte. Und prompt bekam ich von den zur Mitarbeit aufgeforderten Autoren viel dagegen zu hören. Weil sie seit Jahren, wie die SPD seit einem Jahrhundert, im Dagegensein geübt waren, sahen sich einige allenfalls dazu bereit, mit Gegenargumenten für die Zeitung »dafür« zu schreiben.

Dafürsein war anrüchig. Dagegensein schmückte. Wer dafür stimmte, wurde von langgeübten Neinsagern zur dumpfen Masse der Jasager gezählt. Wir stritten mit Lust, weil erprobt im Dafür und Dagegen. Diese zwei Wörtchen sind das Salz jeder Debatte. Wer stark im Dagegensein ist, schwächelt, sobald er dafür sein möchte, gerät dazwischen, ist weder noch dabei.

Man kann aber aus Prinzip dagegen und mit Einschränkungen dennoch dafür sein: Eigentlich oder unter Vorbehalt bin ich dafür. Manchmal genügt ein ironisches Dafürhalten, um mit einem Dagegen in der Hinterhand Haltung zu beweisen. Darin waren wir stark.

Nach andauerndem Disput oder Diskurs, wie man damals sagte, stimmten schließlich die Historiker Jäckel und Sontheimer, sogar der Journalist Gaus dafür, und so durfte unsere recht poppig aufgemachte Zeitung doch noch in hoher Auflage gedruckt und unter dem provokanten Titel »dafür« erscheinen; sie trug, weil ihr genügend viel dagegen beigemengt war, zum Erfolg unserer Aktion »Bürger für Brandt« bei.

Daher oder dahero, wie es im barocken siebzehnten Jahrhundert hieß, rührt das wankelmütige Dasein der Demokratie. Dadurch ist ihr Dauerstreit gesichert. Das war schon so, als Demokratie noch als umstrittenes Wunschwort galt. Weshalb die Brüder Grimm, um sich als dauerhafte Stubengelehrte ein möglichst windstilles Daheim zu sichern, sorgsam Distanz zum Dafür und Dagegen ihrer Zeit wahrten. Weder suchten sie Staatsnähe im Hause Savigny, der unterm vierten Friedrich Wilhelm als Justizminister Figur machte und in dessen Salon es steif höfisch mit livrierten Dienern zuging, noch teilten sie Bettines immerfort Reibung suchende Unruhe, die sich mal radikal-demokratisch, mal konstitutionell, sogar urchristlich kommunistisch, aber immer in himmelstürmenden Wörtern ergoß.

Bevor es wegen der Fallersleben-Affäre zur Distanz kam, klagte Jacob in Briefen an Dahlmann und Gervinus, wie störend die vielen Besuche in der Lennéstraße seien, besonders wenn Arnims Witwe komme und ihnen die Debatten der Tagespolitik ins Haus trage. Durch ihr überschwengliches, endloses, wiewohl immer anziehendes Gespräch störe sie ungeduldig und aufgeregt: »ihre natur ist tag wie nacht unermüdlich...«

Wilhelm hingegen, der ohnehin seit Jahren Arnims nachgelassenes Werk gemeinsam mit der Witwe Band für Band herausgab, hielt insgeheim zu ihr, auch als es zum Bruch kam, und er eigentlich der Freundin zu grollen gedachte. Er war, außer, wenn Depressionen ihn heimsuchten, geselliger als sein sich ständig selbst disziplinierender Bruder.

Seit jungen Jahren, als beide mit Vorschlägen und Beiträgen »Des Knaben Wunderhorn« förderten, blieb er Bettine verbunden. Zudem hatten ihr Bruder Clemens und dessen Freund Achim ihn angestoßen, im hessischen Umland und bei erzählfreudigen Familien – den Hassenpflugs – mit genauem Ohr Märchen zu sammeln, wozu gewiß dann auch Jacob beisteuerte, so daß im Jahr zwölf, als allerorts die Herrschaft Napoleons immer noch drückte, die erste Ausgabe der Kinder- und Hausmärchen erscheinen konnte. Deren derber, weil ungeschliffener Erzählton trug allerdings keinen Erfolg durch Verkauf ein. Erst als im Jahr fünfundzwanzig die kleine Ausgabe der Märchen auf den Buchmarkt kam, gefiel der dank gründlicher Überarbeitung biedermeierliche Ton. Nun blühten die Rosen mit weniger Dornen. Alles Derbe kam wohltuend gedämpft, alles Drastische gelindert daher. Vom gedeckten Tisch stieg Duft auf. Und nachdem er die Großmutter verdaut hatte, begann der Wolf Kreide zu fressen.

So fanden die Märchen eine breite Leserschicht. Auflage nach Auflage erschien. In vielen Sprachen wurden Übersetzungen weltweit verbreitet und machten den Brüdern Grimm sogar außerhalb eng bemessener Gelehrtenkreise einen Namen.

»The Grimm Brothers' Fairy Tales« sind bis heutzutage in Neuseeland und Alaska zu haben, sogar abrufbar übers Internet. Im Fernsehquiz geben sie Fragen her. Denkmäler und Gedenksteine stehen längs der deutschen Märchenstraße, die von Hanau und Steinau über Marburg ins Schauenburgische bis nach Baunatal, Kassel und Göttingen führt, so dankbar gedenkt man ihrer, so berühmt haben Rapunzel, Hänsel und Gretel, König Drosselbart, Schneewittchen, Rotkäppchen und Dornröschen die Grimmbrüder gemacht.

Jacob wird dieser volkstümliche Ruhm eher störend gewesen sein; Wilhelm jedoch vergaß nicht, wer ihn so beharrlich auf Märchensuche geschickt hatte. War doch das Vorwort, das er im Frühjahr dreiundvierzig in Berlin für eine weitere Ausgabe der Märchensammlung schrieb, an die Schwester und Witwe der Jugendfreunde gerichtet: »dieses Buch kehrt abermals bei Ihnen ein, wie eine ausgeflogene Taube die Heimat wieder sucht und sich da friedlich sonnt...«

Und gegen Schluß des Vorworts steht: »Diesmal kann ich Ihnen, liebe Bettine, das Buch, das sonst aus der Ferne kam, selbst in die Hand geben...« Dann kommt er auf die Nähe zum Tiergarten, wo es prächtige Gewächse und dunkle Wasser gebe, über denen »das griechische Götterbild lächelnd steht«.

Gemeint ist das später Goldfischteich genannte Venusbassin, in dem sich seit barocker Vorzeit jenes versteinerte und oberhalb des Bauchnabels ganz und gar nackte Standbild spiegelte; eine Dame, die sogar von Jacob mit abtastenden Blicken bedacht wurde, allseits dichtbei oder aus nur kurzer Distanz und sooft er ihr begegnete.

Um diese Zeit war die Gestaltung des ehemals sumpfigen Geländes, gemäß Lennés Plan durch Trockenlegung und dämmende Erdaufschüttungen als Landschaftsgarten abgeschlossen. Vom Brandenburger Tor und dem Platz an den Zelten bis zur westlich gelegenen Fasanerie und einem Abfluß, der später Landwehrkanal heißen sollte, erstreckte sich der Tiergarten beiderseits der Charlottenburger Chaussee, die Fahr- und Reitweg war, mit hundert und mehr abzweigenden Wegen zu Teichen und deren Inseln bis hin zum Neuen See, vorbei an waldig dichtem Baumbestand, dann über Wiesen als Blickschneisen auf besonders erhabene Baumgruppen, über Brücken, längs Wasserläufen, zu diesem und jenem Rondell, von denen wiederum Wege abzweigten. Und überall standen aus Stein gehauene Figuren: Götter und Göttinnen, dralle Nymphen, vielerlei Getier, die Denkmale einstiger Kurfürsten und Generäle, aber auch Verbotsschilder, die den Berlinern abgestuft deftige Geldstrafen oder ersatzweise Gefängnishaft androhten, wenn sie es wagten, auf Fußwegen zu reiten, Pflanzen auszureißen, Pfeife oder Zigarre zu rauchen, Müll abzuladen oder sich gar unzüchtig in die Büsche zu schlagen. Der Tiergarten stand unter Aufsicht.

Wie ich den Blick nicht abwenden kann. Dennoch bleibt mir dunkel, mit wieviel jungen Liebhabern nächtens die stets dürstende Bettine den Schutz der Natur nutzte oder nur wortselig den Vollmond feierte; aber die Grimmbrüder sehe ich Mal um Mal unterwegs. Oft vormittags schon. Ich muß nicht lange warten. Diesmal verbirgt mich eine dornige Hecke. Langsam nähern sie sich, sind verschattet, kaum zu erahnen, werden nun deutlich auf einer Lichtung. Es herbstet bereits, weshalb sie dickeres Tuch tragen.

Nicht sicher ist mir, in welchem Jahr sie den gemeinsamen Weg zum Platz an den Zelten und von dort die Ahornallee unter die Beine nehmen. Jetzt aber höre ich, wie Wilhelm mit unterlegtem Jammerton von einer Reise berichtet: über Leipzig, wo er bei Reimer und Hirzel einkehrte, ging es, trotz eines Magenleidens, weiter nach Frankfurt, wo er gemeinsam mit dem Bruder am ersten deutschen Germanistentag teilnahm. Beide beeindruckten dort mit druckreifen Reden; sie waren es – Jacob voran –, die die Philologen und Historiker wegweisend versammelt hatten.

Also sehe ich sie gegen Ende Oktober sechsundvierzig im Tiergarten. Noch im September schrieb Jacob an Hirzel:

»Wilhelm ist in Teplitz und will, ohne erst heimzukehren, über Wien und München nach Frankfurt reisen. wer hätte ihm diesen reisemut zugetraut?«

Davon und gleichfalls vom anhaltenden Magendrücken bekommt der ältere Bruder mehr zu hören: Ja, Haupt und Klee habe er in Leipzig getroffen. Nein, übers Wörterbuch sei nur schonend gesprochen worden. Leider sei ihm auf Dauer der Reise sein Gedärm beschwerlich geblieben.

Dazu schweigt Jacob, der im Gegensatz zu Wilhelm gerne reiste. War er doch kürzlich noch in der Schweiz, in Italien gewesen, von wo aus in Briefen an den Bruder die reich bestellte Poebene mit den ärmlichen Dörfern Hessens in Vergleich gebracht wurde.

Vorm Rosengarten trennen sie sich. Ich folge Wilhelm, der sogleich dem Buchstaben D hinterdrein ist und nach Daube und Dauer mit dem Stichwort Daumen, der über lange Zeit als Daum einsilbig in Gebrauch war, nunmehr eines meiner Lieblingsmärchen aus der Grimmschen Sammlung aufruft.

Vielmehr sind es zwei, »Daumesdick« und »Daumerlings Wanderschaft«, in denen sich des Däumlings Abenteuer reihen: er duckt sich in ein Pferdeohr, verschwindet in einem Mauseloch, in einer Kuh Bauch, in eines Wolfes Wanst, wo er jeweils Zuflucht sucht und stockfinstre Enge findet. Dann fährt er durch den Schornstein, flüchtet unter den Fingerhut, versteckt sich im Türritz, wird unter einem Taler unsichtbar, landet wiederum im Magen einer Kuh, gerät nach dem Schlachten ins Wurstfleisch, hängt als Blutwurst in der Räucherkammer, wo er dem Fuchs in den Rachen gerät, danach aber, gegen des Vaters Hühner getauscht, endlich frei kommt und mich, der ich von Kind an sein Reisebegleiter war, mit eindringlichem Stimmchen beredet, ihn späterhin im Verlauf weiterer Abenteuer langweilige Friedens- und wüste Kriegszeiten überleben zu lassen; wie ich es tat vor mehr als fünfzig Jahren, indem ich einen Dreijährigen in die Welt setzte, der nicht wachsen, der als Dreikäsehoch klein bleiben und auf keinen Fall zu den Erwachsenen zählen wollte. Weißt du noch, Oskar, wie dauerhaft dir Däumling den Weg gewiesen, dich widerständig gemacht, durch Dick und Dünn geschickt hat? Sag danke, Oskar, sag danke!

Er, der sich unter Großmutters Röcke duckte,
er, der aus Eigenwille treppab stürzte,
verdeckt unterm Tisch saß,
er, der im Innern einer Tribüne
den Takt diktierte und starre Ordnung in Tanz auflöste,
er, der den Schreck überdauernd
im Kleiderschrank hockte,
er, dem kein Keller zu duster,
kein Turmdach hoch genug,
ihm, der dem Bösen zu Diensten war,
ihm, dessen Stimme jegliches Glas durchdrang,
ihm, dem kein Dieb die Trommel betasten,
der aber einer Dame vom Zirkus nah,
ganz nah kommen durfte,
er, oberschlau, wollte nicht wachsen;
ich aber wuchs, dachte mich größer und größer,
wies jedem Ball die Delle
und allen Dingen den Schatten nach,
war Dorn im Fuß, Dolch in des Vaters Rücken
und schaute auf Fotos erwachsen drein.

Ach, Oskar, wäre ich doch wie du
ein Däumling geblieben.

Da ist er, der Außenseiter im Volk der Finger, mit dem, nach Wilhelm Grimms sprachkundlichen Quellen, auch Riesen Erstaunliches vermochten, sagt doch Fischart seinem Gargantua nach: »er trug den schwersten balken auf eim daumen.«
Auch sonst und im täglichen Leben, indem er straft, unterdrückt, herrscht er vor: dominant. Wohl deshalb legt man ihm Daumenschrauben als Folter an. Und im Buch der Richter werden siebenzig Königen die Daumen abgehackt; eine Methode, die von der Mafia, wo immer sie Regeln diktiert, in vorwarnender Praxis auf die restlichen Finger erweitert wird.
Ohne Daumen will uns nichts recht in den Griff kommen. Beim Geldzählen, Austeilen der Spielkarten ist er tätig. Ohne Daumendruck haftet die Briefmarke nicht. Er juckt bei günstiger Gelegenheit, ist taub, sobald ihn der Hammer trifft. Wir bemessen Abstände nach Daumensprüngen, peilen über den Daumen. Neros Nachfolger senken ihn immer noch. Das Sprichwort behauptet: wer die Gicht im Daumen hat, ist geizig. Jemandem wird nachgesagt, er habe einen goldenen Daumen. Wer gut gärtnert, dem wird ein grüner zugesprochen. Manch Greis bleibt Daumenlutscher lebenslang. Wir drehen Däumchen, wollen alles und jeden unter dem Daumen haben. Dem Feind wird er aufs Auge gedrückt. Andersen hat ihm ein Schwesterchen, Däumelinchen, erfunden. Das und noch mehr hat mir mein Daumen erzählt.

Als aber Wilhelm Grimm bei seinem täglichen Gang durch den Berliner Tiergarten an einer Wegkreuzung seinem Bruder abermals begegnet, hat er, als Gegenbild zum gewalttätigen Daumen, einen wohltuend freundlichen parat. Er wird gehalten, wenn jemandem, der uns lieb ist, Glück, oder was immer er für Glück hält, gewünscht wird: ich halt dir den Daumen!

Und als sich die Brüder an einer Weggabelung wieder trennen, stoßen sie nach alter Sitte, von der Wilhelm behauptet, sie sei in Pommern noch üblich, die Daumenkuppen gegeneinander, worauf Jacob ruft: »Nun, Bruderherz, hast du drei Wünsche frei!«

Und mit dieser, in vielen der von ihnen gesammelten Märchen bedeutsamen Zahl auf den Lippen gehen sie wiederum getrennt ihrer Wege, auf die herbstlich bunte Blätter fallen. Dabei kommen Wilhelm sogleich des Teufels drei goldene Haare, drei Federn, Glückskinder, Spinnerinnen, Männlein im Walde in den Sinn. Schließlich zählt er noch die drei Brüder und das Märchen von den drei Töchtern dazu, die Einäuglein, Zweiäuglein, Dreiäuglein heißen, und von dem er weiß, daß es in der Oberlausitz erzählt wurde. Zwar ist anfangs Jacob die treibende Kraft gewesen, die beide bewog, diese und andere Märchen aufzuschreiben und nach ihrer Herkunft zu befragen, dann aber war es Wilhelm, der sie von Grobheiten und allzu deutlicher Fleischeslust befreite, man kann auch sagen, säuberte und zugleich poetisch vieldeutig machte. So wurden sie in eine für Kinderohren erlaubte und selbst dem erwachsenen Ohr dauerhaft nachhallende Sprache gebracht.

Das mißfiel seinem Bruder, der sich in allem, was er tat, den Urtexten verpflichtet sah und deshalb angebliches Verbessern als Verfälschung wertete. Er mißbilligte die Eingriffe, mehr noch: als die von Wilhelm besorgte Ausgabe der

Märchen in kindgerechter Lesart auf den Buchmarkt kam, erfreute ihn zwar der allgemeine Zuspruch, dann aber tadelte er doch – und sei es aus Prinzip – den unwissenschaftlichen Umgang mit der Urform der Texte: »Wilhelm war bei der ausarbeitung dieser neuen ausgabe des materials nicht mächtig.«

Erst nach Jahren und nachdem sich die Märchensammlung als die »Grimmsche« wie selbsttätig verbreitet hatte, ließ er von seiner harschen Kritik ab, sonst hätte er wohl kaum dem Bruder bei der anhaltenden und, wie sich zeigen sollte, eher zähflüssigen Vorbereitung des Wörterbuchs den Buchstaben D anvertraut; mehr war ihm ohnehin nicht abzuverlangen.

Wilhelm kennt das strenge Maß brüderlicher Liebe. Nachdem sich beide über die so oft nachzuweisende Märchenzahl ausgetauscht haben, schweift er nicht ab, sondern bleibt auf die drei versessen. Kaum auf den Weg gemacht, diesmal in Richtung zu einem einsamen Teich, den nur selten Spaziergänger finden und an dessen Ufer ihm eine sich spiegelnde Trauerweide besonders lieb ist, fällt ihm des Schusters Dreibein ein, darauf das Dreieck und mit ihm jener Hut, von dem es im Lied heißt, er habe drei Ecken, weshalb er Dreispitz genannt wird. Auf dreierlei kommt er und erinnert sich, daß Opitz und Fleming von »dreimal dreien schwestern« geschwärmt hatten. Dem kann ich zustimmen, sind doch alle Frauen, denen ich nah war und bin, jeweils Dreimädelhäusern entsprungen.

Nun erklingt Wilhelm ein dreigestrichenes D. Und von der Dreifaltigkeit leitet er die Dreifaltigkeitsblume ab; so hat vormals, ihrer Vielfarbigkeit wegen, das Stiefmütterchen geheißen. Doch während er auf seinem Weg weiterhin Beifügungen zur Zahl drei sammelt und vom dreiarmigen Leuchter auf den Dreierbund kommt, beginnt er sich gedanklich auf die Artikel der die das vorzubereiten.

Eigentlich will er deren dünkelhaften Eigensinn und irrwitzige, auf wenig bis nichts gründende Anwendung dem grammatischen Vielwissen des Bruders überlassen, denn Jacob sind Folgerungen wie, wenn der Fuchs die Gans stehlen will, hilft nur das Schießgewehr, unbedenklich, doch bevor er gedenkt, ihm später die spaltenlangen Ausführungen über maskulin, feminin, das Neutrum anzudienen, bezweifelt er die zufällig waltende Laune bei jeweils zu treffender Wahl und als richtig zu deutender Zuteilung der Artikel; desgleichen drängt sich mir die Frage auf:

Wie soll Mehmed,
der in einer Duisburger Hauptschule
zwischen einheimischen Kindern
und Kindern fremdländischer Herkunft schulpflichtig ist,
auf Anhieb begreifen,
weshalb es, nachdem gelernt werden mußte,
der Mond, die Sonne, das Himmelreich zu sagen,
auf deutsch der, die oder das Yoghurt heißt,
zumal dieses der Diät dienliche Produkt
türkischen Ursprungs ist?
   Wie anderen Kindern auch
fällt es ihm schwer, vor Leib, Seele, Fleisch
die Einsilber zu setzen.
Aber die deutsche Leitkultur will so.
Die Artikel sind deutsches Erbe.

Wer hier leben will, muß das wissen.
Der Deutsche an sich läßt nicht mit sich spaßen.
    Deshalb verlangen selbst diejenigen,
die unverbesserlich den mit dem verwechseln,
dem Türkenkind ab, daß die und nicht der Wurst
gekauft wird, auch dann nicht,
wenn das Wurstbrot gemeint war,
das entweder die Katze oder der Hund gestohlen hat.

Kein Wunder, wenn sich Jacob Grimm auf Wunsch des Bruders nicht nur gedanklich mit dem Gebrauch der Artikel be-
faßte und später achtundzwanzig Seiten, also doppelt so viele
Spalten für seine Einführung benötigte, um durchs Dickicht
aller von der die das abgeleiteten Pronomen zu kommen. Um
deren Gebrauch und Wegfall ging es. Schneisen mußte er
schlagen, dem Wildwuchs Lichtungen abnötigen.

    Natürlich bedurfte es vieler Zitate und Quellenangaben,
um einen Aufwand zu begründen, der der deutschen Sprache eigentümlich ist. Wenn heutigentags verkündet wird, daß
»der Dativ dem Genitiv sein Tod« sei, so waren zu Zeiten der
Grimms die Wörtchen des und dessen noch quicklebendig.

Was alles geregelt ist. Mir jedoch gefällt es, auf Eigenar-
tigkeiten zu kommen. So finde ich in dem einführenden Text
die Verdoppelung der Artikel verstärkend in Ausrufen: »die
nichtswürdige, die! das ungezogene kind, das!« Und Goethe
läßt rufen: »der balg, der!«

    Nicht gerade sparsam gehen Dichter mit dies und das um,
etwa Rückert: »so lang mir mochte dies und das an dir gefallen.« Desgleichen Mörike: »ich denke dies und denke das.«

    Selbst die Berührung zweier gleichlautender Pronomen
wird nicht gescheut. Deshalb steht: »er ist der, der sich aus-

gezeichnet hat. ich sah die, die ich suchte. ich nahm das, das sie ausgewählt hatte.«

Lang ist die Reihe, die ohne Artikel bleibt, so daß es häufig, wie Wilhelm mit Jacobs Zustimmung findet, zu bildlichen und sprichwörtlichen Redensarten kommt. Wir sagen noch heute: In Bausch und Bogen. Mit Ecken und Kanten. Jemand ist weder Fisch noch Fleisch. Ferner spucken wir Gift und Galle, verlieren Haus und Hof, verreisen mit Kind und Kegel, werden mit Stumpf und Stiel vertilgt und gehen unter mit Mann und Maus.

Von Dichtern wird ohne Artikel sogar der Reimzwang bedient: Dach und Fach, Lug und Trug, mit Sack und Pack außer Rand und Band sein. Besonders Goethe kam zu schöner Kürze, indem er befreit von Artikeln dichtete: »füllest wieder busch und thal still mit nebelglanz...« und unlängst hat offenbar ein Lyriker einer mit Elektronik handelnden Discounterkette zu einem Werbeschrei verholfen, demzufolge »Geiz geil« zu sein hat.

Da sich aber die Deutschen voneinander zu unterscheiden lieben, müssen ihnen dabei die Artikel dienlich werden. Sie sagen, wenn Namen im Spiel sind, gerne: der Heini, die Gabi, wie schon zu Hebels Zeit vorlautend der Artikel klang: »der Friedrich, s Vreneli.« Nur im Norden des Landes verschluckt man der die das: »ich habe es Ernsten gesagt, habe Louisen einen brief geschrieben, man hat ihm Marien empfohlen.«

Doch besonders gründlich, als wäre der gegenwärtig drohende Verlust zu riechen gewesen, hat man sich um den wohlklingenden Genitiv gekümmert: »lasz dirs nicht übel gefallen des knaben und der magd halben.« Das steht im ersten Buch Moses. Bei Jeremias ist zu finden: »dasz wir nicht hunger brots halben leiden müssen.«

Nun aber soll es sich mit den Artikeln gehabt haben, wenngleich sie selbst bei falschem Gebrauch ihre wohlklingende Bestimmtheit wahren und ich Beispiele genug wüßte, das alltägliche Gerede zu beleben. Da aber den Spaziergängen der Brüder durch den Berliner Tiergarten, solange das sonnige Herbstwetter des Jahres sechsundvierzig anhält, kein Ende abzusehen ist und Wilhelm vorerst mit fordernder Hilfe seines Bruders dem Buchstaben D treubleiben will, möchte ich nunmehr von dem Einsilber der auf dererlei, derart, dergleichen kommen und dabei dem Zeitverlauf Rechnung tragen, denn derweil das Dasein der Grimms, wenn man vom Frankfurter Germanistentag absieht, ohne bedenkenswerte Ereignisse auskam, geschah andernorts viel.

Zum Beispiel war Hoffmann von Fallersleben mal hier, mal da. Im Mecklenburgischen will man ihn gesehen haben. Das bezeugen Berichte der Geheimpolizei. Derweil gab er vierzig neue Kinderlieder in Druck, unter ihnen das Lied vom Mond: »Wer hat die schönsten Schäfchen…« Und gleichfalls nach seiner Melodie wurde, wohin er auch kam, gesungen: »O, wie ist es kalt geworden und so traurig öd und leer!« In welche Zuflucht es ihn trieb, immerfort hatte er Spitzel an der Hacke. Nirgendwo war ihm längere Bleibe sicher. Dennoch sammelte er derweil, wenngleich auf anderem Feld als die Grimmbrüder, Wörter der Gauner- und Spitzbubensprache, aus dem Rotwelsch, nach dessen Redeweise Galgennägel für Mohrrüben steht und der Ratsrutscher Bürgermeister ist. Später ließ er ermüdet von der Politik ab, heiratete eine achtzehnjährige Ida, bei der er endlich Ruhe fand.

Derweil hatte sich alle Hoffnung, die in den backenbärtigen Friedrich Wilhelm gesetzt worden war, verflüchtigt oder besser gesagt, in blauen Dunst aufgelöst.

In Bettines Buch, das dem Titel nach noch immer darauf beharrte, dem König zu gehören, wird jener kaum geblättert haben. Bestimmt ist ihm dessen Anhang, der Armenbericht des jungen Schweizers, nicht lesenswert gewesen. So entging ihm das derweil wachsende Elend vor den Toren seiner Hauptstadt. Und auch den Grimmbrüdern ist, da Bettine sie nicht mehr mit schlimmer Nachricht bedrängt, die Not der bettelnden Weber, Invaliden und rachitischen Kinder entgangen, desgleichen die fernab wütende Kartoffelpest und der Hungertod hunderttausender Iren.

Nach dem Frankfurter Germanistentag kränkelte Wilhelm häufig, das Herz, sein Magen, sein Gemüt. Jacob hielt derweil über die Köpfe der Studenten hinweg Vorlesungen aus seiner Grammatik und begann rückgewendet die Geschichte der deutschen Sprache zu schreiben.

So ging das Jahr sechsundvierzig zur Neige, ohne daß Bedeutendes geschah, wenn man vom Elend absieht, das sich derweil verbreitete.

Derweil kümmerte die Arbeit am Wörterbuch vor sich hin, doch immerhin hatte Wilhelm zum Stichwort Ding ein knappes Flemingzitat gefunden: »lieb ist ein groszes ding«.

Derweil blieb Bettine aufsässig, weshalb ihr der Magistrat von Berlin den Prozeß machte, worauf sie zu zwei Monaten Gefängnis verurteilt wurde. Der wenig geliebte Schwager Savigny mußte ihr aus der Patsche helfen. Einige ihrer Kinder, so der Sohn Siegmund, schämten sich der Mutter.

Derweil litt in England Charles Darwin unter würgendem Brechreiz und Kopfschmerz, veröffentlichte aber dennoch Erkenntnisse, die er vor Jahren von seiner Reise mit der »Beagle« aus dem urzeitlichen Zoo der Galapagosinseln heimgebracht hatte. Zu denen gehörten Zeichnungen von

Finken mit unterschiedlichen Schnäbeln, die berühmt gewordenen Darwinfinken.

Derweil war sein fünftes Kind unterwegs. Auch sezierte er dies und das unterm Mikroskop, zauderte aber fernerhin, sein Wissen über die natürliche Auslese der Arten unter die Leute zu bringen. Also hielt er sich an Rankenfüßler, zeugte weitere Kinder und führte sein von der Uhrzeit geregeltes Dorfleben.

Derweil geschah doch noch etwas im sonst ereignislosen Dasein der Grimmbrüder: zeigte der erste Germanistentag in Frankfurt am Main, auf dem Jacob als dessen Inspirator und Vorsitzender »Über den Werth der ungenauen Wissenschaften« und Wilhelm »Über das Deutsche Wörterbuch« gesprochen hatten, doch dergestalt Wirkung, daß fürs folgende Jahr ein zweiter, und zwar in Lübeck, vorbereitet werden sollte.

In Frankfurt hatte Jacob gemeint, vor Wörtern »mit kaltem lateinischen Namen« warnen zu müssen: »der chemische tiegel siedet unter jedem feuer…« Er ermunterte die versammelten Germanisten: »wir aber freuen uns eines verschollenen ausgegrabenen deutschen worts mehr als des fremden«; hingegen wies Wilhelm in seiner Rede auf die strenge Sprachzucht der französischen Akademie hin – »Man könnte in Versuchung gerathen, der verwahrlosten, hingesudelten Sprache, die bei uns oft genug in ihrer Blösse sich zeigt, eine solche polizeiliche Aufsicht zu wünschen« –, doch dann befand er: »So steht es nicht bei uns, und ich glaube wir dürfen sagen zu unserm Glück. Unsere Schriftsprache kennt keine Gesetzgebung, keine richterliche Entscheidung über das, was zulässig und was auszustossen ist, sie reinigt sich selbst, erfrischt sich und zieht Nahrung aus dem Boden, in dem sie wurzelt…«

Man hätte erwarten können, daß solche Reden anspornend gewesen wären, die Wörtersuche bis hin zur ersten druckfertigen Lieferung für den ersten Band zu beleben, dennoch verharrten die Brüder weiterhin, suchten planlos und sprangen von Stichwort zu Stichwort. Wohl deshalb hatte Wilhelm den ungeduldig hoffenden Germanisten, dem Wörterbuch schier entgegen hungerten, versichert: »Ein Werk dieser Art bedarf langer und mühsamer Vorarbeiten, deren Beendigung nicht erzwungen werden kann…«

Immerhin machte die Entwicklung der Eisenbahn derweil rapide Fortschritte. Auf der Strecke Leipzig–Dresden wurde die Mulde bei Wurzen über die erste große Brücke vierhundert Meter lang befahren. In der Wagenbauanstalt auf dem Gelände des Leipziger Bahnhofs gelang es, von englischen Lieferungen unabhängig zu werden und vierachsige Dritte-Klasse-Reisezugwagen zu entwickeln. Was die Fürsten politisch behinderten, schien die Aktionäre der Eisenbahn zu beflügeln: auf dem deutschen Flickenteppich zeichnete sich nach und nach ein Streckennetz ab, das, wenn nicht Einheit, dann beschleunigte Verbindungen versprach, so auch, wie sich bald zeigen sollte, bei Aufruhr und Revolte: den raschen Transport von Militär samt Bagage und Geschütz.

Und der Briefwechsel zwischen den Grimmbrüdern und ihren Verlegern blieb derweil lebhaft. In einem Schreiben vom 6. Februar 1847, gerichtet an Salomon Hirzel, besteht Wilhelm auf edler Schriftsprache: »Wir wollen gerade der Unwissenheit derer abhelfen, die nicht unterscheiden können was gut deutsch ist…« Hirzel geht nicht direkt darauf ein, lobt aber die Zuarbeit zweier junger Männer: »Die beiden Glücklichen, welche von früh bis Abend so lange es

Tag ist die Wörterbuch-Zettel sortiren, sind seit etwa zwei Wochen bei dem zweiten Theil ihrer Aufgabe beschäftigt, d. h. beim Sortiren der beiden Hauptabtheilungen A–L und M–Z in die einzelnen Buchstaben. Diese anscheinend so durch und durch mechanische Arbeit übt augenscheinlich einen geistigen Einfluß auf die jungen Leute aus...«

Derweil nahmen die Beiträge für das Wörterbuch ein unübersichtliches Ausmaß an, wenngleich einige der Exzerptoren abgesprungen waren, so Heinrich Otto Jacobi, der als Philologe zwar dreitausend Belegzettel aus den Dichtungen des Andreas Gryphius, aber zu wenig aus Schillers Werk gezogen hatte. Dafür blieb der emeritierte Oberfinanzrat Fallenstein fleißig. Er exzerpierte Simon Dach und Sigmund von Birken, Ludwig Uhland und Luthers Tischreden. Und wer noch alles bei der Zitatsuche emsig war und das Werk deutscher Dichtkunst von A bis Z flöhte, so daß aus den Zettelkästen ein vielstimmiges Wispern hörbar wurde.

So sahen sich die beiden von Hirzel gelobten jungen Leute, deren Namen nicht überliefert sind, denen aber das Leipziger Verlagshaus monatlich in Reichstalern Lohn zahlte, der umgerechnet in heutiger Währung bei etwa tausend Euro lag, von immer mehr Belegzetteln zugeschüttet, weshalb sie kaum bemerkt haben werden, wie derweil die Zeit verging, was alles sich mittlerweile gestaut hatte und demnächst entladen wollte.

Die Revolution! Eine deutsche Revolution, die zwar von Frankreich ausging, wo sie den Bürgerkönig wegfegte, doch in Berlin und anderswo von nur kurzfristigem Erfolg war, schließlich verpuffte.

Gewiß, in Wien mußte Metternich abtreten, und Preußens König gab wieder einmal eine traurige Figur ab, als er von revoltierenden Bürgern gezwungen wurde, vor den im Schloßhof aufgebahrten Leichen des 18. März den Hut zu ziehen und barhäuptig die Toten der Revolution zu ehren; viel Geschrei und Pulverdampf, mehr geschah nicht.

Der vierte Friedrich Wilhelm verdrückte sich verängstigt nach Potsdam, von wo aus er einen Aufruf »an mein Volk und die deutsche Nation« mit dem Versprechen erließ, »Preußen geht fortan in Deutschland auf«.

Dem aber folgte nur, daß in Berlin Truppen einmarschierten, wie späterhin in Sachsen, Hessen, Baden und anderswo preußische Militärgewalt zum Zuge kam: Volksaufstände wurden niedergeschlagen, demokratisches Begehren, wo immer es laut wurde, unterdrückt.

Wo aber ist der Anteil der Brüder Grimm an der achtundvierziger Revolution zu finden? Gewiß nicht auf oder hinter Barrikaden, die in Berlin an vielen Straßenkreuzungen und am Alexanderplatz umkämpft waren. Auch wäre es vergeblich gewesen, sie in Bettines Wohnung zu suchen, wo Republikaner einander begegneten, um sich hernach am Rande des Tiergartens, auf dem Platz an den Zelten, in hitzigen Debatten zu erregen. Entschlüsse kamen aufs Papier: druckfertige Forderungen und Drohungen. Der Name der Grimms zierte keine der vielen revolutionären Deklarationen.

Theodor Fontane, der sich als Dichter preußischer Heldengesänge nur halbherzig zu den Aufständischen zählte und eher spielerisch mit einem angerosteten Gewehr rumfuchtelte, hat Jacob Grimm bei einer Volksversammlung reden hören: schön anzusehen sei er gewesen mit seinem schlohweißen Haar, und wohlklingend habe er gesprochen, allerdings ohne zur Sache gekommen zu sein.

Wilhelm, der sich betont königstreu gab, wünschte sogar ein Gesetz, »welches die verruchten Placate und fliegenden Blätter unter Aufsicht stellt. Der democratische Club läßt nicht ab täglich damit zu stacheln.« Dann empört er sich noch über einen populären Schriftsteller, beschimpft »Glaß-brenners Krakehler«, räumt aber ein: »Dabei hat er Witz und unter dieser Form geht bei dem Berliner alles ein.«

Soviel und noch mehr Abfälliges steht in einem Brief, an Jacob gerichtet. Der sitzt seit Ende Mai als gewählter Abge-ordneter des Wahlkreises Essen-Mülheim in der Frankfur-ter Paulskirchenversammlung, die bemüht ist, dem wie auch immer geeinten Deutschland eine Verfassung zu geben. Dort sieht er gehäuft Philologen und Historiker wieder, denen er im Vorjahr beim Lübecker Germanistentreffen begegnet war. Auch drei der Göttinger Sieben, Dahlmann, Gervinus, Albrecht, zählen zum Paulskirchenparlament. Ganz vorne sitzt Jacob Grimm neben Ludwig Uhland. Beide gehören keiner Fraktion an. Wenngleich von links wie von rechts hochverehrt, bleiben sie ohne Einfluß auf das par-lamentarische Geschehen, schmücken aber immerhin die sonst eher graustichige Versammlung.

Er leidet unter dem Frankfurter Aufenthalt, was ich dem Briefverkehr zwischen den Grimmbrüdern ablese. Zudem vernimmt Jacob, daß in Berlin Wilhelms Frau Dortchen und die Tochter Auguste abwechselnd krank sind und des-halb zur Kur nach Heringsdorf an die Ostsee reisen wollen. Auch ist vermerkt, daß nach dem Ende der Barrikaden-kämpfe die Wertpapiere an der Börse ihren Kurs steigern und daß der König von Preußen, nach Wilhelms Meinung, »den besten Willen und die edelsten Absichten für Deutschland« hat.

Jacob aber mißtraut den Prahlreden des Königs, schreibt er doch an den Bruder: »ich wünsche wahrlich nicht den democraten den sieg, aber ein waches volkselement, das etwas durchgesetzt hat und eine neue auferbauung des vaterlands lässt sich doch nicht leugnen und der bitte ich gott den sieg zu verleihen.«

Nebenbei handeln die Briefe vom in Berlin tobenden Fahnenstreit zwischen dem Schwarzrotgold der Republikaner und dem Schwarzweiß der Preußen. Wilhelm schwankt bedenklich, doch Jacob schickt Dorothea und deren Tochter »ein klein tüchelchen und auch Gustchen eins und ein strohhutband, beides in den drei farben, die es nun vielleicht nicht mehr tragen mag. doch hoffe ich, es ist gut deutschgesinnt und trägt sie.«

Und Sorgen macht er sich brieflich, es könne in Berlin abermals die Cholera um sich greifen. Deshalb rät er zur Abreise der Familie. Wilhelm hingegen gibt sich beruhigt, weil genügend Militär nunmehr für Ordnung sorgt.

Wie nebenbei gesagt wünscht Jacob noch, daß der Bruder ein Exemplar seiner endlich gedruckten »Geschichte der deutschen Sprache« an den König schicken möge; stolz auf das Werk und doch untertänigst.

Ferner teilt er mit, es habe die »äußerste linke einen argen scandal ausgelöst, als von der amnestie für Hecker und genossen verhandelt wurde«. Schließlich ist zu erfahren, daß nach Gervinus nun auch Albrecht enttäuscht das Paulskirchenparlament verlassen habe. Er klagt: »beide haben weder von Dahlmann noch von mir abschied genommen.«

Jacob jedoch bleibt eine weitere Zeit lang. Zwar gilt er als Schmuckstück der Nationalversammlung, dennoch werden seine Anträge, zu denen er jeweils ausgefeilte Reden hält, niedergestimmt. Der eine Antrag, der eine Änderung im ersten Artikel der Grundrechte zur Absicht hat, fordert: »das deutsche volk ist ein volk von freien, und deutscher boden duldet keine knechtschaft. fremde unfreie, die auf ihm weilen, macht er frei.«

Vielleicht fand dieses wohlmeinende Begehren keine Mehrheit, weil in ihm dringlich nur Freiheit, nicht aber, nach französischem Dreiklang, Gleichheit und Brüderlichkeit als Bausteine der zukünftigen Verfassung gefordert wurden; so brüderlich Jacob mit Wilhelm umging, so wenig hielt er von außerfamiliärer fraternité; und der égalité sah er sich, bei aller ihm eigenen Bescheidenheit, weit enthoben.

Mit weiteren Anträgen will er Standesprivilegien des Adels und jegliche Orden abschaffen. Er scheitert abermals. Wahrscheinlich wollten neben Republikanern aus gräflichem oder fürstlichem Haus, sogar radikale Demokraten ihren blechernen Schmuck nicht ablegen und auf keinen Fall von ererbten Pfründen lassen; ihm hingegen war der Erbadel schon seit Kasseler Schuljahren suspekt, wurden doch blaublütige Söhnchen von den Lehrern mit Sie angesprochen, den Brüdern jedoch kam nur demütigend ein Er zu.

Als im September die nationalliberalen Abgeordneten Lichnowsky und Auerswald von linken Aufrührern auf offener Straße erschossen werden, worauf Truppen die Stadt besetzen, schreibt Jacob an Wilhelm: »dies hemmt meine abreise um einige tage, stärkt aber meinen entschluss aus dieser Paulskirche, die gestern gestürmt werden sollte, für immer zu scheiden.«

Im Oktober kehrt er nach Berlin zurück und nimmt bitteren Nachgeschmack mit.

Meine Paulskirchenerfahrung beschränkt sich auf einen einzigen Vormittag. Im Oktober 1997 sollte gegen Ende der Frankfurter Buchmesse einem türkischen Schriftsteller der Friedenspreis des deutschen Buchhandels verliehen werden. Der Börsenverein teilte mir mit, Yaşar Kemal, der Preisträger, habe sich gewünscht, ich solle auf ihn die Laudatio halten. Das fiel mir leicht, denn Kemal war mir als fesselnder Erzähler und widerständiger, deshalb in der Türkei stets gefährdeter Autor bekannt.

Also begab ich mich mit Hilfe seiner Bücher nach Anatolien, ging Wort für Wort seiner anatolischen Saga nach und schrieb eine Rede, die – wie konnte es anders sein – Anstoß erregte, weil es um einen Kurden aus der Türkei und um die dort anhaltende Kurdenverfolgung ging.

Die Paulskirche war mit allem besetzt, was Frankfurt an Publikum mit kulturellem Anstrich und börsennotierten Wertvorstellungen zu bieten hatte. Neben Kemal, der von riesenhaftem Wuchs ist, kam ich mir geschrumpft vor, doch fiel es nicht schwer, zu ihm aufzublicken. Nach der üblichen Begrüßrede und Preisverleihung, war ich dran und beschwor anfangs den historischen Ort: »Von 1848/49 an suchte in der hier tagenden Nationalversammlung die Revolution bis hin zu ihrem Scheitern beredten Ausdruck.« Dann kam ich auf das Ende der erstmals geübten parlamentarischen Redekunst: »Nicht die Mühsal der Paulskirchenversammlung, wie sie der Maler Johannes Grützke aus melancholisch-ironischer Sicht ins umlaufende Bild bringt, sondern Bismarcks Machtwille wurde für Deutschlands Zukunft bestimmend.«

Danach war vorerst nur von Yaşar Kemal die Rede: »Gerne folgte ich Ihrem Wunsch und ließ mich anstiften, vom Mittelmeer aus die flachen Lehmäcker der Küste, dann die von Brombeergestrüpp, Wildreben und Schilf bedeckte Çukurova, weiter landeinwärts Sümpfe, abermals fettes Ackerland, myrtenduftende Hügel, Hochebenen, deren eine Dikenlidüzü heißt und fünf Dörfer zählt, zu überfliegen, nun schon mit Blick auf das Taurusgebirge und seine Schneegipfel.«

Über diese Landschaft breitete ich Kemals literarisches Werk. Er gehört zu jenen Schriftstellern, denen der durch Geburt ihnen zugefallene Flecken Erde Welt genug ist. Ich nannte Faulkner, Aitmatow und Joyce, in deren Büchern gleichfalls alles Geschehen um den Ort früher Verletzungen kreist. Mich nahm ich nicht aus: »Dieses Nichtloskommen von längst verlorenen Provinzen. Denn jede Satzperiode, die ich zu Papier brachte, wurzelte – sie mochte am Ende sonstwo hinführen – zwischen der Weichselniederung und den Hügeln der Kaschubei, in der Stadt Danzig und deren Vorort Langfuhr, an den Stränden der Ostsee. Dort liegen meine amerikanischen Südstaaten, dort habe ich mein Dublin verloren und weitet sich meine kirgisische Steppe, und dort liegt meine Çukurova.«

Anschließend ging es weitläufig um Kemals Roman »Memed mein Falke« und um weitere Romane wie »Zorn des Meeres«, dessen Handlung in Istanbul, am ölverpesteten Bosporus spielt und durch die Großstadt bis in deren schattigste Winkel führt.

Jetzt erst stellte ich dem in der Paulskirche versammelten Publikum Kemal als einen Schriftsteller »jenseits der hierzulande üblichen und von Saison zu Saison auflebenden

Beschwörung des Elfenbeinturms« vor. »Deshalb wird er belangt. Deshalb ein Leben lang in Opposition. Schon früh lernt er, verurteilt als marxistischer Sozialist, türkische Gefängnisse kennen. Später nennt er sie die Schule der türkischen Literatur.«

Und gegen Schluß meiner Rede zitierte ich aus einem Artikel Kemals, in dem er die Verfolgung der Kurden in seinem Land beklagt und zugleich die westlichen Demokratien an ihre Mitverantwortung erinnert: »An der Schwelle zum einundzwanzigsten Jahrhundert kann man keinem Volk, keiner ethnischen Volksgruppe die Menschenrechte verwehren. Dazu fehlt jedem Staat die Macht. Schließlich war es die Kraft der Menschen, welche die Amerikaner aus Vietnam, die Sowjets aus Afghanistan verjagte und das Wunder von Südafrika vollbrachte. Die Türkische Republik darf durch die Fortsetzung dieses Kriegs (gegen die Kurden) nicht als ein fluchbeladenes Land ins einundzwanzigste Jahrhundert eintreten. Das Gewissen der Menschheit wird den Völkern der Türkei helfen, diesen unmenschlichen Krieg zu beenden. Besonders die Völker der Länder, die dem türkischen Staat Waffen verkaufen, müssen dazu beitragen...«

Das war an die deutsche Adresse gerichtet. Deshalb schloß ich mit einem Appell an das Publikum, zu dem in den vorderen Sitzreihen der Frankfurter Geldadel und – nicht zu übersehen – prominente Politiker zählten: »Wer immer hier, versammelt in der Paulskirche, die Interessen der Regierung Kohl/Kinkel vertritt, weiß, daß die Bundesrepublik Deutschland seit Jahren Waffenlieferungen an die gegen ihr eigenes Volk einen Vernichtungskrieg führende Türkische Republik duldet. Nach 1990, als uns die Gunst der Stunde die Möglichkeiten einer deutschen Einigung eröffnete, sind sogar Panzer und gepanzerte Fahrzeuge aus den Beständen der ehemaligen Volksarmee der DDR in dieses kriegführende Land geliefert worden. Wir wurden und sind Mittäter. Wir duldeten ein so schnelles wie schmutziges Geschäft. Ich schäme mich meines zum bloßen Wirtschaftsstandort verkommenen Landes, dessen Regierung todbringenden Handel zuläßt und zudem verfolgten Kurden das Recht auf Asyl verweigert.«

Der Beifall in den hinteren zwei Dritteln des Saales täuschte darüber hinweg, daß ich gegen Ende meiner Rede sozusagen ins Schwarze getroffen hatte. Vereiste Gesichter. Besonders vorne, wo man in Nadelstreifentuch gezwängt und mit fetten Klunkern behängt Elite repräsentierte, gab man sich empört, weil die literarische Feierstunde durch den profanen Hinweis auf einen profitablen Teilbereich im deutschen Exportgeschäft entweiht worden war. Man wollte weiterhin gerne vorneweg sein im Waffenhandel.

Bis in den Vorstand des Börsenvereins blieb spürbar, wie weit ich mich vom Ton sonstiger Paulskirchenreden entfernt und allzu deutlich das Regelwerk eingeübter Unverbindlichkeit verletzt hatte.

Lange standen Yaşar Kemal und ich auf der Bühne. Er riesengroß, ich abgestuft daneben. So isoliert wie brüderlich. Wir spürten sich hinter undurchlässigem Dünkel verschanzende Abwehr. Haß mochte Pupillen verengen. Uns berührte das nicht.

Als wir den Saal der Paulskirche verließen, erklärte ich dem gefeierten Preisträger das umlaufende Wandbild des Malers Grützke. In ermüdender Prozession schleppen sich die Abgeordneten der historischen Paulskirchenversammlung hin. Eine endlos anmutende Strecke lang. Der Umzug der Vergeblichkeit. Die zur Schau gestellte Ohnmacht. Lauter ehrenwerte Männer. Unter ihnen Schriftsteller und Gelehrte, so Ludwig Uhland und Jacob Grimm.

Als er die Nationalversammlung verließ, wird er seinen Rückzug nach Berlin als Niederlage empfunden haben, vielleicht aber auch als befreienden Schritt. Fürs Parlamentieren fehlte ihm jene Ausdauer, die den Brüdern als gelehrten Stubenhockern, Zimmer neben Zimmer, wie angeboren war; sie lebten im Zwiegespräch mit und zwischen ihren Büchern, allerdings nicht mehr in der Lennéstraße mit Blick auf Bäume im Wechsel der Jahreszeiten.

Der mittlerweile erwachsenen Kinder wegen waren sie in eine größere Wohnung in der Dorotheenstraße nahe dem Brandenburger Tor umgezogen, wieder günstig in Nähe zum Tiergarten gelegen. Doch Wilhelm, der zuständig für wirtschaftliche Belange war, hatte, weil abgelenkt durch den Frankfurter Germanistentag und zudem geplagt von anhaltender Magenverstimmung, versäumt, pünktlich die Miete zu zahlen. Fristlos wurde ihnen gekündigt. Gedrängt zum Umzug mit tausend und mehr Büchern sahen sie sich von anhaltender Unruhe bedroht.

Übereilt und diesmal ohne Bettines Hilfe mußte eine neue Wohnung gesucht werden. In der Linkstraße Nummer 7 wurden geeignete Räume gefunden, wiederum mit Gelehrtenstuben dicht bei dicht; sie sollten die letzten der Grimmbrüder sein.

Von dort aus lag der Tiergarten um wenige Straßen entfernter. Wenn sie ihn dennoch aufsuchten, dann von Dorothea aufgescheucht und der neuerlichen und nach so viel politischen Enttäuschungen um so eifriger betriebenen Wörtersuche wegen. Endlich sollten erste Lieferungen zum Buchstaben A auf den Weg gebracht werden. Aber vermutlich blieben sie nebendrein allen Buchstaben hörig.

Jacob legte, weil immer noch von der Paulskirchenerfahrung bedrückt, Wortfelder an, auf denen, von Zitaten umrankt, Drangsal und Irrsal, Lobsal und Mühsal mit dem Schicksal in Reihe standen. Auf anderem Feld gediehen Anmut und Armut, Demut und Frohmut, Sanftmut, Schwermut und Unmut. Wilhelm jedoch war bei selbstbeschränkter Wortfindung, beim D geblieben.

Mag sein, daß er über deuten, deutlich auf jenes zwar bedeutsame, aber politisch kaum faßliche Wort deutsch gekommen ist, angestoßen vom kürzlich noch heftig umstrittenen Wunschobjekt Deutschland.

Sollte sich das Vaterland, wie von Jacob gewollt, kleindeutsch unter Preußens Führung einigen? Oder eher großdeutsch, Österreich einbegriffen?

Jedenfalls konnte, was dieses Stichwort betraf, ein aus Vorzeiten nachhallender Zwist belegt werden. In dessen Verlauf war es besserwisserisch darum gegangen, ob der Einsilber deutsch von den Teutonen hergeleitet, tiusch, später teutsch, also mit t anlauten sollte oder mit d, weil vom gotischen und noch althochdeutschen diot stammend, so daß sich ein jeder zum deutschen Vaterland, zum deutschen Wesen, zu deutschen Frauen, zum deutschen Wein und Lied bekennen möge; wenngleich bei Walther von der Vogelweide und im Verlauf des Nibelungenlieds tiusch und tiutsch zu finden ist.

Weil Jacob sich gegen Ende des Revolutionsjahres verbittert und an der Zerrissenheit Deutschlands leidend in seine Gelehrtenstube zurückgezogen hatte, sehe ich nunmehr wie hinter Dunstschleiern, doch deutlich sobald ich die Augen schließe, Wilhelm im winterlichen Tiergarten unterwegs. Er verweilt hier und da. Bei leichtem Schneefall hinterläßt er Spuren und sinnt, wenngleich frei von anderswo gehegter Deutschtümelei, dem Deutschtum nach oder der Deutschheit, die bei Oswald von Wolkenstein noch »teutschikait« heißt.

Oder wird ihm schon jetzt Goethes Bewertung zitierbar, »die englische poesie hat eine gebildete komische sprache, welcher wir Deutschen ganz ermangeln«, so daß er später, mitsamt dem vollständigen Zitat, »das deutschkomische liegt vorzüglich im sinn, weniger in der behandlung«, das Adjektiv deutschkomisch ins Wörterbuch aufnehmen kann?

Andererseits deutet nichts darauf hin, daß ihn auf verschneiten Tiergartenwegen, doch abseits des Eislaufgetümmels rund um die Rousseauinsel das schöne, wenngleich jeglichem Mißbrauch offene Wort Demokratie zum Stolpern und Nachdenken bringt, im zweiten Band der Grimmschen Wörtersammlung fehlt, was der Herrschaft des Volkes als Begriff tauglich werden sollte; bei aller Freiheitsliebe blieb demokratisches Verhalten den Grimmbrüdern fremd.

Bereits auf dem Heimweg und ganz mit sich allein sucht Wilhelm nun bei jenen Märchenfiguren Zuspruch, die jeweils mit kräftigem D anlauten. Trockener Schnee fällt. Sein Schritt knirscht. Die Filzkappe, über die Ohren gezogen, glänzt kleinflockig bestäubt. Vögel suchen Futter. Schon schwindet er im Gestöber.

Wenn, wie uns von Kindheit an erzählt wurde, nach hundert Jahre währendem Schlaf Dornröschen von einem Prinzen von Mund zu Mund beatmet wird und endlich wachgeküßt ist, worauf, als habe sich im Verlauf verschlafener Zeit nichts getan, nun jeder tut, was zuvor schon getan worden war, also der Hofstaat wiederum große Augen macht, die Pferde sich rütteln, die Jagdhunde wedeln, Tauben ins Feld flüchten, die Fliegen, soeben noch starr, über Wände und Tische kriechen, das Küchenfeuer zu flackern, der Braten am Spieß zu brutzeln beginnt, der Koch dem Küchenjungen sogleich die überfällige Ohrfeige austeilt und die Magd das Huhn fertig rupft, haben sich die Verhältnisse abseits des Märchens, datiert ein Säkulum nach der achtundvierziger Revolution, als alle Hoffnung auf Demokratie entschlafen zu sein schien, so lange verändert, bis alles unter Trümmern verschüttet lag; und wer zu den Überlebenden zählte, dem war jeglicher Märchenglaube vergangen.

Auch mir, dem siebzehnjährigen Jungen, den Krieg und diktierter Glaube dummgehalten hatten, mußte das Wort Demokratie mit seinen Verhaltensregeln in Lektionen eingepaukt werden. So erging es allen, denen eine demokratische Grundordnung, wie es lehrbuchhaft hieß, per Dekret verordnet wurde. Das taten gestreng die westlichen Sieger, die sich als von niemand zu bezweifelnde Demokraten gespiegelt sahen. Hingegen bestanden die östlichen Sieger darauf, daß sich in jenem Teil des Landes, der ihnen zugefallen war, der entstehende Staat unter dem vielversprechenden Titel Deutsche Demokratische Republik zu einer prinzipienstarren Diktatur entwickelte.

So lebten die Deutschen als Musterschüler ihrer siegreichen Schirmherren vierzig Jahre lang gegeneinander.

Jeweils hielten sie sich für die besseren Demokraten. Seitdem es aber den östlichen Staat nicht mehr gibt und sich der westliche an dessen Überresten verschluckt hat, ist das demokratische Gebäude von Schäden befallen, zeigt das Fundament Risse, bröckelt die Fassade, entfallen ihr schmückende Ornamente, ermüden Stützpfeiler, kracht es im Dachgebälk. Sogar das Geld, als eigentlich herrschender Souverän, hat sich davongemacht. Vorzeitig vergreist, ächzt das Land unter drückender Schuldenlast. Und nur zaghaft dämmert die Einsicht, daß Demokratie kein gesicherter Besitz ist. Sobald sie schläft oder sich schlafend stellt, gar darauf hofft, es werde demnächst ein Prinz kommen und sie wachküssen, ist ihr das Ende schon bereitet.

Als aber Dornröschen nach ihrem hundert Jahre währenden Schlaf erwachte, sah sie die Grimmbrüder in ihren Gelehrtenstuben sitzen, als sei derweil nichts geschehen. Wie zu aller Zeit bestellten sie weitläufige Wortfelder, die teils blühten, teils verkrautet waren. Sie redeten vor sich hin. Hatte der eine es mit den Artikeln der die das, ging der andere von der Demut übers demütigen bis zu einem Arnimzitat, demnach »jedes demutsvolle wort das ich gesprochen« verflucht zu sein hatte. Das Stichwort Demokratie jedoch blieb ausgespart.

Es wird beide nicht stören, wenn ich als Lückenbüßer ihrer Unterlassung nun versuche, vom Buchstaben D aufs E zu kommen, also aus dem zweiten in den dritten Band des Wörterbuchs springe; doch dessen Ertrag haben Jacob und Wilhelm Grimm als Drucklegung nicht mehr erlebt, was mich nicht hindern darf, dennoch mit einem Doppelpunkt zu enden:

DER ENGEL, DIE EHE, DAS ENDE

Als die Erde noch eben
und im Erlebnispark Eden – ein Event! – er
erstmals Eva in Eva erkannte,
weshalb Erzengel eilends
beide ins irdische Elend entsorgten,
auf daß sie sich mehrten, vermehrten
und ihren Erwerb vererbten,
hingegen Esau, das Söhnchen, einfach so
für Erbsen, nein, Linsen waren es, Linsen,
seine Erstgeburt hergab,
als sei sie ihm schnurzegal
und nicht das Gelbe vom Ei,
ergab sich auf ewig Erbrecht aufs Eigentum;
die Erbschaftssteuer jedoch
wurde erst später, viel später erdacht:
Streit seitdem, nie endender Streit.

Jacob erachtete ihn als gering. Mir aber will in seiner Viel-
falt der Buchstabe E schön klingen. Gerne sage ich Elritze,
ergehe mich unter Eschen und Eichen, erinnere mich beim
Entenessen an einst gegessene Enten, ecke Buchseiten Esels-
ohren, gieße eingelegten Heringen Essig nach, bin des
Bernsteins Einschluß, entfliehe der Enge, hänge am Euter,
erzeuge, erzähle, pfeife auf Ehre, verlache, was sich erhaben
gibt, habe es mit dem neutralen es, sage: es tagt, es nach-
tet, treibt, zieht, tobt, dunkelt, beschämt, verwundert, zerstreut mich, es hat sich was, es will so sein, es ist wie es ist,
es war ein König in Thule, es blies ein Jäger wohl in sein

Horn, es zogen zwei Grenadiere, es ist ein Ros entsprungen, »es war«, wie Goethe sagt, »ein herzig veilchen«, und bei Johannes steht: »es ist vollbracht«.

Doch Wilhelm gegenüber, der es mit dem Buchstaben D nicht eilig hatte, gerne bei Einsilbern wie Dank, Deich, Dieb, Dorn verweilte und schon den Durst vorwegnahm, mäkelte Jacob am E an sich, indem er, um Wortwegstrecken voraus, von einem »unursprünglichen, darum auch schwankenden, unbestimmten vocal« sprach, dem er nachsagte, er habe »in unsrer sprache allzusehr um sich gegriffen und ihren wollaut beeinträchtigt«.

Als Beispiel führte er das reine kräftige A an, wie es sich klangvoll im Gotischen finde: »vas manna habands ahman.« Mit Hilfe einer gesuchten Satzfolge hielt er dagegen, das dünne E bleibe eher blaß: »vergebens, er endete erst den letzten jenner«, und fügte hinzu: »solche eintönigkeit ist kaum in andern zungen möglich.«

Aber Hirzel drängte: nun müsse das E abgeerntet werden. Und Wilhelm berief sich auf den »Eisenhans«, eine Mär, die bereits bei Arnim zu finden sei. Weil aber der ältere Grimm eifriger als der jüngere die wahre, was für ihn hieß, ursprüngliche Quelle der Wörter suchte, behauptete er während ihres kurzen Wortwechsels zwischen den Gelehrtenstuben, der beide in Bewegung hielt, »einen undeutschen« vor allem daran erkennen zu können, »dasz er der abstufungen unseres e selten mächtig ist«.

Stille danach. Nur Jacobs kratzende Stahlfeder. Da die Tür zwischen ihren Stuben, lange durch ein Bücherregal versperrt, neuerdings immer öfter offenstand, erlebten sie sich schweigend im Zwiegespräch: ein jeder des anderen Echo. Nur wenn Wilhelm fettleibige Schwarten aus Jacobs

Regalen zog und jener dann Mühe hatte, Entliehenes in des Bruders Unordnung zu finden, reagierte er empfindlich.

Ermahnungen halfen wenig, verhallten wie ins Leere geredet. Dennoch ließ sich ihr Eigentum weder scheiden noch teilen. Und wenn sie durch die Zwischentür stritten, geschah das mit eher gedämpftem Eifer, klang aber manchmal doch, bei aller gesuchten Nähe, wie Ehezwist.

Jedenfalls stelle ich mir ein erregtes, aber nicht immer vom Ernst ernüchtertes Hin und Her vor. In meiner Einbildung, die gerne lebhafte Szenen entwirft, bewerfen sie sich mit Wörtern wie Elle und Ecke, erschrecken einander mit Einsilbern wie Eis und Ei. Ehrlos folgt ehrlich. Was mit Zitaten der Ewigkeit einverleibt ist, erhebt oder erheitert sie. Aber den Eid – darin sind beide einig – werden sie nie wieder leisten.

Wiederum Stille. Wilhelm, dem das E ohne Einschränkung lobenswert ist, blättert in der jüngsten Ausgabe der Kinder- und Hausmärchen, um dann wie aus dem Stegreif von der klugen Else zu erzählen, einem Märchen, in dem einer Kreuzhacke wegen viel geweint wird und dem bekanntlich eingangs ein es vorsteht: »Es war ein Mann…« und das mit »niemand hat sie wieder gesehen« endet.

Jacob hingegen polemisiert gegen das gedoppelte E in Meer, Heer, Klee und Schnee. Er möchte nach althochdeutscher Schreibweise ein E streichen, oder wie es bei ihm heißt, »erübrigen«. Als Exempel nennt er: »bei herzog und herberge klingt die alte kürze von her statt heer noch an.«

Nun möchte auch ich, weil eitler Ehrgeiz juckt, an dem Gelehrtenstreit der Brüder teilhaben und dem Altdeutschen das Wort reden, bin ich doch, wenngleich von einheimischen Feinden oft als »vaterlandsloser Geselle« beschimpft, dergestalt in den Sinn und Widersinn der deutschen Sprache vernarrt, daß ich mir mit Jacob die Frage stelle, weshalb älter und Eltern zwar gleich anlauten und sich von alt, Alter herleiten, aber dennoch mit Ä und E auf Unterschied bestehen.

Er weiß als Quellenfischer dazu Beispiele, die mit Zitaten einzurahmen sind. Indessen Wilhelm aus seiner Stube heraus das Märchen »Die Erbsenprobe« erzählt, um, von der gelbtrocknen Hülsenfrucht abgeleitet, den älteren Grimm einen emsigen Erbsenzähler zu nennen, nimmt dieser Luther beim Wort, der in seinem Bibeldeutsch »durchgehends helle« für Hölle setzt. Gleich darauf teilt er des Bruders Meinung, daß »glaubenseifrige theologen« vom Ö in Hölle »nimmer lassen wollen«, weshalb die Rückkehr zu ursprünglichen Schreibweisen, so insgesamt sie vonnöten sei, selbst bei den Leipziger Verlegern kaum Gehör finden könne; bestehe er weiterhin auf »helle«, werde ihm Eigensinn nachgesagt werden.

Dem entsprach der Briefwechsel. Jacobs Ermahnungen blieben weitgehend erfolglos. Zwar wollten Karl Reimer und Salomon Hirzel des wissenschaftlichen Anspruchs wegen die oft ausschweifenden Einleitungen zu einzelnen Stichwörtern nicht missen, etwa bei dem Zahlwort ein, das in dreißig belehrenden Spalten mit dem lateinischen unus, dem niederländischen een und dem gotischen ains erschöpfend ausgelegt wurde – denn mit dem papierfressenden Heißhunger der Grimmbrüder und ihrem Eifer, jedem Stichwort erklärend Beihilfe zu leisten, war zu rechnen gewesen –, aber eine grundlegende, weil den Ursprung eines jeden Wortes bedenkende Rechtschreibreform würde, so hieß ihr brieflicher Einwand, »jeden zukünftigen Leser als Käufer abschrecken«. Man müsse mit Verlust durch Abbestellungen rechnen. Die zu erwartende Einbuße werde den Verlag empfindlich leiden und die Erträge erheblich sinken lassen. Zu übereifrig sei Jacobs Eigenwille, was die Entlastung des doppelten E betreffe. Eher sei man bereit, die Kleinschreibung hinzunehmen, wenngleich es an Einwänden überall lauernder Schriftgelehrter nicht fehlen werde.

Dann kam es, den Verlag betreffend, zu einer einschneidenden Veränderung. Karl Reimer entschloß sich auszuscheiden. Er wollte mit eigenem Verlag tätig werden. Doch an der Edition des Wörterbuchs änderte sich wenig. Als Salomon Hirzel, der sogleich die Drucklegung übernommen hatte, am 3. Januar 1852, mit Blick auf den 4. – Jacobs siebenundsechzigsten Geburtstag –, den ersten Korrekturbogen nach Berlin schickte, schrieb er dem älteren Grimmbruder: »Ich gebe mir alle Mühe mich an das sz zu gewöhnen, aber es sieht mich noch immer ganz fremdartig an, und das alte gute ſs, das sich noch in Ihrer Geschichte der deutschen Sprache so hübsch druckte, tritt mir immer vor die Augen.«

Jacob blieb beim sz. Er strapazierte die Geduld seines Verlegers, indem er zusätzliche Neuerungen verlangte: »den strich hinter flusz- bei flusz- und ortsnamen will ich meiden und schreiben fluszundortsnamen. das wird zwar auffallen, ist aber das einzig rechte und durch die schreibung vierundzwanzig längst gerechtfertigt.«

In einem weiteren Brief wurde er noch deutlicher: »machen Sie mir, nachdem Ihren einwänden zu liebe ich fast alle meine vorsätze für die reformation unsrer orthographie aufgegeben habe, das herz nicht schwer mit dem ſs, das Sie ein altes, gutes nennen. für wie alt denn halten Sie es? und gut ist es nicht, weil es eine lüge in sich enthält, wir nennen es eszet, schreiben es in sogenannt deutscher schrift ſs und lösen es im lateinischen druck, seit man begann das lange ſ mit s zu vertauschen, unbedacht auf in ss. schriebe ich muss, anstoss, das würde Ihnen keinen geben, aber sz gibt ihn. gegen ſs entscheidet die unmöglichkeit es in majuskel auszudrücken, wie sz in SZ.«

Da diese und weitere Unstimmigkeiten noch kürzlich einen regelrechten Rechtschreibekrieg zu entfesseln vermochten, der die Nation nervte, erregte, schließlich wie einst der Kalte Krieg entzweite, und weil die neuerlichen Edikte auch mich und die Schreibweise meines Familiennamens betreffen, soll hier als entschieden gelten, daß ich beim umstrittenen daß weiterhin aufs eszet setze, aber Grass in Druckschrift mit doppeltem s, handschriftlich jedoch mit einem ß enden lasse. Mein Vater hingegen unterschrieb in jener alten Schreibweise, die Salomon Hirzel so hübsch gefunden hatte, und deren langgezogenes ſ irrtümlich als f angesehen wurde. Wie tröstlich, daß jenseits des Entwederoder noch weitere Möglichkeiten offenstehen. Mir jedenfalls bereitet es Vergnügen, meinen Namen mal so, mal so scharf ausklingen zu lassen, vielleicht weil ich endgültige Entscheidungen scheue, mich gern gegen mich eintausche und sobald Zweifel Einspruch erhebt, dritte Wege erprobe.

Jacob gab nur nach, was das Zusammenschreiben von »fluszundortsnamen« betraf. Beim sz blieb es, selbst wenn er gegen Schluß seines Briefes einzulenken vorgibt: »da ich so weich gestimmt bin, können Sie mir sogar noch ſs für sz aufnöthigen. ich denke mehr an die sache als an die gestalt.«

So nahm die Drucklegung ihren Verlauf. Vierzehn Jahre nachdem die Leipziger Verleger den aus Göttingen vertriebenen Grimmbrüdern ihren Antrag gemacht hatten, ein deutsches Wörterbuch zu verfassen, wurde satzfertig geliefert, gesetzt, hier ergänzend, dort schmälernd korrigiert, schließlich gedruckt, und zwar nach Jacobs Verlangen in klarer Antiqua, weil ihm die deutsche Fraktur, fälschlich gotische Schrift genannt, als zu schnörkelig wuchernd mißfiel.

Doch bevor Korrekturbogen auf Korrekturbogen von Leipzig nach Berlin und in umgekehrte Richtung auf den Postweg gebracht und so die Drucklegung erster Lieferungen zum Buchstaben A eingeleitet wird, will ich noch einmal Rückschau halten und mit dem jämmerlichen Ausklang der deutschen Revolution eine Episode einblenden, die Jacobs zwiespältiges Verhältnis zu Dänemark beleuchtet.

Noch vor den Berliner Barrikadenkämpfen und den Aufständen in Baden und Sachsen, die nach preußischer Machart niederkartätscht wurden, brach um Schleswig, das die Dänen auf immer und ewig einsacken wollten, Krieg aus. Nach militärischen Erfolgen konnte eine provisorische Regierung für Schleswig-Holstein eingesetzt werden. Dann aber gab Preußens König dem Druck der Großmächte England und Rußland nach, weshalb sich Jacob Grimm, der zu dieser Zeit noch als fraktionsloser Abgeordneter in der Paulskirchenversammlung saß und dort gegen die dänischen Ansprüche gestimmt hatte, in einem Brief an seinen Bruder empörte, weil es in Malmö zum Waffenstillstand mit den Dänen gekommen war.

Vielleicht sollte ergänzend bemerkt werden, daß er, wenngleich ihm wie Wilhelm die skandinavischen Sagen als hochwertig galten, mit etlichen dänischen Gelehrten überkreuz war, weil er die dänische Sprache als nicht eigenständig, eher als deutschen Dialekt eingeschätzt hatte, und fürs zweite Germanistentreffen war ihm, um dem nahen Dänemark ein trotziges Zeichen zu setzen, die Hansestadt Lübeck geeignet gewesen. Jedenfalls galt Malmö aus seiner Sicht als ein das Vaterland entehrender Handel, der dazu beitrug, daß er Frankfurt verließ. Gerade zur rechten Zeit, denn als im folgenden Jahr die Nationalversammlung nach nicht endenwollenden Debatten die Reichsverfassung annahm, nach deren Wortlaut der Deutsche Bund sich einem Erbkaisertum unter preußischer Führung ergeben zeigen sollte, lehnte der vierte Friedrich Wilhelm diese Einladung ab.

Er, an dem alle Hoffnung klebte, enttäuschte zum wiederholten Mal. Er, von dem man immer noch werweißwasalles erwartete, wollte nicht deutscher Kaiser werden, sondern einzig gekröntes Oberhaupt Preußens bleiben: erlaucht und erhaben. Ihm war schwarzweiß farbiger als schwarzrotgold.

Bald danach verlief sich die Nationalversammlung. Alles blieb reaktionär wie gehabt. In Sachsen setzte sich nach dem Dresdner Maiaufstand und letztem Aufflackern der Revolution die alte Ordnung durch. Die Bürger wurden entmachtet, gegen die Presse strenge Verordnungen erlassen und das Versammlungsrecht eingeschränkt.

Nur die Eisenbahn entwickelte sich, was als Fortschritt zu gelten hatte. Auf neuen Strecken, auch Schienenwege genannt, zogen Lokomotiven, von Borsig gebaut, Personen- und Güterwagen. Eiliger Briefverkehr war die Folge. Und doch konnte die fahrplanmäßige Beschleunigung den allgemeinen Stillstand nicht aufheben. Deshalb ist anzunehmen, daß der Rückgriff auf vorrevolutionäre Zwänge den Verleger Karl Reimer bestimmt haben mag, sich von Salomon Hirzel zu trennen, Leipzig zu verlassen und mit eigenem Verlag nach Berlin zu ziehen, wenngleich dort die Freiheit des Wortes ähnlich eng bemessen wurde.

Vermutlich gab es noch weitere Gründe, die das bis dahin so einmütige Verlegerpaar entzweiten, vielleicht familiäre? Immerhin war Hirzel mit Reimers Schwester verheiratet. Aber der Briefwechsel mit den Verlegern gibt nichts her, dem ein Zerwürfnis abzulesen wäre.

Und die Arbeit am Wörterbuch litt ohnehin nicht unter der Trennung. Hirzel erwies sich als eigenständig genug, den begonnenen Druck erster Lieferungen fortzusetzen. Nachdem die beiden jungen Leute als fleißige Zuarbeiter auf Verlagskosten in eigens getischlerten Kästen die ständig anfallenden Zitatzettel in alphabetischer Ordnung sortiert hatten, teilten die Brüder die Buchstaben auf. Jacob hatte sich zuvor schon für A, B und C entschieden. Er war bereit, nach dem E das F zu beackern, Wilhelm war mit dem D zufrieden und hätte sich wohl gerne vorauseilend auf das M eingelassen, allein schon wegen des Artikels zum »Märchen«.

Ich aber bin sicher, daß der ältere Grimm, während er gebeugt über Korrekturbögen sitzt, die von A über aasig bis Affenschanz und weiter reichen, bereits vom Buchstaben E mißmutig gestimmt wird, denn mit der eins und dem folgenden einerlei, einerseits, einzig holt ihn das Stichwort Einheit ein und mit ihm abermals die Frankfurter Paulskirchenversammlung als Echo jener elend langen, die deutsche Einheit vergebens beschwörenden Reden und ermüdenden Debatten; wie ja auch ich mich an diesem Erbgut zu reiben begann, als im Jahr neunzig das zweigeteilte Deutschland eilfertig, was hieß, durch bloßen Anschluß auf eine Einheit eingeschworen wurde, die seitdem nur auf dem Papier steht. Denn kaum hatte sich jener zuerst in Leipzig lautgewordene Ruf »Wir sind das Volk!« zu der wenig sagenden Behauptung »Wir sind ein Volk« verengt und die sogenannte Wende herbeigeschrien, kam es, geködert mit dem Versprechen, es werde das Geld eins zu eins gewechselt, weshalb aus Einöden blühende Landschaften werden würden, zu einer Einheit ohne Einigung. Einverleibt gegen geliehenes Geld. Nur der Schuldenberg wuchs. Zugleich wurde durch Markterweiterung westlicher Erwerbssinn ermuntert.

Weshalb ich auf Reise ging: unterwegs von Deutschland nach Deutschland. Ich wollte sehen, was sich änderte, und sah, mit welcher Eile der Westen den Osten enteignete. In Reden, die wenig Gehör fanden, empörte ich mich. Zum Beispiel im bayerischen Tutzing, wo auf einer Tagung der Evangelischen Akademie, zu der die grüne Bundestagsabgeordnete Antje Vollmer und ich eingeladen hatten, meine »Kurze Rede eines vaterlandslosen Gesellen« vergeblich für eine Konföderation warb: »Alptraum steht gegen Traum. Was hindert uns, der Deutschen Demokratischen Republik und ihren Bürgern durch einen gerechten, längst fälligen Lastenausgleich dergestalt zu helfen, daß der Staat sich wirtschaftlich und demokratisch festigen kann und seine Bürger weniger Mühe haben, daheim zu bleiben? Warum muß der deutschen Konföderation, die unseren Nachbarn erträglich sein könnte, immer wieder eins draufgesattelt werden, mal nach vagem Paulskirchenkonzept als Bundesstaat, dann wieder, als müßte das so sein, in Gestalt einer

Groß-Bundesrepublik? Ist denn eine deutsche Konföderation nicht mehr, als wir jemals erhoffen konnten? Sind denn umfassende Einheit, größere Staatsfläche, geballte Wirtschaftskraft ein erstrebenswerter Zuwachs?«

Lauter Fragesätze. Gegen Schluß der Rede steigerte sich meine trübe Voraussicht: »Hilfe, wirkliche Hilfe wird nur nach westdeutschen Konditionen gegeben. Eigentum ja, heißt es, aber kein Volkseigentum bitte. Die westliche Ideologie des Kapitalismus, die jeden anderen Ismus ersatzlos gestrichen sehen will, spricht sich wie hinter vorgehaltener Pistole aus: entweder Marktwirtschaft oder... Wer hebt da nicht die Hände und ergibt sich den Segnungen des Stärkeren, dessen Unanständigkeit so sichtbar durch Erfolg relativiert wird. Doch auf Mark und Pfennig berechnet, wird die deutsche Frage nicht zu beantworten sein.«

In meinem Reisetagebuch, das mich nach Schwerin, Stralsund, Neubrandenburg, nach Cottbus, Bautzen und Leipzig, in die Lausitz zwischen Senftenberg und Spremberg begleitete, eine vom Braunkohleabbau gezeichnete Gegend, in der ich einst mit Hilfe zweier Granatsplitter so leicht verwundet wurde, daß ich den selbst auf Trümmern noch plakatierten Endsieg überleben konnte, steht als Echo auf die neue, die harte Währung geschrieben: »Zwei Wochen nach Einführung der DM in die DDR: das Kind, das in den Brunnen fiel, wird schuldig gesprochen.«

Jetzt, zwanzig Jahre später, hängen die bloß angeschlossenen Bundesländer noch immer am Tropf. Das Land entvölkert sich, Armut zieht ein und bleibt. Weil es an Einsicht in getrennt gelebte Biographien fehlte, konnte die Rechnung Aus-zwei-mach-eins keine Einheit ergeben.

Jacob Grimm, der in der Paulskirche erfahren hatte, wie schwer es den Deutschen fällt, sich mit sich selbst zu einigen, führte im Wörterbuch das vom lateinischen unitas hergeleitete Wort mit der Erklärung ein, es sei »ein erst seit dem vorigen jahrhundert in schwang gekommner, früher noch nicht hergebrachter ausdruck«.

Selbst Luther, der ihm mit Zitaten behilflich wird, kennt weder Einheit noch Dreieinheit, sondern spricht von »einigkeit und dreieinigkeit«. Erst mit einem Zitat nach historischen Schriften seines Göttinger Leidensgenossen Dahlmann, demnach der Jacobinerclub während der Französischen Revolution bei »versamlungen einheitliche haltung« zu erkennen gibt, kommt er auf Wörter wie einhellig, einstimmig, um beim mehrdeutigen einig mit langer Einleitung weit auszuholen und mit Simon Dach, »es ist einig gott bekannt«, dieses Wörtchen zu festigen.

Worauf er spaltenlang dem Zahlwort eins die Ehre erweist. Er feiert die Einzahl, lobt die Einfalt, nennt das eins, zwei, drei Zauberei, erlaubt dem Einhorn aus dem Märchenwald Einzug ins Wörterbuch. Man ist mit sich eins, geht eins trinken, pfeift sich eins. Poeme feiern die Einsamkeit. Nach Sirach ist »wol dem der ein tugendsam weib hat. des lebet er noch eins so lange.« Und Fleming schreibt inmitten des Dreißigjährigen Krieges: »das zeichen ist nicht gut, in dem ich bin geboren, weil volk und reich und ich auf eins zu trümmern gehn.«

Hingegen kommen Wörter, die nach dem Jahr des Mauerfalls billig zu haben waren, wie Einheitswille, Einheitswunsch, Einheitsbegehren, Einheitsgebot bei ihm nicht vor, so sehr er und die Paulskirchenmänner die Einigkeit der Deutschen herbeigewünscht haben mögen.

Also läßt er ab von der Einheit, dem Zahlwort eins und dem einzigen Gott. Wörter wie Eiter und Ekel fallen ihn an. Die Enge will erweitert, die Ernte muß eingebracht, die Ehre dem Geiz einverleibt, das Essen bereitet werden. Elend ist vorerst zu übersehen, doch nicht die Elle, die Ecke, das Erbe. Von empor kommt er auf empört. Emsig nähert er sich dem Ende, verweilt aber vorerst bei angelus, auf daß uns der gotische aggilus, althochdeutsch angil, als Engel retten möge.

Es gibt viele.
Jeder, so steht es bei Rilke, ist schrecklich.
Der gute, behütende,
der entsetzlich böse,
in Mehrzahl die singend verkündenden,
engelhaft lieblichen,
die mit chen oder lein enden
und sich in Dresden auf Raffaels Bild flegeln.
    Klees Engel, Barlachs schwebender,
Benjamins, der die Geschichte verrätselt.
Wen meinte Wieland, als er
eine Engelserscheinung beschwor?
In welchen der Engel wollte sich Fischart ergießen,
als er im Paradies weilend
ein »gnadenfeuchtes engelsschößlin« befingerte?
    Schlußendlich sind Teufel gleich Engeln
und Engel dem Teufel gleich.
Doch der schlesische Angelus setzte
jedwedes entfernte Ende ins gegenwärtige Jetzt:
»der jüngste tag ist itzt
und nicht danach vorhanden!«

Und in der einst real existierenden DDR
waren auf Weihnachtsmärkten Engel begehrt,
die, weil im Erzgebirge geschnitzt,
gut waren für den Export,
daheim aber Jahresendfiguren zu heißen hatten,
denn in Marxengels' Schriften
tritt kein einziger Engel in Erscheinung.

Ein geklittertes, mittlerweile vergessenes Wort, Jahresendfiguren, dessen dritte Silbe in Grimms Wörterbuch – kurz
vor eng, Enge, dem Engel – zweiundzwanzig Spalten besetzt
hält, denn dem Ende hängt ein ständig nachwachsender
Schwanz an, der mit erster Endabsicht und dem harmlosen
Endchen, der Endlichkeit, von der Klopstock im »Messias«
sogar im Plural spricht – »das staunen der endlichkeiten« –,
schließlich mit dem Endziel, dem Endzweck und – nach Zitat
von Bürger – erfreut mit dem »endlichen zweck« wedelt.
Doch so ursprungsüchtig Jacob vom gotischen andeis auf
endloser Wortstrecke dem Ende nachgeht, beiseite gesprochen von »allen orten und enden der christenheit« weiß, im
Parzival »gar schiere ein ende nam der tanz« findet und aus
Rückerts Reimen zitiert, »klein ist anfang aller enden, doch
mit groszem musz es enden«, so endversessen sind mir
heutige Endzeitbeschwörungen geläufig: von den endlosen
Klagen der Konsumenten als Endverbraucher und dem
drohenden Ende des Wachstums bis zur Endlagerung des
Atommülls. Auch sollte die entsetzlichste aller dem Ende
zugedachten Bestimmungen der wörtlichen Reihe eingefügt
werden: kurz vorm Endreim findet sich Platz für die Endlösung; sie bleibt uns eingeschrieben.

Ferner fehlt die in Science-Fiction-Filmen so bildlich nahegebrachte Endzeit und mit ihr die stets erneuerbare Endzeitstimmung. Von ihr konnte inmitten des neunzehnten Jahrhunderts, so bedrückend die politische Lage war, keine Rede sein. Vielmehr oder endlich brachte der Verleger Hirzel, als hätte der Eisenbahnverkehr nun auch die Grimmbrüder beschleunigt, den ersten Band des Wörterbuchs auf den Markt.

Welch ein Ereignis! Auf der Leipziger Messe war alles zum Buchstaben A zu haben, was vorher nur in Einzellieferungen käuflich gewesen war. Die Kritik reagierte hymnisch. Nur von katholischer Seite wurde Ablehnung laut. Zum einen hieß es, zu ausschließlich finde man evangelische Autoren zitiert, zum anderen gab die Behandlung des Wortes »ablasz« etlichen Würdenträgern der allein seligmachenden Kirche Anlaß, den gesamten Aufwand mit dem Buchstaben A in Frage zu stellen.

Scheinbar unverfänglich äußert sich Jacob einleitend zu diesem Anstoß erregenden Stichwort, indem er beispielhaft den »ablasz des wassers im teich« nennt, dann jedoch ist zu lesen: »hauptsächlich aber steht es für den kirchlichen erlasz der sünde ums geld, wider welchen die reformation siegreich eiferte.«

Und nach den üblichen Worterklärungen jener Art, die im ursprünglichen Lautgeröll stochern, kommt er mit einem Lutherzitat auf den Anlaß der protestantischen Empörung und also in alphabetischer Folge auf den ablaszbrief, das ablaszjahr und den ablaszkram, den er einschlägig belegt: »haben sie den unüberwindlichen schaden dran, dasz ir ablaszkram da ligt im kot«.

Kein Wunder, wenn sich etliche Pfaffen entrüsteten und mit Kanzelreden bereit waren, Feuer an Scheiterhaufen zu legen; es war, als hätte der Prediger Abraham a Sancta Clara eifernd das Wort gegen Türken und Ketzer ergriffen. Aber die Grimmbrüder blieben unbekümmert. Mochte die jähe Kritik den geräumig gewünschten Käuferkreis in katholischen Gegenden einengen, dennoch erschien Lieferung nach Lieferung und korrigierte Jacob Druckbogen nach Druckbogen, so daß er kaum Zeit fand, weiterhin dem Buchstaben E hinterdreinzubleiben, zumal sein Bruder Wilhelm neben den Wörterfindungen zum D anderes im Sinn hatte.

Wieder einmal zeitabwärts enteilt, korrigierte er an seinem Buch »Zur Geschichte des Reims«, das auf einer Vorlesung aus dem Jahr fünfzig beruhte. Darin werden recht kritisch die im dreizehnten Jahrhundert allzu gehäuften Reime auf »lich« wie »wünneclich, minneclich« behandelt. Aber seinen Konrad von Würzburg lobt er eines sechsfachen Reims wegen, in dem sne zu kle steht. Eine Fleißarbeit, in der die Sinnsuche eines Liebhabers der Reimkunst im Gestrüpp der Zitate verlorenzugehen droht.

Indessen nimmt Jacob, was mir einleuchtet, von seinem Bruder und dem gewiß nicht geräuscharmen Familienbetrieb in der Linkstraße Abstand. Den nicht allzu entfernt liegenden Tiergarten sucht er auf, um auf dessen Wegen das Stichwort Ehe und nebenbei Wilhelms viele Jahre zurückliegende Eheschließung zu bedenken.

Vom erstaunten Ausruf eh!, den er, weil aus dem Französischen zugeführt, als Abschwächung des Rufes ah! wertet, nähert er sich über ehbevor, gleich ehmals, und dem aus vielen Zitaten sprechenden ehe – »ehe wir nun weiter schreiten« – der Verbindung zweier Personen verschiedenen Geschlechts zum, wie er später mit einem Kantzitat feststellen wird, »lebenswierigen besitz ihrer geschlechtseigenschaften«.

Dann kommt ihm angesichts einer Buche, deren zwei glatthäutige Stämme aus einer Wurzel treiben, ein gewisser Schlegel – es ist aber weder Friedrich noch August Wilhelm – in den Sinn, der aus Einsicht in eheliche Verhältnisse auf den Ehefrieden und das Ehejoch hinweist: »albern ist menschenhasz, zweideutig bleibet die reue, aber der kinder gequäk flickt die gebrochne eh.« Dabei ist des Bruders Ehebündnis mit seiner Dorothea nicht von dererlei Zerreißproben gezeichnet, jedenfalls meldet der Briefwechsel der Brüder keinerlei Ehekrach oder gar -bruch.

Lange vor der Zeit in Göttingen, noch in Kassel wurde die Heirat beschlossen. Nach dem Tod der Mutter mußten die jüngeren Brüder Ludwig Emil, Ferdinand, Karl, die, insbesondere Ferdinand, von unsteter Lebensart waren, von Jacob und Wilhelm versorgt werden. Um den Haushalt kümmerte sich die Schwester Lotte. Das tat sie mehr recht als schlecht. Dann heiratete sie einen Hassenpflug, der später, als »Hessenfluch« verspottet, Minister wurde und, weil reaktionär, in Kurhessen verhaßt war.

Wer sollte nun für den Haushalt sorgen, in dem es, solange die Besoldung der älteren Brüder als Bibliothekare mager ausfiel, in der Regel knapp zuging? Lotte, die bis dahin gekocht, den Eßtisch gedeckt, allen Brüdern reinliche Hemden geplättet, die Strümpfe gestopft und den Kachelofen geheizt hatte, wird, als sie den unleidlichen Hassenpflug ehelichte, zur Anstellung einer Haushälterin geraten haben. Aber Jacob und Wilhelm kamen überein: Einer von uns muß sich als ehewillig beweisen. Wer ist geneigter, geeigneter?

Dieser grundsätzlichen Frage, doch auch allgemein dem Stichwort Ehe geht Jacob nun auf Tiergartenwegen nach. Vor dem marmornen Standbild einer Göttin, die jedoch anders als die Venus am Goldfischteich sittenstreng gekleidet ist, bleibt er stehen und mag sich Fragen stellen: Wer von uns war damals bereit, die bis dahin bewiesene Ehescheu zu überwinden? Wessen Egoismus war zu überreden? Wer verweigerte sich, wer zeigte sich gewillt?

Bald war man einhelliger Meinung: Wilhelm ist ehetauglicher, weil geselliger, nachweislich kinderlieb, verträglich, sobald es streitbar um Kleinigkeiten geht, und zudem fähig, nicht nur mit Worten zärtlich zu sein.

Oder, fragt sich Jacob, der nun unschlüssig auf einer Wegkreuzung zaudert, hätten wir Brüder dem Zufall vertrauen, Würfel oder Münzen werfen, einer von uns mit der Spielkarte Herzdame das Ehelos ziehen sollen?

Dabei stand von Anbeginn fest: wenn überhaupt einer, dann hatte Wilhelm das Zeug zum Ehegemahl. Er, der Erwählte, willigte ein.

Im Rückblick auf die Brautschau sieht Jacob die in der Kasseler Nachbarschaft wohnende und ihnen seit Jahren freundlich gesonnene, zudem ehrbare Apothekerstochter Dorothea Wild, von Anfang an Dortchen geheißen. Ihr traute er zu, mit dem Bruder stillschweigend auch ihn zu ehelichen. Denn wer den einen Grimm nahm, bekam den anderen mit, zwar nicht ins Ehebett gelegt, doch eingeschnürt in den Ehebund. Solch Dreierverhältnis mußte nicht auf Papier festgeschrieben und besiegelt werden. Es bedurfte keines zusätzlichen Eherings, ergab sich aus stummem Einverständnis und sollte wie selbstverständlich gelebt werden.

Alles was im üblichen Sprachgebrauch als Ehehälfte, als Ehepaar in Erscheinung trat und sich beim Ehestreit auch hälftig benahm, mußte fortan dreiteilig Bestätigung finden: ohne Jacob konnte und wollte Wilhelm nicht zum Ehegespons werden. Und Dortchen nahm klaglos, womöglich fein lächelnd den älteren Grimmbruder wie ein Geschenk, das anzunehmen offenbar leicht fiel. So oder ähnlich wird es gewesen sein: ernsthaft erwogen und einvernehmlich geregelt.

Jacob sehe ich nun auf dem Heimweg. Viele dem E ergebene Wörter haben ihn bereichert. Weder kehrt er am Platz an den Zelten noch in einem der vielen städtischen Caféhäuser, etwa im »Stehely«, ein. Es zieht ihn geradewegs heimwärts.

Also traten sie im Jahr 1825 zu dritt in den Ehestand. Und da es erklärter Wille der Braut war, dem Brüderpaar seinen altgewohnten Alltag zu bewahren, mehr noch, ihre jeweilige Eigenbrötlerei zu schützen, lebten sie im Verlauf eilends oder schleppend vergehender Zeit ihr gedritteltes, deshalb nur matt glänzendes Eheglück in einträchtiger Dreisamkeit. Als die Kinder eins nach dem anderen kamen – das erste starb bald nach der Geburt –, war zwar Wilhelm eindeutig der Vater, doch blieben Kindsgeschrei und Windelgeruch Jacob nicht erspart; er fügte sich und wußte auf kindliche Fragen oft geduldiger Antwort zu geben als sein Bruder. Schon bald riefen Herman und Rudolf ihn Apapa, wie man aus Briefen weiß.

Und dergestalt harmonisch in ein erweitertes Eheverständnis eingebunden, zogen die beiden, als sie berufen wurden, nach Göttingen. Dort sorgte Dortchen dafür, daß die Brüder mit fleckfreiem Professorentalar in Erscheinung traten. Zu dritt erlebte man sie bei gesellschaftlichen Empfängen. Gemeinsam ertrugen sie nach der Protestation der Sieben die Entlassung von der Universität und Jacobs Ausweisung in die als Exil empfundene Heimat. Doch wird das Jahr der Trennung besonders den Söhnen, aber auch der kleinen Auguste schmerzlich gewesen sein. Als dann in Kassel ihr Dreierbund wieder auflebte, waren alle Teilhaber der Ehe glücklicher, als es die beengten Wohnverhältnisse erlaubten.

Erst die Berufung nach Berlin, als abermals ein Umzug fällig wurde, bot der Familie mit zwei Gelehrtenstuben, den Kammern für die heranwachsenden Kinder, dem eher bescheidenen Salon und sonstigen Schlaf- und Wirtschaftsräumen genügend Auslauf. Ob in der Lenné-, dann Dorotheen-, schließlich Linkstraße, immer war Dortchen den Brüdern zu Diensten. Krank wurde sie nur, wenn Wilhelm nicht schwermütig durchhing; ein Verhalten, das mit dem Alter zunahm und nicht nur ihn, sondern zeitweilig den Haushalt insgesamt eintrübte.

Sonst aber ging es in allem gemäßigt und einträchtig zu. Weder Eifersucht noch sonstige »Szenen einer Ehe« fanden Einlaß. Als in den fünfziger Jahren unter dem Titel »Einer muß heiraten« ein Theaterstück aus der Feder eines längst vergessenen Autors das Zweckbündnis der unzertrennlichen Brüder als Posse zur Schau stellte, handelte es eher von der anfänglichen Ehescheu der beiden als vom ereignisarmen und deshalb kaum theatertauglichen Eheeinerlei der Grimms.

Ich heiratete zweimal. Zwischen dem Ende der ersten und dem Beginn der zweiten Ehe erregten mich leidenschaftliche Entscheidungen, die Wirrnis durch übereilten Ortswechsel, endlosen Streit und wiederum Trennung zur Folge hatten. »Familiären Kuddelmuddel« nannte ich das. Doch eigentlich oder besser, aus Neigung, zu zweit dennoch mein Eigenleben zu führen, bin ich ein mittlerweile erprobter Ehemensch, der sich die mehr als dreißig Jahre Nähe zu Ute als Erfolg gutschreiben möchte, zumal nichts das Bedürfnis nach Einsamkeit, mein inständiges Wörtergebrabbel als Eigengeräusch einschränkte.

Also sehe ich mich als Vor- und Nachteile wägender Fürsprecher der Ehe, wie bereits Johannes Fischart in seiner wortüberschwemmten Eindeutschung des Gargantua »beider ehgemächt« lobt. Und als in den sechziger Jahren des letzten Jahrhunderts mein Freund Walter Höllerer, der wie die Grimmbrüder nach heutigem Sprachgebrauch echt ehescheu war, sich dennoch entschloß, eine von vielen möglichen Bräuten zu erwählen und seine Renate zu heiraten, baten mich beide, ihnen und ihren Gästen das Hochzeitsessen zu bereiten.

So einmütig als Koch eingeladen, dünstete ich ein Dutzend und mehr Rebhühner auf Weinkraut, ließ in Schüsseln Schweinekopfsülze erkalten, reichte dazu Erbspüree und eine Fischsuppe, die, mit Estragon gewürzt, das Festessen einleiten sollte. Dem Paar nötigte ich als Gegengabe das Versprechen ab, im Fall einer Scheidung dieselben Gäste und mich als Koch zur Abfeier ihrer gescheiterten Ehe einzuladen. Wie nach der Eheschließung sollten Fischsuppe, Rebhühner, erkaltete Schweinekopfsülze und das Erbspüree der Ehe ein schmackhaftes Ende bereiten.

Dazu kam es nicht. Die Ehe hielt, bis Walters Tod sie zu scheiden beschloß. Vielleicht zeigte die bloße Androhung eines wiederholten Festessens Wirkung. Oder Renate ist, wie Dortchen aus Sicht der Brüder Grimm, die einzig richtige gewesen.

Kaum wage ich mir vorzustellen, Wilhelm hätte ein Trauerjahr nach Achim von Arnims Tod entgegen dem Rat des Bruders Bettine geheiratet und wäre, nur weil er seit jungen Jahren der etwa Gleichaltrigen mehr schwärmerisch als leidenschaftlich zugetan war, auf Achims verschuldete Güter Wiepersdorf oder Bärwalde gezogen. Oder er hätte seinen Wohnsitz nach eingelöstem Eheversprechen mit der Witwe und ihrer Kinderschar nach Berlin verlegt, womöglich mit dem empfindsamen Jacob, so daß Bettines elfisches Wesen und ihre chaotische Haushaltsführung als Unruhe bis in die Gelehrtenstuben der Brüder spürbar geworden wäre. Fortan hätten sie und die Arbeit am Wörterbuch die exzentrischen Launen und die ins Extrem strebenden Einfälle der unbändigen Ehegattin ertragen müssen. Womöglich wäre es im Jahr 1854 nicht zur gebundenen Ausgabe des ersten Bandes von A bis Biermolke gekommen. Hingegen drohte mit Dorothea Wild im Bunde dem Fortgang der Wörtersuche kein Erlahmen.

So verging Zeit. Bedrängt von den Briefen des Verlegers Hirzel, klagte Wilhelm, der mit dem Buchstaben D nicht vorankam, über das Elend der Arbeit, worauf Jacob dieses Stichwort sogleich mit einer längeren Einführung dem E zueignete. Er meinte, das Elend – althochdeutsch Ellende – weise einzig auf das Leben im Exil hin: »die urbedeutung dieses schönen, vom heimweh eingegebnen wortes ist das wohnen im ausland, in der fremde.«
   Dazu waren ihm Belegzettel voller Zitate nach Luther, Hutten, Lessing zur Hand, wohl auch Erinnerungen an die

Zeitspanne ihres erzwungenen Aufenthalts in der hessischen Heimat, die sie gleichwohl als Fremde empfinden mußten. Hieß es doch: jemanden treibt es ins Elend, er wird ins Elend gestoßen. Oder wie es bei Gryphius steht: »den hat der feinde grimm ins elend hin verjagt.« Und Luther spricht von »dem fremden, der da ellendet bei dir«. Ferner findet sich im Buch Hiob »gebunden mit stricken elendiglich«.

Doch nichts von dem Elend, das sich aus Armut ergibt, fand Einlaß. Keine Klage aus gedrängt vollen Stuben, in denen der Hunger den Leinenwebern vier von zehn Kindern genommen hatte.

Man schaute weg. Kein Wort über Hungerleider, wie sie bis heutzutage in Statistiken und Elendsberichten Zukunft haben. Das Wegschauen hatte schon immer Methode, weshalb dem Ego der Ismus erhalten geblieben ist und ein Buch, das ich gemeinsam mit Daniela Dahn und Johano Strasser vor sieben Jahren unter dem Titel »In einem reichen Land« herausgab, damit es von verbreiteter Kinderarmut in Deutschland und dem kümmerlichen Dasein alter Menschen berichte, kein Echo fand. Niemand wollte es so genau wissen. Eingeübt gab man sich cool oder hechelte von einem in den nächsten Event. Von der sich unentwegt selbst feiernden Spaßgesellschaft als »Sozialromantik« abgetan, blieb unser Buch unbeachtet. Dabei nimmt das Elend weltweit zu.

Aber auch Jacob, der aus hessischer Erfahrung hätte wissen müssen, was Armut zur Folge hat, ließ von dem Stichwort vorschnell ab, vielleicht weil ihm die Wörtersuche zum Joch wurde. Oder weil Wilhelm nicht bereit war, ihn zu entlasten. Mag sein, daß ihn zunehmende Erfahrung, bei allem Fleiß immer wieder enttäuscht zu werden und die Erwartung, demnächst der Enttäuschung zu erliegen, auf jenes weite Wortfeld geführt hat, auf dem die Silbe »ent« wie Brennesseln gedeiht.

Kaum hat er es betreten, gräbt er nach Wurzeln: »diese untrennbare partikel hängt nicht nur mit mehrern fremden, uralten partikeln, sondern auch noch lebendig mit unserm ende zusammen.«

Da meldet es sich wiederum, das einen Schlußpunkt setzende Wort. Er schiebt es zur Seite, bemängelt vorerst einführend in den Artikel ein »fehlerhaftes ent«, das sich in »entzwei und entgegen eingedrängt« hat. An Stelle von »das fasz enthält« hätte er lieber »das fasz hält zehn eimer«, weil »die einfachen verba fühlbar sinnlicher sind«. Daraus schließt er: »mit dem ent tritt irgend eine abstraction hinzu.«

Weil aber diese Silbe kein Ende absehen läßt, ist er gezwungen, entbehren, entbieten, entblößen zu reihen. Das Kind entschläft. Die Flamme wird entzündet. Jemand ist entgeistert. Doch hätte Jacob vorausahnen können, daß das Wort entarten, belegt mit der Erklärung »aus der art schlagen« und dem Klopstockzitat »entartet, Romulus enkel« und Schillers Frage »wenn die liebe die nemliche ist, wie könnten ihre kinder entarten?«, bis in die nachwirkende Jetztzeit hinein zum Unwort werden würde, weil es als »entartete Kunst« in Verruf gebracht wurde?

Dann aber, nachdem er von entfleischen über entfremden auf alle Wortbildungen kommt, die am entgegen kleben – entgegeneilen, entgegenhalten, bis hin zum Entgegenwurf –, findet er den »entmenschenden menschen« bei Lohenstein, Voß und Platen und stößt schließlich, noch bevor ihm nach dem Entsetzen mit entwischen nun doch wieder das Ende nah ist, auf entwickeln und die Entwicklung, die er sogleich mit Goethe feiert: »deutend entwickelt ich mich an dem erhabenen wort.«

Weil aber Jacob Grimm zeitgleich mit Charles Darwin, dessen epochales Buch »Über die Entstehung der Arten« im Werden war, der Entstehung der Wörter nachspürte, kam er nach Schillers Ausruf »mich schaudert, wie sich das entwickeln soll!« auf die Entwickelungsbahn, den Entwickelungsgang und, dem Entstehen der Wörter entsprechend, von Ulfilas über Fischart bis Lessing auf das Entwickelungsgesetz.

Diese Wortfindung erlaubt mir, mich auf Dauer einer Episode von den Grimms zu entfernen und von den beginnenden siebziger Jahren des letzten Jahrhunderts zu berichten, als ich mich entschloß, mein Steckenpferd, die Entwicklungspolitik zu reiten.

Nach dem knappen Wahlsieg der Sozialdemokraten im Herbst neunundsechzig entstand innerhalb der sozialliberalen Koalitionsregierung eine Behörde, die kurzgebunden Entwicklungsministerium genannt wurde. Es sollte sich um wirtschaftliche und soziale Entwicklung der, so hieß es, »unterentwickelten Länder der Dritten Welt« kümmern. Der zuständige Minister Erhard Eppler, Schwabe von Geblüt, war aus christlicher Verantwortung tätig und deshalb ein Sozialdemokrat besonderer Art.

Als erster hatte er das Thema Entwicklungspolitik zukunftsweisend in den Wahlkampf getragen und bei jungen Wählern, die vom internen Dauerstreit der Achtundsechziger ermüdet waren, Gehör gefunden. An Jahren Mitte vierzig, zählte er zu meiner, der vielberufenen Luftwaffen- oder Flakhelfergeneration. Weil der Zeit voraus, wurden seine Thesen zum »Ende des Wachstums« als Schwarzseherei abgetan; ein Etikett, das vielen Propheten anklebt. Mir jedoch hätte es gefallen, unter seiner Leitung über Jahre hinweg ein Entwicklungsprojekt zu begleiten, praktisch tätig und zugleich darüber schreibend. Dazu kam es nicht. Also versuchte ich es aus Eigenwillen. Doch so einleuchtend meine Idee zu sein schien, schon eingangs war ihr das Scheitern eingeschrieben.

Mein Projekt sollte von den Gewerkschaften dreier, sich politisch unterschiedlich definierender Länder getragen werden, von Westdeutschland, das in den Kalten Krieg eingebunden war, von Schweden, das sich neutral stellte, und von Jugoslawien, das als blockfrei gelten wollte. Ein mir befreundeter Schriftsteller, Per Wästberg, griff meine Idee auf und gewann die Unterstützung des schwedischen Gewerkschaftsbundes LO, wie ich beim westdeutschen Gewerkschaftsbund Zustimmung fand. Finanzielle Zusagen von jeweils einer Million DM wurden gemacht. Mit Wästberg reiste ich nach Belgrad, wo gleichfalls, wenn auch mit weniger Geld, Beistand versprochen wurde.

Ermutigt von soviel erklärtem Willen, flogen wir nach Tansania, also dorthin, wo kurzlebig die reichsdeutsche Kolonie Deutsch-Ostafrika Spuren hinterlassen hatte. Wästberg war mir als Kenner der politischen Verhältnisse des Landes und in den angrenzenden Staaten Kenia und Mosambik bekannt. Mit uns reiste Werner Holzer, ein Journalist und leitender Redakteur der »Frankfurter Rundschau«, aus dessen Buch »Das nackte Antlitz Afrikas« ich einige Erkenntnisse gewonnen hatte und dessen Zeitung unser Projekt begleiten wollte.

Während der vorbereitenden Reisen und Begegnungen mit Experten war andauernd von Entwicklung die Rede, zumeist von fehlender, von geplanter und von noch zu entwickelnden sowie gescheiterten Entwicklungsprojekten, zudem von Entwicklungshelfern, die schlecht vorbereitet in Entwicklungsländer geschickt worden waren und enttäuscht, manchmal sogar als Rassisten zurückkehrten. Ich hingegen glaubte, gut vorbereitet zu sein, was nur auf dem Papier stimmte.

Als wir in der Hauptstadt Daressalam über unseren Plan, demnach in einer unterentwickelten Region die Herstellung landwirtschaftlicher Geräte, der Bau einer Ziegelei und die Entwicklung von Lehrwerkstätten gefördert werden sollten, mit Funktionären der tansanischen Einheitsgewerkschaft zu verhandeln begannen, zeigte sich, daß deren Vorsitzender einzig die Finanzierung eines mehrstöckigen, noch zu bauenden Gewerkschaftshauses begehrte, schließlich hartnäckig forderte.

Keine unserer Gegenreden half oder war eindringlich genug. Selbst der Staatspräsident Nyerere, ein verdienstvoller Mann, der sein Land aus dem englischen Kolonialreich gelöst und in die Unabhängigkeit geführt hatte, erwies sich als machtlos gegenüber der einzig auf Eigennutz fußenden Begehrlichkeit.

So scheiterte eine Idee, bevor sie sich entwickeln konnte. Zu gut schlecht vorbereitet kamen wir mit nichts außer Reiseandenken zurück. Mangelnde Eignung, erwiesenes Unvermögen hängen nach, und Erinnerungen an ein Gespräch mit Nyerere, das uns Holzer ermöglicht hatte, sind geblieben.

Vielleicht um zu trösten, erzählte er von einem Großprojekt in der Kilimandscharo-Region und berichtete mit leiser, aber nicht klagender Stimme über ein dort entstehendes, von mehreren europäischen Ländern finanziertes

Krankenhaus mit modernster Innenausstattung, für dessen Unterhalt demnächst die Hälfte der staatlichen Haushaltsmittel für Gesundheit gezahlt werden müßte. Ich hörte: für die gleiche Summe, die die gewiß hochwertige Klinik verschlingen werde, habe er den Bau einfacher medizinischer Stationen in allen Dörfern des Landes gewünscht, sei aber bei den ehrenwerten Geldgebern gescheitert, weil man sich für etwas beispiellos Vorzeigbares entschieden habe – unbedingt – und nicht für etwas, das sich womöglich in Richtung kubanischer Verhältnisse entwickle.

Julius Nyerere lächelte, während er sprach. Später erzählte er von einstigen Erfahrungen als Lehrer und bat mich, als wir gingen, Eppler zu grüßen.

So viel vergebliche Mühe, erbärmliches Versagen, aber auch zu leichtfertiges Streben nach Erfolg und nachbleibende Enttäuschung. In Erinnerung sind mir endlose Sisalfelder entlang der Küste und ein halbwegs gepflegter Friedhof aus deutscher Kolonialzeit geblieben. Das Klima und der Erste Weltkrieg hatten zwei Reihen junge Kerls, deren Vornamen norddeutschen Klang gehabt hatten, hierher gebracht.

Und ich erinnere mich an einen Banyanbaum, dessen Geäst weitverzweigt Schatten warf. Unter ihm hockten junge und alte Männer im Kreis. Flüchtlinge aus Mosambik, wo Krieg herrschte. Sie gehörten dem Stamm der Maconde an, waren Holzschnitzer. Ich sah, wie unter ihren Händen aus Ebenholzblöcken abstrakt anmutende Gebilde entstanden. Gleich einem Gespinst umschlossen endlos verästelte, ausgedünnte, dann wieder knotig verdickte Arme immer mehr Durchbrüche und Hohlräume. Fratzen gaben geisterhaft den Werkstücken Gesicht, die im Kreis wanderten, von einem

Holzschnitzer dem nächsten übergeben. Jeder hatte Anteil. Keinem entgingen die immer leichter werdenden Blöcke. Die jüngeren Männer waren fürs Grobe zuständig, die alten für letzte Feinheiten. Außer dem Geräusch der Schnitzmesser und Feilen war nur ein aus halblautem Gerede entstehender Singsang zu hören. Nichts, kein Zuschauer konnte von dem unablässigen Kreislauf ablenken.

Die Endprodukte waren käuflich zu erwerben. Noch heute ruft in meiner Werkstatt eine Macondeskulptur als ebenholzschwarzes Gebilde, das Dämonen bannt, Erinnerungen wach an den schattenwerfenden Banyanbaum, die Sisalfelder, an Nyerere und Tansania, den Friedhof aus Kolonialzeiten, an Entwicklungsruinen und eine gescheiterte Idee.

Bevor ich aber mit dem Stichwort Erinnerung wieder beim Buchstaben E einraste und bei den wörtersammelnden Grimmbrüdern bin, also versucht sein könnte, vom vorlautenden »er« und seinen hundert Anhängseln – erhaben, erkälten, erzählen – auf den Erinnerungsaltar, die Trugbilder der Erinnerung und schwindendes Erinnerungsvermögen zu kommen, soll noch einmal an die bereits festgeschriebene Tatsache erinnert werden, daß endlich, im Jahr 1854, der erste Band des Wörterbuchs, der das A ausschöpft und zum B übergeht, den Buchhandel beglückte.

Dickleibig, mit annähernd 2000 doppelspaltigen Seiten kommt er daher. Eingangs schmückt ihn das in Kupfer gestochene Doppelbild. Wilhelm sitzt und schaut mit seitlich abgeleitetem Blick am Betrachter des Stiches vorbei. Jacob steht, dem Bruder leicht zugeneigt, und scheint ermüdet zu sein. Glatthaarig der Sitzende. Des Stehenden Haar fällt noch immer gelockt. Beide silbrig ergraut. Man könnte meinen, es habe sich Bücherstaub auf ihnen gelagert.

Dem Porträt der namhaften Brüder, das jemand nach einem photographischen Vorbild gestochen hat, mangelt die Qualität der Radierungen von Ludwig Emils Hand, idealisiert aber die beiden nicht, sondern stellt sie in einer Haltung vor, die ihre Arbeitslast ahnen läßt. Der betonte, was Wilhelm betrifft, mürrische Ernst verdeckt die womöglich noch immer empfundene Lust alltäglicher Wörtersuche. Dazu tragen schwarze Gehröcke bei. Die Knöpfe stoffbezogen. Steif und bieder sind die Brüder gekleidet.

Ganz anders tritt die gut sechzig Spalten lange Einleitung auf, deren Niederschrift sich Jacob vorbehalten hatte. Sie hebt an mit dem Hinweis auf den hannöverschen Verfassungsbruch, faßt die Protestation der sieben Göttinger Professoren zusammen – »denn wozu sind eide, wenn sie unwahr sein und nicht gehalten werden sollen?« –, kommt dann auf die Ausweisung ins Exil und den Antrag der Weidmannschen Buchhandlung, »unsere unfreiwillige musze auszufüllen und ein neues, groszes wörterbuch der deutschen sprache abzufassen«. Gegen Schluß der weitläufigen Ausführungen, in denen sich der Verfasser gegen gotisch verschnörkelte und für das Schlichte lateinischer Druckschrifttypen ausspricht, wird die Vielzahl von Fremdwörtern und deren mangelhafte Verdeutschung, zudem die immer noch regellose Rechtschreibung beklagt, zugleich aber die dem Wörterbuch durchgängig verordnete Kleinschreibung sowie das abschließende sz bei »grosz, strasze, fleisz« verteidigt.

Anschließend aber kann sich Jacob nicht des Zorns erwehren, mit dem er die Kritiker der seit zwei Jahren vorausgelieferten Teile des Wörterbuchs eindeckt. Er bezeichnet sie, ohne sie namentlich zu entkleiden, als »zwei spinnen« und sagt ihnen nach, sie seien »auf die kräuter dieses wortgartens gekrochen und haben ihr gift ausgelassen«.

Dann nennt er sein Werk ein »vaterländisches« und spricht die zukünftigen Käufer und Nutznießer direkt an: »Deutsche geliebte landsleute, welches reichs, welches glaubens ihr seiet, tretet ein in die euch allen aufgethane halle eurer angestammten, uralten sprache.«

Wer aber waren die beiden Spinnen, deren Namen Jacob unterschlägt? Der eine, Christian Friedrich Ludwig Wurm, wurde von Verteidigern der Grimmschen Methode mit hämischen Hinweisen auf den Familiennamen abgefertigt; der andere, Daniel Sanders, der waltendes Chaos und Willkür im Wörterbuch, dessen mangelnden praktischen Nutzen und die zufälligen Funde planlos tätiger Exzerptoren kritisiert hatte, war von weit mehr Gewicht und nicht einfach abzutun.

Er stammte aus einer in Altstrelitz ansässigen jüdischen Familie, hatte Mathematik und Philologie studiert und wurde Oberlehrer, dann Schulleiter der jüdischen Freischule seines Geburtsortes. Jacobs Lobredner, der spätere Bearbeiter des Wörterbuchs Karl Weigand, versuchte, dessen Kritik abzuwehren, indem er ihn als mecklenburgischen Provinzler lächerlich machte, und obendrein sollte ihm der Hinweis, Sanders sei Jude und deshalb nicht fähig, ein deutsches Wörterbuch zu beurteilen, Gegenargumente ersparen.

Weigand war erklärter Judenhasser. Jacob Grimm jedoch, der sich bis dahin von den neuerlich lautwerdenden Schmähungen ferngehalten hatte, hätte dessen Beistand ablehnen müssen, was er nicht tat. Er bestätigte sogar in einem Brief, Sanders habe »ganz die jüdische frechheit und zudringlichkeit«. Und Hirzel gegenüber versicherte er, nachdem sein Kritiker seinerseits die Herausgabe eines Wörterbuchs angekündigt hatte, jener »sei ein jude, so dasz er also ein jüdischdeutsches wb. unternommen hat, was manches in seiner art und weise erklärt«.

Dieses mit Vorurteil bedachte Wörterbuch wurde späterhin populär, weil es von praktischem Nutzen und ganz anderer Methode als das Grimmsche war.

Salomon Hirzel hat auf Jacobs Brief nicht Antwort gegeben. Wäre er dazu bereit gewesen, hätte er gekränkt, sogar mit Empörung reagieren müssen, denn der Verleger entstammte einer schweizerisch-jüdischen Patrizierfamilie, was aus nur zu vermutenden Gründen unter der Decke gehalten wurde aber im nächsten Jahrhundert Folgen haben sollte.

Bis zur Veröffentlichung des ersten Bandes riß der Briefwechsel zwischen den Grimmbrüdern und dem Verleger nicht ab. In dessen Verlauf wird immer häufiger der tüchtigste Verlagsmitarbeiter, Rudolf Hildebrand, erwähnt; und auch ich will die eigensinnige Tätigkeit des Korrektors herausheben, zumal von ihm später noch oft zu berichten sein wird.

Hirzel schreibt: »Unser Corrector hat sich vor acht Tagen verlobt. Seine Braut ist ohne Zweifel das allerliebste Mädchen, das er zu Anfang des Bogens 15 in das Wörterbuch hinein zu bringen versuchte.« Damit will der Verleger, der übrigens als Goethesammler und -kenner mit tausend und mehr Zitaten auf Belegzetteln zu allen Buchstaben beigetragen hat, das Stichwort »allerliebst« betonen, dem Hildebrand hinzugefügt hatte, daß es sich beim »allerliebsten Mädchen« um einen Superlativ handle.

Im Brief vom 5. April 1852 wird auch die Ankündigung des Wörterbuchs erwähnt, die im März in leicht abweichenden Fassungen in mehreren Zeitungen gedruckt wurde. Nach der Lobpreisung der Brüder Grimm stand zu lesen: »Die Verlagsbuchhandlung hat dies ihrem Verlage gebührende Werk in würdiger Weise auszustatten gewußt. Mit großem Geschick ist es, ohne Zuhülfenahme der störenden fetten Lettern, durch Abwechselung von Capitälchen verschiedener Größe, von stehender und liegender Schrift, gelungen, die größte Übersichtlichkeit über die verschiedenen Theile eines jeden Artikels zu erreichen. Die ganze Auflage wird auf starkem weißem geleimten Papiere in hoch 4. gedruckt...«

Im folgenden Jahr geht es schon um den zweiten Band, den, wie längst versprochen, Wilhelm besorgen wollte. Dennoch sind die meisten Verlegerbriefe an Jacob gerichtet, der pünktlich antwortet, als es um den Buchstaben B geht: »ich frage nach einem unanständigen wort, das man in den wörterbüchern vergeblich sucht, das aber im größten theile Deutschlands gilt.« Vom männlichen Samen und dessen Ausschüttung heißt es: »der kalte bauer. der ausdruck findet sich bis in das Elsasz, bis nach Steiermark...«

Hirzel erinnert sich, im Berner Oberland von einem Onanie treibenden Mann gehört zu haben, »er hät en chalte Bur gemacht«. Doch in der entsprechenden Spalte zum Stichwort Bauer findet sich nur anfangs, noch bevor vom Bauern als Landmann Zitate sprechen, ein eher verschämter Fingerzeig auf Unzucht, »denn was möchte besser anstehn als lust wider die natur kalte lust zu heiszen?« Sodann wird auf das Sinnwidrige, weil Unanständige des vulgären Wortgebrauchs hingewiesen, in dem zugleich »kalte träume« und »kalte ratschläge« als böse erklärt werden.

So hat sich Jacob, der sich, was seine Anmerkungen zu »schmutzigen wörtern« betrifft, als zwiespältig erweist, mit seinem in dieser Hinsicht eher laxen Verleger ergänzt. Dessen wörterkundige Beiträge wurden noch oft behilflich und lassen nach und nach eine Person kenntlich werden, der hier ein aus bewundernden Wörtern gefügtes Denkmal errichtet werden soll: geduldig, klug, bescheiden mit seinem Wissen haushaltend und zu leisem Witz fähig, dabei weitsichtig im Urteil, bringt er seinen bürgerlichen Erwerbssinn nur beiläufig zur Sprache. Als Liberaler ältester Schule war Salomon Hirzel zugleich ein gemäßigter Patriot, der politisch den Einsichten seiner Vernunft folgte, also verstand, den ihm eignen Freisinn unter Aufsicht zu halten. Wohl deshalb gibt er mit keinem Wort den jüdischen Hintergrund seiner Familie zu erkennen, was erklären mag, warum Jacobs wütiger Angriff auf Daniel Sanders, den ihm verhaßten Kritiker des Wörterbuchs, ohne Antwort blieb. Entweder sah sich der Verleger willentlich nicht als bekennender Jude, vielmehr als aufgeklärter Christ, oder er wußte Gründe, sich bedeckt zu verhalten. Vielleicht ahnte er die Gefährdung seiner Existenz, befürchtete Entsetzliches, nahm sich deshalb schützend zurück und hat aufkommende Ängste, die innerhalb seiner Familie spürbar wurden, beschwichtigt. Jedenfalls ist in dem überlieferten Briefwechsel nichts zu finden, das sich als Andeutung lesen ließe. Vielmehr gilt seine Sorge noch vor dem Erscheinen des ersten Bandes einzig den Lieferungen für den zweiten, dem Wilhelms Zuarbeit gesichert ist. In Briefen ist Hirzel, ohne allzu eindringlich zu werden, nur um den Fortgang der Wortfindungen besorgt.

Jacob hingegen, der mittlerweile das B und das C hinter sich glaubte und schon seit Monaten mit dem Buchstaben

E den Tiergarten heimsuchte, könnte seinem Verleger
mitgeteilt haben, daß ihn, nachdem die Frage nach dem
»kalten bauer« geklärt sei, eine eher harmlose Lust errege,
er wolle der vorlautenden Silbe er nachgehen, nachdem er
das gleichlautende Pronomen dritter Person erschöpfend
erläutert habe. Was mit erachten beginne, zum erbarmen
führe und mit erzittern ende, lasse eine erschreckend weitläufige Wortstrecke erkennen.

Ein Wort, in dessen engstem Umfeld
ertappen, erwischen zu finden sind.
Wenn einerseits erkennen in Luthers Bibeldeutsch –
»Jakob erkannte sein weib« –
beiliegen, Beilager bedeutet,
wird andererseits durch Erkennen
erweiterte Erkenntnis erworben,
weshalb schnüffelnde Geheimdienste
Erkennungsdienste genannt werden,
die eifrig erkennungsdienstlich ermitteln
und je nach Lage und Erkenntnisstand
von auf Papier gesicherten Erkenntnissen
Gebrauch machen, indem sie, was erkannt ist,
zu Protokoll geben und so
erfaßte Personen erkennbar machen;
zudem hängen Soldaten
Erkennungsmarken aus Blech an,
damit ein jeder, falls er den Tod erleidet
und erkaltet gefunden wird,
erkannt werden möge,
mag er auch noch so entstellt sein.

Und was sonst der vorlautenden Silbe folgt: erschießen, erschlagen, erwürgen. Indem Jacob, wie immer seinem Bruder auf Umwegen weit voraus, sich im Tiergarten ergeht, hier unter Eschen, dort zwischen hochstämmigen Eichen sein dem er anhänglichen Wortschatz ergänzt und dabei dem Buchstaben E zunehmend Geschmack abgewinnt, nähert er sich dem mittelhochdeutschen etswer und eteswa, springt vom etswie auf das gebräuchliche etwa, um über etwan mit einem Flemingzitat, »solt etwan heute noch ich vor dem feinde sterben«, auf mundartlich eppes, wiederum auf etwas, also das Unbestimmte dieses vielgenutzten Wortes zu kommen: etwas ist faul, fehlt, ist immer zu wenig. »Nicht viel ist doch etwas«, sagt Lessing, und Rückert ruft dem närrischen Kind zu: »du sollst ja nur etwas, nicht alles werden.«

Später wird dieses Stichwort mehr als zwei erklärende Spalten hergeben, auf denen es um »ein gewisses unnennbares etwas geht, das sich vielleicht eben deswegen nicht nennen läszt, weil es ein bloszes nichts ist«.

Während Jacob noch eine Weile das ungewisse etwas hin- und herwendet, wobei es immer weniger Sinn macht, sich entleert und schließlich wie jedes zu wiederholt gekaute Wort verflüchtigt, begegnet er seinem Bruder, vielmehr er sieht ihn und ist entsetzt, steht Wilhelm doch am Rand eines Wassers, das als eines der vielen Abläufe der Spree den Tiergarten kanalisiert und hier und dort überbrückt ist.

Dicht, zu dicht am Wasser steht er. Ein halber Schritt wäre zu viel. Es schaudert Jacob: vermutlich lauern tief unten Schlingpflanzen. Jüngst war an anderer Stelle ein Kind ertrunken. Dunkel und kaum bewegt ist das Wasser, auf das der Bruder den Blick heftet. Und verdunkelt mögen seine

Gedanken sein, bedrückt ihn doch seit geraumer Zeit etwas, das die Ärzte Depression nennen; ein Fremdling, der nicht ins Wörterbuch finden darf.

Aber Jacob weiß deutschlautende Entsprechungen, mit denen er den Bruder verlocken will, den Blick vom Wasser abzuziehen. Er sagt, »nennen wir es wehmut. auch sind trübsinn und schwermut treffender und schöner vom klang her als alles, was die ärzte zu sagen wissen.«

Er versucht es noch einmal, indem er Wörter auf Leid bildet: leidgebeugt, leidtragend, leidvoll.

Endlich wendet sich Wilhelm vom Wasser ab: »Wie du siehst, Bruder, hat mich jene Frau mit Schleiern verhängt, die einst Meister Dürer ins Bild gebracht hat. Sie wird Melencolia geheißen, und ich frage mich, ob wir sie, wenn es soweit ist, dem Buchstaben M einverleiben sollen. Aber eigentlich kann, will, mag ich nicht mehr.«

Als aber der Verleger Hirzel, weil besorgt wegen der nur schleppend in Leipzig eintreffenden Lieferungen zum Buchstaben D, in einem Brief Wilhelm vorschlägt, seine Arbeit an den Bruder zu delegieren, bekommt er Antwort von einem zutiefst Verletzten: »Das heißt mit anderen Worten, er solle daran ändern, bessern, streichen und Zusätze machen...«

Erst gegen Schluß des Briefes, der sich in jede Richtung empfindlich zeigt, ist Wilhelm sicher, daß der Bruder »gar nicht geneigt ist, solche Überarbeitung zu übernehmen. Hat er aber die Absicht, das Wörterbuch allein fortzuführen, so ist es seine Sache, mir deshalb Anträge zu machen.«

Doch nicht sein Bruder, der Tod setzte den Schlußpunkt. Wilhelm näherte sich dem Stichwort Durst, als es geschah.

Noch aber saß er über der Lieferung zu durch, die mit durchackern beginnt.

Zuvor hätte er stellvertretend für Tod den plattdeutsch gebräuchlichen Ausdruck Dod würdigen können, entschied sich aber, den Dote einzurücken, nämlich »die person die jemand aus der taufe hebt, den gevatter, die gevatterin...«

Schon in der Sage spricht Laurin: »er wart getoufet ja, her Dietrich wart do sin tote«. Zudem hätte Wilhelm getrost aus einem seiner gesammelten Märchen, »Der Gevatter Tod«, zitieren können. Darin schlägt ein armer Mann zuerst Gott, dann den Teufel als Taufpaten für sein dreizehntes Kind aus, um dann den Tod als Gevatter oder Dote zu erwählen; eine Mär, an deren Ende selbst dem Täufling, der zum berühmten Arzt wird, kein heilendes Kraut mehr gewachsen ist.

Um diese Zeit starben viele: lange nach Ferdinand, dem Sorgenkind der Familie, das immerhin in frühen Jahren Wilhelm auf Kleists »Prinz von Homburg« aufmerksam gemacht hatte, starb der Bruder Karl.

Und im Winter neunundfünfzig ging hochbetagt Bettine von Arnim davon. Sie war während vieler Jahre den Grimms ferngeblieben, was besonders Wilhelm schmerzte; nur sein Sohn Herman stand Gisela nah, einer der Arnimschen Töchter.

Im Mai entfiel Alexander von Humboldt annähernd neunzigjährig die Feder, nachdem er viel, aber längst nicht alles von dem, was ihm auf Reisen neu und erregend gewesen war, zu Papier gebracht hatte.

Und während in London endlich Darwins Buch »Über die Entstehung der Arten« erschien, das eine neue Sicht auf jegliche Kreatur eröffnete und deshalb die fromme Christenheit erschütterte, ging es in Wien mit dem Fürsten Metternich zu Ende, unter dessen ganz Europa erdrückender Politik viele nach Freiheit hungernde Poeten, aber auch biedere Patrioten, nicht zuletzt der Buchdruck und mit ihm das Verlagswesen hatten leiden müssen.

Kein Ende nehmen wollten das Sterben und die nachfolgende Trauer. Denn während noch die erst kürzlich geschlossene Ehe zwischen Wilhelms Sohn Herman und Bettines Tochter Gisela ihren eigensinnigen Verlauf nahm – Jacob schwieg dazu –, starben fernab österreichische und italienische Soldaten, weshalb Preußen mobilisierte und Wilhelms Sohn Rudolf einberufen wurde, worauf dessen kränkelnder und immer wieder von düsteren Stimmungen verschatteter Vater des Todes Nähe übersah und munter, als gelte es von einem Kinderspiel zu berichten, an Hirzel schrieb: »Rudolf muß alle Morgen um vier oder fünf hinaus und exerzieren, gestern hat er eine Schanze stürmen müssen...«

Ende November des Sterbejahres schickte er sogar mit letztem Brief Korrekturen an den Verleger. Wenn es zuvor noch um durchackern und durcharbeiten gegangen war, enthielten die Bögen nun die Stichwörter durchziehen bis Dürrbein, mithin alles, was dem durch anhing: von durchaus bis Durchzug. Außerdem bot Wilhelm Belege an, die den Durst betrafen, »der wütenden tyrannen eitel durst«, der bei Luther zu finden war, und den Durst der fröhlichen Zecher, wie Uhland ihn feierte: »es reimt sich trefflich wein und schwein, und paszt sich köstlich wurst und durst.« Doch nichts wies vorausahnend aufs Dunkel, auf jäh einbrechende Dunkelheit hin.

Wenn Hirzel Antwort gegeben hätte, wären seine Auskünfte auf Fragen zu D-bezüglichen Wörtern zu spät gekommen. Am 16. Dezember starb Wilhelm Grimm.

Erst einen Monat danach schrieb Jacob an den Verleger: »er lag schlaflos in heftigen phantasien, fast immer redend, oft schön und zusammenhängend aber plötzlich abspringend, erinnerungen früher und später zeit vermischend. so giengs zum tode hin, der ganz still, ohne ausathmen eintrat…«

Im weiteren Verlauf des Briefes, der sich sachlich zu geben suchte, nahm der übriggebliebene Bruder Anstoß an einem Nachruf, den Wilhelms Sohn Herman geschrieben und der »Vossischen Zeitung« zum Abdruck gegeben hatte. Besonders rügte er die dem Text eingefügte Erwähnung der zuvor verstorbenen Bettine von Arnim. Er nannte den Einschub »überflüssig und die wirkung des nachrufes schmälernd«.

So verhärtet war er, so streng um den Namen Grimm besorgt. Bettine hätte ihn mit schnellem Urteil in Briefen oder gar öffentlich einen Philister gescholten.

Von den übrigen Trauernden, Wilhelms Witwe, der Tochter Auguste, dem Soldaten Rudolf, ist kein Wort überliefert. Weil für den Tiergarten das Wetter zu unwirtlich naßkalt war, stand Jacob in des Bruders nun unbelebter Gelehrtenstube, wechselte in seine, ließ aber die Arbeit am Wörterbuch ruhen. Dem Verleger teilte er mit: »am liebsten lese ich in den märchen und hole das von Wilhelm zuletzt darin gearbeitete nach. Sie müssen noch einige geduld mit mir haben.«

Vielleicht hat er sich doch mit der dem Leser gefälligen Umschreibung der Urfassungen endlich befreunden können, etwa mit dem neuen Beginn des Märchens »Der Froschkönig oder der eiserne Heinrich«, das nun mit dem ihm nachklingenden Erzählton des Bruders wundersam anhebt, »In den alten Zeiten, wo das Wünschen noch geholfen hat, lebte ein König…« und gegen dessen Ende die drei eisernen Bänder um des treuen Heinrich Herz eins nach dem anderen brechen.

Aber womöglich und denkbar, weil naheliegend, gelang es ihm, nach dem »Froschkönig« in »Fitschers Vogel«, dann in »Frau Holle« zu blättern und sich in dem Märchen »Fundevogel« festzulesen, das mit »Es war einmal ein Förster« beginnt. Darin werden des Försters Tochter Lenchen und das Kind Fundevogel in einen Rosenstock, dann zu einer Kirche, zuletzt zu einem Teich mit einer Ente drauf verwandelt. Und als zum Schluß beide Kinder herzlich froh das Ende aller Gefahr feiern, heißt es: »Und wenn sie nicht gestorben sind, leben sie noch.«

Für Wilhelm aber, für den das Regelwerk dröger Vernunft fernerhin nicht mehr gelten wollte, war Unsterblichkeit angesagt, auch wenn es ihm nicht gelang, den zweiten Band des Wörterbuchs, der von Biermörder bis Dwatsch reicht, bis zur Veröffentlichung zu fördern. Das tat im folgenden Jahr Jacob, der, wenn es um den Bruder ging, stets fürsorglich war.

BIS DIE FRUCHT FIEL

Was fortwährend nagt: der Fall Fallersleben,
und was sonst der Fall war und ist:
der Sündenfall, Kniefall, Mauerfall
oder das globale, folglich den Weltraum
befallende Abfallproblem.
    Von den Gefälligkeiten der Politiker
ist allenfalls beiläufig,
nur selten gegebenenfalls die Rede.
Für Durchfall kann auch Dünnpfiff gesagt werden.
Im Falle eines Falles wollte Pilatus
von Fall zu Fall entscheiden,
entschied dann aber doch Knall auf Fall.
    Später, viel später wurde das Fallbeil mit Volkes Beifall
als Fortschritt gefeiert, sobald es…
Und im Krieg war Fallschirmseide begehrt.
Als dann Millionen gefallen waren,
wurde die Frage gestellt: Gefallen wofür?
    Was sonst noch fällt: Blätter, Schnee, Regen, Tau,
Bomben natürlich und letzte Hemmung.
Doch als in Friedenszeiten die Kurse
ins Bodenlose, kam es, weil faule Kredite
weltweit verfielen, zum allgemeinen Sittenverfall,
worauf mir Fallgruben für all jene einfielen,
die längst überfällig sind.

Zufällig, das heißt bei Spaziergängen im Tiergarten, fallen
Jacob an Wegkreuzungen, wo ihn jeweils Zweifel anfallen,
ob das, was er tut, noch sinnfällig ist, weitere Wörter wie Fall-

obst zu. Doch nachdem er das anlautende, inlautende und auslautende F gründlich bedacht und nachgewiesen hat, wie häufig sich in früherer Zeit F und V vertreten, mithin am Wechselspiel Vergnügen finden, soll im dritten Band des Grimmschen Wörterbuchs der Buchstabe F mit dem wohllautenden Wort Fabel anheben. In ihm klingt die lateinische fabula nach. Vom Fabelbuch geht es über zum Fabelhans, der dem Faselhans nahe steht. Dem folgen Fabelwesen, von denen Schiller behauptet, »sie sind nicht mehr«.

Diese Reihe setzt der übrige Grimm mit Äsops Tierfabeln und deren jeweiliger Moral fort, will aber nichts von Goethes Lust zum Fabulieren wissen, sondern weist mit Zitat auf dessen Gebrauch des Wortes »fabelwahn« hin. Nach dem Ende der Fabelzeit und letztem Lob der Fabler, einer Zunft, der ich mich während anderer Zeitweil mit Freude zugezählt hätte – auch kommt mir neuerdings Alltägliches, zum Beispiel, wie beim Schuhbinden eine Schleife gelingt, fabelhaft vor –, geht er ernüchternd zum Stichwort Fabrik über, dem sich, belegt durch ein Kantzitat, die einförmige Gelehrsamkeit als »fabrikenmäszige verteilung der arbeit« anschließt.

Bevor er aber fernerhin dem F folgt und sich über »die pfleger und hüter des unkrauts der doppelung«, die nicht mehr »schif« sondern »schiff und griff« schreiben wollen, entrüsten kann – schrieb man doch weiterhin dorf, wolf und schaf –, muß der geliebte, wenngleich beim Finden von Wörtern eher saumselige Bruder begraben werden.

Das geschah auf dem Friedhof der Matthäikirche. Freunde und Fremde kamen, sagten Beileid auf. Schnee fiel auf gefrorene Erde. Von fernher Angereiste standen ums Grab. Einmütig wurde in ganz Deutschland, so uneins das Vaterland war, der Verlust beklagt. Ein Prediger fand wie gelernt Worte, an die sich später niemand erinnern konnte. Froststarre Tannen und Fichten. Doch wollten Kinder zwischen den Trauernden seltsam gekleidete Figuren gesehen haben, die aufs Haar jenen glichen, die in Märchen fortleben. Ab dann fehlte der jüngere Grimm.

Es hieß, dem zeitlebens Kränkelnden habe ein Geschwür, das aus dem Rücken geschnitten werden mußte, zudem eine Lungenentzündung, vielleicht aber auch sein seit Jugendjahren stolpernder Herzschlag den Tod gebracht.

Dreiundsiebzig Jahre Frist waren Wilhelm gegeben worden. Nach Studium und eifrigem Märchensammeln, dem Erwecken alter Schriften wie der Kudrundichtung, des Hildebrandliedes und des Konrad von Würzburg, dem Beleben deutscher, irischer und dänischer Sagen, der Eddalieder und nach der Runenkunde und späteren Forschung zur Geschichte des Reims, die ihn vom Buchstaben D weit weggeführt hatte, nach wasnochallem bei krümmender Haltung und jahrelanger Beatmung staubhaltiger Bibliotheken und deren Verlust durch den Göttinger Vorfall, wollte er sich zwar anfangs begeistert jenem Teil des Wörterbuchs zuwenden, der mit dem hinweisenden Einsilber da anhebt, und schließlich über Dwal, was einst Narr bedeutet hat, auf einen dwalichten Menschen kommt, um mit dwatsch und einem Kleistzitat zu enden, das Tauschhandel mit Buchstaben treibt – »ein twatsches kind! ihr sehts, gut, aber twatsch« –, dann aber hinderten wechselnde Stimmungen Wilhelm Grimm, mit letzter Sorgfalt weiterhin unterm Joch des D zu frönen.

Zwar schloß er den zweiten Band ab, aber zum Vorwort reichte es nicht. Folglich schrieb es der ihm nachtrauernde

Bruder. Weil kürzer als zum ersten Band geraten, drängen sich in wenigen Spalten Jacobs Lob und Tadel.

Anfangs ruft er ihm nach: »er arbeitete langsam und leise, aber rein und sauber«, um daraufhin zu befinden, »in milder, gefallender darstellung war er mir, wo wir etwas zusammen thaten, stets überlegen«, dann aber klagt er: »mein bruder ist in einigen dingen, die ich verabredet glaubte und für die ich beim beginn unausweichlich einen ton angeben muszte, wieder abgewichen...«

Und weiterhin wird des Toten Tun und Lassen bemäkelt, als sei aus dessen Lebzeiten noch eine Rechnung offen geblieben: Jacob bedauert die Auflösung von Abkürzungen, was zwar den Text ansehnlicher mache, aber zugleich mehr Raum koste. Nicht einsehen will er, weshalb der Bruder weitgehend auf Latein als vorangestellte Worterklärung verzichtet und so den Nutzen durch andere Völker gemindert habe, denn »unser deutsches wörterbuch soll nicht nur für Deutsche in engerm sinne sein, sondern sich auch zu Scandinaven, Niederländern, Engländern, Franzosen und andern Welschen erstrecken...«

Noch mehr Unmut wird laut über des Bruders Lossagung von der sonst im Wörterbuch beachteten Regel in »bezug auf die sich an das verbum anschließenden partikeln«. In grammatischen Finessen weiß er sich überlegen, kommt aber dennoch zu der Einsicht: »aus mehrern bächen ist verschiednes und doch meistens ähnliches gewässer in einen flusz zusammengeronnen.«

Und gegen Ende des an Stelle des toten Wilhelm verfaßten Vorwortes beschwichtigt Jacob sich und seine Kritik, indem er einräumt: »sein verlust ist allzu frisch als dasz ich auszusprechen wagte, was ihn nur von ferne berührte.«

Dann dankt er. Nicht mit der Wörter Überschwang, wie es Wilhelm von der Feder gegangen wäre, eher wortkarg werden in ausgewählter Reihe alle genannt, deren »ansehnliche beiträge« den zweiten Band bereichert hätten. Auch wird der Verleger Hirzel bedacht.

Das war nicht genug, konnte nicht genügen. Zu besserwisserisch schmeckte ihm seine Krittelei nach. Zu dürftig war die lebenslange Bindung an den Bruder im knapp gehaltenen Vorwort beschworen worden. Wenige Wochen nach dessen Tod sah sich Jacob gedrängt, mit einer längeren Rede, geschrieben im Februar 1860, ihm ein Denkmal zu setzen. Nur ein halbes Jahr nach dem kaum zu verschmerzenden Verlust sprach er vor den versammelten Mitgliedern der Königlich Preußischen Akademie der Wissenschaften zu Berlin, zu denen, wie im Kreis berufener Akademiemitglieder üblich, viele dem Tod nahe Männer zählten.

Er sprach stehend. Seine Stimme soll hell, feierlich kündend bis in den fernsten Winkel des Saales gewesen sein. Nur manchmal, gegen Satzende, habe er Wörter verhaucht oder sonstwie wegfallen lassen.

Gab es Beifall? Dankten ihm die Zuhörer mit ergriffenem Schweigen? Es fehlt an Zeugnissen, wie Jacobs Rede »Über meinen Bruder Wilhelm« aufgenommen wurde, doch ist mir aus der Jahre Distanz in leicht verwackelten Momentaufnahmen erinnerlich, wie meine Reden, gehalten vor den Mitgliedern der Berliner Akademie der Künste – dazumal am Hanseatenweg im Bezirk Tiergarten –, teils Gehör fanden, teils Anstoß erregten.

So die Rede aus dem Jahr vierundsechzig über die »Vor- und Nachgeschichte der Tragödie des Coriolanus von Livius und Plutarch über Shakespeare bis zu Brecht und mir«, in deren von Zitaten gespicktem Ablauf ich mein deutsches Trauerspiel »Die Plebejer proben den Aufstand« skizzierte. In Folge der Berufung auf den dreiundfünfziger Streik der Arbeiter, der auf der Großbaustelle Stalinallee begann, löste ich, noch während ich stehend in den Saal hinein sprach, einen Streit aus, der mich, als zwei Jahre später das Stück auf die Bühne kam, in Ost und West zum Feind stempelte. Wie der Arbeiteraufstand nach östlicher Doktrin als konterrevolutionärer Putsch verdammt und von Panzern niedergewalzt wurde, so ist er aus westlichem Interesse zur Volkserhebung umgelogen worden; so, nur so sollte er in die Geschichte eingehen.

Meine Rede und deutlicher noch das Theaterstück widerspricht der einen, der anderen Verfälschung. Am Ende scheitern alle, Arbeiter und Intellektuelle. Das Trauerspiel erinnert an Brechts Buckower Elegien: »Ihr Unwissenden! Schuldbewußt klag ich euch an.«

Anders die Rede »Über meinen Lehrer Döblin«, gehalten siebenundsechzig. In ihr versuchte ich, die Akademie daran zu erinnern, wie eines ihrer Mitglieder im Jahr dreiunddreißig ausgestoßen wurde: ein finsteres Kapitel ihrer Geschichte. Er mußte flüchten. Die Heimkehr aus dem Exil mißglückte. Er starb verbittert. Ein deutscher Schriftsteller mehr, der seinem Land fremd blieb. Nun wollte ich ihn meinen Zuhörern empfehlen, sie neugierig auf seine Wortgeröll wälzenden Abenteuer machen, sie »zu Döblin verführen, damit er gelesen werden möge«. Abschließend sprach ich den Saal direkt an: »Er wird Sie beunruhigen; er wird Ihre Träume beschweren; Sie werden zu schlucken haben; er wird Ihnen nicht schmecken; unverdaulich ist er, auch unbekömmlich. Den Leser wird er ändern. Wer sich selbst genügt, sei vor Döblin gewarnt.«

Dieses Lob meines Lehrers wurde von Beifall verschüttet. Doch als ich vierzig Jahre nach Kriegsende, zum 8. Mai wiederum vor der versammelten Akademie sprach, löste die Rede unter dem Titel »Geschenkte Freiheit« besonders in der Sektion Bildende Kunst Empörung aus, weil ich über ein Nebengleis meiner Beweisführung auf den Zustand der Künste und das Verhalten der Künstler während der Nachkriegszeit kam, folglich die dogmatischen Verengungen des Ostens wie des Westens miteinander verglich und nach der östlich erzwungenen Parteilichkeit den westlichen Kult um die gegenstandslose Malerei verspottete: »Von all dem Häßlichen, das man glücklich hinter sich zu haben meinte, sollte möglichst nichts zu erkennen sein. Chiffren, ja. Ornamente, gewiß. Auch Materialien, Strukturen die Menge, die reine Form. Nur Überdeutliches nicht, nichts, das als Bild schmerzte. Kein Dix, kein Kirchner, kein Beckmann zwang das erlebte Grauen ins Bild.«

Das konnte oder wollte Malern, die in Katalogtexten als »informel« galten, nicht gefallen. Sie, die sich blindgestellt hatten, beschenkten mich mit einer schwarz auf gelb gepunkteten Blindenbinde. Sie, die frei zu sein glaubten, fügten sich freiwillig dem Diktat des Marktes. Dabei galt meine Rede mit Übergewicht dem Begriff Freiheit, der fehlenden, der geschenkten, der mißbrauchten, also jener, die sich mit der Parole »Freie Fahrt für freie Bürger« auf Fernstraßen austobt, und schließlich der Freiheit, die jeweils wir meinen, nicht die der anderen, also der bürgerlichen, die soziale Rechte kleinschreibt, der kommunistischen, der bürgerliche Rechte nichtig sind.

Ich sagte: »Gegenwärtig will zwanghafte Ausgewogenheit jeden intellektuellen Disput ersticken. Die geschenkte Freiheit ist der oft berufenen Schere im Kopf unterworfen. Ungehemmt schlägt der Gruppenegoismus der pluralistischen Gesellschaft durch. Dem entspricht: ungeniertes Einsetzen der Ellenbogen im Sinne eines freiheitlichen Vulgärdarwinismus; gelangweiltes Desinteresse der wirtschaftlich Gesicherten, sobald soziale Not als gegenwärtiges Wachstum zur Sprache kommt; und im Bereich der Künste die wiederholte, frech als Neuheit plakatierte Hinwendung zur saisonbedingten Unverbindlichkeit. Schnell sind Begriffe zur Hand, die sich austauschen und etwa dergestalt raffen ließen: Die multimediale Innovation Neuer Körperlichkeit findet als inszenierter Mythos der Selbstverwirklichung in alternativer Szene und unter dem Markenzeichen neoliberaler Postmoderne statt.«

Lauter Wortmüll, den die Grimmbrüder bestimmt verworfen hätten, der aber in den achtziger Jahren im Handel war und noch heutzutage aufgeputzt wabert, wenn etwa unserem feist ins Blickfeld gerückten Fernsehphilosophen die Seifenblasen bonbonfarben vom Munde fliegen und schillern, bis sie platzen: wohlfeiles Gefasel, das bis ins Feuilleton Widerhall findet.

Jacob hingegen wird, als er vor den Mitgliedern der Königlich Preußischen Akademie der Wissenschaften seine Rede über Wilhelm hielt und sich dabei reinlich vom Bruder unterschied – »von kindesbeinen an hatte ich etwas von eisernem fleiße in mir, den ihm schon seine geschwächte gesundheit verbot; seine arbeiten waren durchschlungen von silberblicken, die mir nicht zustanden« –, das Wort

Freiheit heilig gewesen sein, denn so wohllautend er sprach und dabei ans Manuskript gebunden war, blieb er dennoch inwendig frei, weilte an anderem Ort: mit Vorzug in seiner Studierstube, gebeugt über Belegzettel und Wortlisten, die alle, wie der so schöne und gleichwohl vergebliche Ruf nach Freiheit, dem Buchstaben F untertan waren.

Seine Akademiereden, meine. Was jeweils verhallte und dennoch gesagt werden mußte. Also nannte ich die Freiheit eine Hure, die jeder ficken darf, der zahlen kann. Also suchte er Freiheit in längst gefällten Urwäldern, wo sie einst Zuflucht gefunden hatte. Also rief ich meinem Lehrer Döblin nach. Also feierte er den toten Bruder wie sein besseres Ich: »ihm gewährte freude und beruhigung sich in der arbeit gehen, umschauend von ihr erheitern zu lassen, meine freude und heiterkeit bestand eben in der arbeit selbst.« Zugleich aber war er gedankenflüchtig, der akademischen Versammlung abhanden gekommen und anderswo zu finden.

Ich werde ihn suchen. Ahne ich doch, wohin Ausflüchte führen, die auch mir offen sind, während ich freiweg rede und rede...

Vermutlich sah sich Jacob, während er vom Podest weg sprach, wenn nicht in seiner Studierstube, dann wie gewohnt im Tiergarten und zwar gemeinsam mit dem Bruder, denn ohne ihn war er nur hälftig. So gewiß der Tod ist, Rückrufe ins Leben bleiben jederzeit möglich. Er rief ihn herbei, wie auch mir dieser Trick geläufig ist.

Und schon sehe ich beide: längs einer von Ulmen gesäumten Allee kommen sie Seit an Seit näher, trennen sich an einem Rondell, um einander wiederum nahe der Luiseninsel zu treffen. Der eigentlich tote Wilhelm kommt mir belebter als sein Bruder vor.

Es will Frühling werden: ein knospendes Versprechen. Sie weisen auf Schneeglöckchen, eine Uferweide. Jetzt reden sie: mal der eine, mal der andere. Jacob mehr als Wilhelm. Offenbar hat sich in ihm eine Wörterflut gestaut. Beide werden laut, zu laut, weil mit den Jahren schwerhörig geworden. Mit Gesten gehen sie sparsam um. Woher hat Wilhelm Brotrinden, die er in Brocken den Enten zuwirft?

Ich nähere mich, umkreise sie, höre zu, will mich einmischen, lege ihnen das Stichwort Freiheit als Köder nahe, rufe: Freiheitsgebot! Freiheitskriege! Freibier!

Und schon ist es Jacob, der meine Einwürfe aufnimmt, indem er, während Wilhelm weiterhin die ihm folgsamen Enten füttert, mit dem lateinischen liber das Wort frei einleitet. »gotisch freis, althochdeutsch fri« sagt er und kommt vom freien Eigentum auf freien gleich brautwerben und heiraten. Seiner Meinung nach berührt sich frei mit froh und freuen. Er spricht vom freigelassenen Knecht und übersieht geflissentlich mich, seinen Stichwortgeber. Er erinnert Wilhelm daran, wie vergeblich, weil von der Mehrheit überstimmt, seine Rede gewesen sei, als er in der Paulskirche die Befreiung von jeglichem Ordensblech, desgleichen von erblichen Adelstiteln und Adelsvorrechten gefordert habe: »Weg damit!«

Dann macht er sich frei von allzu bedrückenden Rückständen aus abgelebter Zeit, entnimmt dem frühlingslauten Vogelgezwitscher das Wortpaar »vogelfrei«, sieht sich mit Goethe »in freier luft«, lacht nun frivol, wie ich ihn selten habe lachen hören, weist bei Logau »freie brüste« nach und spricht, weil frei auch frech bedeuten kann, mit Luther von »freien dirnen«.

Wilhelm hingegen ist nur die Natur frei und schön. Er zeigt auf Kastanienknospen, die zu blühen versprechen, nennt Singvögel beim Namen, ist freigebig mit Brotbrocken und erfreut sich an der den Tod leugnenden Frühlingsluft. Wortselig läßt er die Freiheit ausufern. Es ist, als habe ihn nachträglich Frohsinn überschwemmt.

»Gewiß«, sagt Jacob und bleibt dem Ernst verpflichtet, »man kann aber auch zugleich vom freien willen des menschen und von den freien schwingungen des pendels sprechen.«

Ich versuche mit schulfrei, dienstfrei, dem Freizeitpark, der Freizeitgestaltung und FKK-Stränden neuzeitliche Freiheitsräume zu erweitern, mache aus Erwerbslosen freigestellte Arbeitskräfte und treibe weiteren Schindluder mit dem schönen Wort.

Darauf zitiert Wilhelm mit Lessing die Freidenkerei und wirft den Enten letzte Krümel zu.

Und Jacob brüllt seinem Bruder ins Ohr: »Freimut! der bei Schiller zu finden ist, ist weit mehr als nur gedankenfreiheit.« Er läßt aus dem Freihafen, wie später im Wörterbuch nachzulesen sein wird, die Freiheit zwei Spalten lang segeln: »der älteste und schönste ausdruck für diesen begrif war der sinnliche freihals, der kein joch auf sich trägt. freiheit ist uns der technische ausdruck geworden, im gegensatz zu knechtschaft und unterwürfigkeit.«

Nach längerer, abschweifender, weil frei gehaltener Tiergartenrede, die immer wieder den toten Bruder herbeizwingt, ihn an Wegkreuzungen ins Gespräch zieht oder mit der lauten Stimme des Schwerhörigen zum Zuhörer macht und in deren Verlauf er mich allenfalls als Stichwortgeber akzeptiert, findet Jacob über den Brückenschlag einer Nebenbemerkung zwischen Gedankenstrichen – »ja, Bruder, das waren wir einst: freiheitstrunken« – wieder ins Manuskript und in den Saal voller hochbetagter Akademiemitglieder.

Dennoch bleibt vorstellbar, daß ihm, noch während des toten Wilhelm gedacht wird und dessen Verdienste um den Buchstaben D gewürdigt werden, die Göttinger Protestation in den Sinn kommt, als die Brüder von ihrer Freiheit Gebrauch machten, indem sie sich weigerten, den Eid auf die Verfassung zu brechen; wie es mich, als ich vor vollem Haus der Akademie der Künste über die »Geschenkte Freiheit« redete, in daneben laufenden Gedanken, die Wilhelms Artikel zum Stichwort da und den Partikeln dabei und dafür folgten, bis zum damals und dazumal schwemmte, als ich mich Anfang Mai fünfundvierzig leichtverwundet in der Lazarettstadt Marienbad fand.

Alles grünte, die Vögel sangen wie auf Kommando. Es kümmerte die Natur nicht, was sonst geschah. Immerhin endete etwas. Immerhin wurde ein Datum gesetzt. Immerhin brach mein Glaubensgerüst zusammen, hinterließ eine Leerstelle, weshalb ich am Tag der bedingungslosen Kapitulation des Großdeutschen Reiches kaum begreifen konnte, was Freiheit bedeutet, was sie bewegen kann, wie teuer sie bei Verlust wird. Nur was Furcht war, wußte ich, und daß sie nun weg zu sein schien. Schrieb ich doch in meinem Redetext zum 8. Mai 1985: »Gleich nach der Gewißheit, besiegt zu sein, bedeutete für mich und viele, die in benachbarten Lazarettbetten lagen, die bedingungslose Kapitulation: Befreiung von Angst. Mit der Entmachtung militärischer Vorgesetzter, die nur allmählich spürbar wurde, begann jene gewohnte, zum Teil akzeptierte Unfreiheit zu schwinden, ohne daß sich Freiheit, die große Unbekannte, zu erkennen gab.«

Auch für Jacob Grimm war dieses Wort, von dem er sagte, es gehöre »zu den denkmälern der deutschen sprache«, immer nur fernes Ziel und deshalb in seinen Paulskirchenreden erwünschtes Verfassungsgut gewesen. Fortwährend engten ihn Zwänge ein, die er ertrug, in Demut und manchmal unter der Last stöhnend.

So nach dem Tod des Bruders. Klagte er doch in seiner Akademierede: »Wir haben noch zuletzt gegen unseres lebens neige ein werk von unermeszlichem umfang auf die schultern genommen, besser, dasz es früher geschehen wäre, doch waren lange vorbereitungen und zurüstungen unvermeidlich; nun hängt dieses deutsche wörterbuch über mir allein.«

So bleibt es. Kaum wendet er sich vom Stehpult, und während noch der Beifall aller dem Tod nahen oder sich fern glaubenden Akademiemitglieder anhält, von denen einige schlafen, nun aufschrecken und ihre Augen weiten, hat ihn bereits wieder der Buchstabe F am Wickel. Verben überfallen ihn, Adjektive, Substantive, in Unzahl die Partikel. Vom Faden kommt er auf fadenscheinig, aufs Fädeln. Von fadennackend ist splitterfasernackt abzuleiten. Sätze lassen sich mit dem Fadenknäuel bilden. Nach Wielands Einsicht ist der rote Faden der Dichtung nicht zu fassen. Aufgezählt wird, was alles am seidenen Faden hängt, was zu Faden geschlagen oder durchs Nadelöhr gefädelt werden muß, und wie man beim Reden den Faden verlieren kann, wenn man sich nicht, wie Jacob zuvor noch am Pult, ans Manuskript zu halten versteht: Wort für Wort, wie es ihm, zwischen Blicken in die nun unbelebte Gelehrtenstube des Bruders, aus der Stahlfeder geflossen war.

Später, bereits umringt von lobpreisenden Mitgliedern der Akademie und um Antwort auf teils unsinnige, teils tükkische Fragen verlegen, hält er sich, ohne auf die alphabetische Folge zu achten, an Wörtern aus dem Tierreich fest, reiht Fohlen, Fuchs, Färse, Fasan, kommt vom Ferkel auf den Fisch, althochdeutsch fisc, und hilft sich mit Zitaten weiter, nach denen manche weder Fisch noch Fleisch sind. Bis zum Fischzug reicht seine Wortstrecke, die er mit Logau schließt: »und fängt auch, dasz sein schif den fischzug kaum ertrage«.

Dann aber soll durch das dem lateinischen fenestra entliehene Fenster Ausblick gewonnen werden, wobei ihm mit der ältesten gotischen Schreibung, augadauro, der sinnlichere Ausdruck einleuchtet.

Einem der Akademiemitglieder, die ihn festzuhalten versuchen, erklärt er, weshalb das für Dachfenster stehende Ochsenauge noch immer das gotische auge des Hauses enthalte.

Weil mit dem fremdstämmigen Wort ausgesöhnt, gefällt ihm plötzlich, wie nach Eingebung, die im süddeutschen Sprachraum geläufige Tätigkeit fensterln oder fenstern. Er kichert, wie Greise kichern, sobald sie sich feuchtwarm erinnern, bis ihn, vom Fensterbrett abwärts, das Wort Fall überfällt.

Es läßt ihn nicht los. Inwendig flüstert, was alles der Fall war, ist, sein könnte: die Fallsucht, im schlimmsten Fall das.

»In meinem Todesfall soll…« ruft er lauter als gewollt und verstummt, weil umringt von all den namhaften Männern, die vorhin noch seine Zuhörer waren, ihm jetzt aber nah, zu nah sind: triefäugig, glatzköpfig, faltig geschrumpft, an Zähnen verarmt, mümmeln, brabbeln sie, wollen Hände schütteln, Schultern klopfen, ihn fistelnd beschwatzen. Schon befürchtet er, in die Falle bloßer Lobredner getappt, ihnen allzu gefällig gewesen zu sein.

Als sei er in falsche Gesellschaft geraten, flüchtet Jacob Grimm aus den Räumen der Akademie. Ich trage ihm, was auf dem Rednerpult liegen blieb, sein Manuskript nach, damit es später gedruckt werden möge.

Erst in der Ordnung seines Arbeitszimmers findet er zu sich zurück, das heißt: nach kurzem Blick durch die offene Zwischentür in die leere Stube des Bruders, kritzelt er Wörter und Ableitungen von Wörtern in Korrekturbögen der ersten Lieferung für den dritten Band, die den Buchstaben E abhandeln. Sogleich sieht er, daß ihm der Winzling es, abgeleitet vom lateinischen id und dem gotischen ita, spaltenreich in die Länge geraten ist. Also kürzt er hier und da, schreibt dann: »dies wörtlein es erfüllt heute, gleich dem artikel das, unsere gesammte rede und ist allenthalben anzutreffen.«

Dazu in Fülle Beispiele und Zitate, die ihm gleich Spatzen zufliegen, als habe er Futter gestreut. Eingangs wieder und wie allzu oft Goethe: »es war ein herzigs veilchen«. In Klopstocks Messias findet er »und dein auge wie ists zu dem tode gerüstet?« und bei Luther gute Kürzungen: »dankte gott und brachs.«

Und weiterhin korrigiert er in den Spalten zum es, streicht weg, erweitert, stellt um, verliert sich aber bald im mittelalterlichen Wörtergestrüpp, kommt von Neidhart auf Tristan, von Parzival auf Lohengrin, liest in der Nibelungen Not: »ez weinte ouch manec meit« und bei Uhland: »sprach es die jungfrau fein«. Er kann sich nicht genug tun. Jede Kürzung hat Weiterungen zur Folge.

Dann aber nimmt ihn wieder das F in Haft.

Oder legte er eine Pause ein? Erholte er sich beim nächstliegenden G, allein des Stichwortes grün wegen, oder bei weit entlegenen Buchstaben des Alphabets? Etwa beim O oder P? Kann es sein, daß er lustlos in Zeitungen, der »Vossischen« blätterte, weil gänzlich der Tagespolitik entfallen?

Eher folge ich der Vermutung, Jacob zog mit einiger Neugier die Produkte der flugs in Mode geratenen Porträtkunst, nämlich Photographien aus einer Sammelmappe, womöglich ahnend, daß in kommender Zeit das Ph dem F weichen werde: Fotos ungezählt, Fotos von jedermann, Fotos gerahmt, Fotoalben in jeder Familie. Und jedes Fotoalbum ein Familiengrab.

In Wilhelms bislang von keiner ordnenden Hand berührten Gelehrtenstube findet er sie gesammelt. Sie liegen unter unfertigen Manuskripten, vergilbten Briefen, die der Bruder mit Seidenband zu Bündeln geschnürt hat. Die Briefe tastet er nicht an, öffnet aber die Mappe, und schon sehe ich, wie Jacob besonders aufmerksam zwei ins Oval gebrachte Photographien in bräunlichem Ton betrachtet, die vor wenigen Jahren im Atelier des den Brüdern empfohlenen Photographen Siegmund Friedländer belichtet worden waren.

Er und Wilhelm im Silberhaar. Doch immer noch, wie von Jugend an, gelockt und mit wellig glatt fallendem Haar, wie auf den Kupferplatten Ludwig Emils verewigt. Des Bruders trüber, sein strenger Blick. Wilhelm mit Binde unterm weichen, er mit Kragen unterm energisch betonten Kinn. Beide fern der Mode gekleidet. Was einst Zeichnungen und Radierungen ins Profil gebracht, kunstvoll verschleiert und harmonisch angeglichen hatten, kommt durch die Frontalansicht der Photos ans Licht: der Unterschied, die Distanz. Mußte der eine sich ständig disziplinieren, gab der andere mehr und mehr der ihm angeborenen Schwermut nach. Dem willensstarken Jacob bietet sich Wilhelm zum Vergleich an. Was Photographien und Fotos sagen, entblößen, verraten.

Schnell fix und fertig
hängen sie auf Ämtern, werden veröffentlicht,
sind zur Fahndung nach gesuchten Personen
paßbildgroß freigegeben: frontal, im Profil.
    Sie überdauern in Familienalben,
die, aus dem Feuer gerettet,
auf der Flucht nicht verlorengingen,
die gehütet werden seitdem.
    So haften sie immer noch,
weil mit dem Schnellkleber Uhu gefestigt:
Photos mit, Fotos ohne ph,
wie vormals organisch ph für f stand,
als althochdeutsch der Apfel noch Aphul hieß
und sich das pf bei Zipfel und Knopf behauptete.
    Jetzt schreiben wir fotogen, fotoscheu.
Fast alles wird fotografiert, erfaßt fürs Archiv.
Festgenagelte Augenblicke, digitale Fangschüsse.
Vervielfältigt bin ich und frei im Handel,
allseits belichtet und ausgeliefert fortan.

Zum Beispiel Fotoreportern. Sie waren schon fünfundsechzig dabei, als ich, unterwegs nach Würzburg, in einem Abteil der Bundesbahn saß, die von Jacob Grimm mit Wörtern, die alle dem Eisen anhängen, noch Eisenbahn genannt wird und als neudeutsches Wort ins Wörterbuch findet.

Ich las Zeitung. Breit entfaltet hielt ich sie. Die Außenseite gab Titel und Schlagzeile preis. So kam es, daß sich auf überlieferten Fotos die Zeitung, die ich sitzend in einem Abteil der Bundesbahn las, als ein extrem rechtes Blatt, als »National- und Soldatenzeitung« auswies.

Ich war auf Wahlkampfreise unterwegs und wollte wissen, was druckfrisch im Schwange war. NPD nannte sich eine neugegründete Partei. Überall gewann sie Zulauf. Die Zeitung, die ich las, galt als deren Hauspostille. Parolen gleich Fanfarenrufen – »Deutschland erwache!« –, die dem mitreisenden Fotoreporter in den Bildsucher geraten waren, hörte ich jeweils dort, wo jugendliche und altbackene Neonazis laut und in Gruppen auftraten; sie tun es immer noch.

Und als ich in Würzburg, der erzkatholischen Bischofsstadt ankam, brachten mich zwei Jungsozialisten zum Ort der Veranstaltung. Vorbeugend meinten sie, es könne womöglich zu Störungen kommen, auf Flugblättern werde dazu aufgefordert.

Schon vorm Eingang zum Huttensaal stand auf einem Transparent in Frakturschrift zu lesen: »Was sucht der Atheist in der Stadt des heiligen Kilian?«

Hätte ich mich vorher kundig machen und wissen müssen, wie jener irische Missionar, der, weil erschlagen, zum Märtyrer wurde, wie Würzburgs Schutzpatron heißt?

Die mich und den Heiligen betreffende Frage schallte mir gleichfalls im vollbesetzten Saal entgegen. Sprechchöre hatten geübt. Und was sie geübt hatten, verlangte nach Wiederholung. Nur Satz nach Satz kam meine Wahlkampfrede gegen das Gebrüll an. Erst als es gelang, eine Pause, die sich die Sprechchöre gönnten, zu nutzen, konnte ich die mir gestellte Frage beantworten: »Ich suche Tilman Riemenschneider!«

So, nur so, mit einem Rückruf ins sechzehnte Jahrhundert und mit Blick auf jenen Bildhauer, der für die aufständischen Bauern Partei ergriffen hatte und deshalb von den Knechten der Pfaffen gefoltert wurde, konnte der Saal beschwichtigt werden. Keine Sprechchöre mehr, nur noch wenig Gezische.

Indem mir Tilman Riemenschneider, der fromme, in Holz geschnitzte Wunder vollbracht hatte, zur Seite stand, gelang es, meine Rede »Loblied auf Willy« unüberhörbar den Jungwählern, zumeist Studenten, nahezubringen. Einige gaben sich mit Bierzipfeln am Gürtel und farbigen Mützen als Korporierte zu erkennen. Zögernd kam Beifall auf. Kaum Pfiffe. Danach signierte ich Plakate.

Auch davon gibt es Fotos: ich offenen Mundes als Redner. Ich vor dem Plakat, drauf mein Es-Pe-De krähender Hahn. Ich in der Menge. Ich am Bahnsteigrand sitzend auf meinem Koffer, unterwegs wohin?

Oder auf Fotos, die Mariechen geknipst hat: mit selbstgedrehter Zigarette am Stehpult, drauf meine Olivetti. Oder vorm Zeichenbrett und Schneckenmotiv, später vor tonfeuchten Skulpturen: Fischköpfe, als Göttin dreibrüstig Aua, laufende Ratten und Ratten, die den aufrechten Gang üben.

Aber auch mit wechselnden Frauen geknipst. Ich, mal lang-, mal kurzhaarig zwischen mehr, immer mehr Kinder gestellt. Ich, erschöpft, mit leerem Gesicht, der Blick verhangen, nichtssagend, weil aller Wörter verlustig gegangen.

Oder mit Pfeife auf Fotos, die Ute, meine Ute belichtet hat: zu Fuß in Calcutta. Ich vor wimmelnd bewohnten Ruinen, Kolonialbauten, aus denen Grünzeug wuchert, das Fassaden sprengt, an denen Ranken klettern und den Verfall tarnen. Fremd bleibend in der von landflüchtigen Bauern überfluteten Stadt, in deren wachsenden Slums nicht fotografiert werden darf, doch erlaubt ist und von Kindern bestaunt wird, wenn ich mit schnellem Stift gereihte Slumhütten, in Gruppen hockende Flüchtlinge aus Bangladesh, gesammelte Flaschen gehäuft, streunende Kühe, Krähen auf Müllbergen skizziere – wie Ludwig Emil Grimm, lange bevor seine berühmten Brüder auf Photographien in würdiger Haltung erstarrten, mit fleißiger Feder, dem weichen Blei, doch immer lebensnah, beide oder jeden einzeln gezeichnet hat: hier Wilhelm noch pausbäckig jung, dort Jacob vorm Fenster, wie er, den Kopf tief gesenkt, über Büchern hockt oder in den Zettelkasten faßt.

Und besonders gelungen scheint mir die Zeichnung aus dem Jahr dreiundvierzig zu sein, auf der sie gestaffelt mit schattierendem Blei festgehalten sind, ein Blatt, dessen feine Einstiche an den Umrissen der Profile vermuten lassen, daß es als Vorlage für jene Radierung diente, die während folgender Jahre, weil vom Verleger geschätzt, immer wieder als Werbung genutzt wurde. Erst später entschloß sich der Verlag, die Brüder in photographierter Pose als Markenzeichen zu verbreiten.

Salomon Hirzel bedankt sich bald nach Wilhelms Tod in einem Brief, datiert am 17. Februar 1860, für die endlich zur Korrektur fertige Einführung in den zweiten Wörterbuchband. Zudem äußert er den Wunsch: »Darf ich unverschämt sein und aussprechen, woran ich denke? Für den hypochondrischen Hildebrand wäre es, wie ich ihn kenne, eine Stärkung im Selbstvertrauen, wenn seiner unermüdlichen Hilfe, die bei dem Buchstaben ›d‹ oft wirklich bis zur Mitarbeit ging, mit einem Wort der Anerkennung gedacht würde.«

Da taucht er wieder auf: der Lehrer an der Leipziger Thomasschule ist nebenberuflich in Hirzels Verlag tätig. Wie nachzulesen ist, folgte Jacob, sonst mit Lob geizend, dem Wunsch des Verlegers und vermerkte den leidenschaftlichen Korrektor im Schlußteil seines Vorwortes.

Er wußte, daß Rudolf Hildebrand mittlerweile, entweder aus eigenem Antrieb oder von Hirzel dazu ermuntert, einem Buchstaben auf der Spur war, der das G, das H, das I und das J übersprang. Diesen Sprung wagte er mutwillig und eigenmächtig, kaum mit Jacobs Einwilligung, der jeglichen Gedanken an Nachfolge und Fortsetzung der Arbeit ohne seine bestimmende Federführung verboten hatte. Dennoch gibt es Hinweise, die zumindest vermuten lassen, daß er den vom Fleiß getriebenen Zuarbeiter, der seinem allzu saumseligen Bruder über die Wortstrecken des D hinweggeholfen hatte, im Auge behielt.

In einem kurzgehaltenen Brief vom August, geschrieben bevor er nach Bad Ems in Kur ging, teilt er Hirzel mit: »vorher sende ich Ihnen noch allen meinen vorrath, p. 1639–1670 und füge F zettel bei, die der ordner wol noch einschalten kann. auch ein paar K zettel für Hildebrand. leben Sie wol, ich bin etwas unsicher an mir geworden.«

Also nahm er Hildebrands eigenmächtigen Zugriff auf den Buchstaben K hin. Er unterstützte ihn sogar mit K-Zetteln, vielleicht in der Hoffnung, sich nach dem F unbehelligt dem Buchstaben G zuwenden zu können, beginnend mit dem gelinde stummen Kehllaut.

Die im Brief angekündigte Sendung umfaßte Erstling bis ertülpen, Beiträge für den dritten Band des Wörterbuchs. Was die für Hildebrand beigelegten K-Zettel betraf, könnte das Stichwort Kammer, entlehnt dem lateinischen camera, dazugehört haben, hatten sich doch Wilhelm und er als Knaben, Schüler, noch als Studenten eine Schlafkammer geteilt. Leibhaftig nah lagen sie beieinander, als wären sie eins gewesen, durch nichts zu trennen, wie von einem Atem.

Jacobs Eingeständnis seiner Verunsicherung, die dem Abschiedsgruß an den Verleger dranhing, wird wohl mehrere Gründe gehabt haben. Zum einen fehlte ihm der Bruder wie ein Teil seiner selbst, zum anderen vereinzelte ihn zunehmende Schwerhörigkeit. Je mehr Wilhelms Witwe und deren Tochter um ihn besorgt waren und ihn, der sich laut wehrte, mit übereifriger Fürsorge bedrängten, um so tiefer vergrub er sich inmitten Büchern, tausend und mehr, hinter denen die Brüder im Verlauf der Jahre gleich einem Festungswall Schutz gesucht hatten und die er nun, seitdem ihn Wilhelms Stube als überfülltes und dennoch entleert anmutendes Gehäuse erschreckte, hin- und hertrug, in immer neue Ordnung brachte, besorgt, was mit ihnen geschehen werde, wenn eines nicht mehr fernen Tages...

Zusätzlich waren es geringere Anlässe, die dazu beigetragen haben mögen, ihn zu verunsichern. Vieles ging im Sommer sechzig daneben. Er galt als verregnet. Nur selten lud der Tiergarten ein. Die Stadt und deren Getriebe ödete an. Jacob fühlte sich fiebrig. Die Kur in Bad Ems schlug fehl. Irgendetwas mangelte immer. In Leipzig war, wie der Korrektor Hildebrand beteuerte, ein Revisionsbogen samt Jacobs Eintragungen verlorengegangen. Der aber kam endlich doch noch ans Tageslicht, was ein Telegramm bezeugte: »Hirschfeld hat die correctur wiedergefunden«.

So konnte des Druckers Schlamperei vergessen, die Arbeit endlich fortgesetzt werden, doch erst gegen Ende

Oktober schreibt er: »ich gebe der heutigen correctur neues msp. 1725–1780 mit und bin froh aus dem ›erz‹ erlöst zu sein, obschon ich in das sehr häcklige ›es‹ gerathe.«

Da ist es wieder. Wir kennen es schon: Es regnet, es kommt nicht an, es reicht, stinkt mir, es nimmt kein Ende. Nahm es aber doch. Denn zu Beginn des folgenden Jahres meldet er: »hierbei schicke ich den schlusz des E, welcher meiner ansicht nach den bogen 75 fast ausfüllt. lassen Sie den setzer berechnen, wie viel jetzt noch leer bleibt, damit ich noch einige spalten aus dem F nachliefere.«

Danach stockt die Arbeit abermals. Hirzel klagt, weil der ihm verbliebene Grimmbruder über anderer Manuskriptarbeit hockt: nach der Rede über den toten Wilhelm ist es nun die Rede »Über das Alter«, die ihn in Verzug bringt, ein Thema, das mit hartem Knöchel anklopft, sich aufdrängt, aufs Papier will und sei es mit zittriger Hand.

Zudem soll mit dem vierten Band der »Weistümer« beendet werden, was er zu Beginn der vierziger Jahre begonnen hatte. Dringliche Briefe folgen, in denen sich des Verlegers höflich verkleidete Sorgen wiederholen. Doch nichts anderes geschieht, außer daß Zeit vergeht.

Im Frühjahr dann erste Tiergartengänge. Reiter begegnen ihm, lärmende Jugend, Männer unter modisch hohen, Frauen unter beängstigend gewagten Hüten. Scheu umgeht er den Platz an den Zelten, nimmt Nebenwege, meidet den Venusteich und die halbnackte Göttin.

Ich erwarte ihn nahe der Fasanerie, will ihn aufmuntern, ihn, wie oft nicht ohne Erfolg erprobt, mit Stichwörtern ködern. Aber so sehr ich mich bemühe, er bleibt in sich gekehrt, flüstert allenfalls Unverständliches, das nur vermuten läßt, er habe sich rückläufig in seine Kinderjahre verirrt, in die Wälder um Steinau, wegelos, dunkel, zum Fürchten: Wilhelm, wo bist du? Wo?

Erst im Sommer steckt er abermals im F und schickt mit sechster Lieferung die Seiten von Faden bis Fahren. Danach geht es zügig weiter. Von fechten über die Feder hin zur Fee, mittelhochdeutsch feie, zu der Goethe den Nachweis liefert: »sieh das schöne gemäuer dahinten! ists doch als wenn die feen es hin gehext hätten.«

Gegen Ende des Jahres ist er bei Festungsbau bis Feuerreich. Und gleich nach feuchtwarm sind dem Feuer annähernd sieben Spalten gewidmet. Erklärend steht zu lesen: »das feuer, unter allen elementen das lebendigste, wurde als ein thier gedacht das gebunden liegt, gleichsam schläft, aber entbunden und geweckt werden kann und dann ausgeht, schreitet, springt, greift und raubt, um seinen unersättlichen hunger zu stillen: es leckt, spielt mit der zunge, weidet, friszt, schlingt, schwelgt.« Dazu stellt er ein Sprichwort, »feuer bei stroh brennt lichterloh«, und ein Zitat aus Goethes Faust: »ah bravo! find ich euch in feuer? in kurzer zeit ist Gretchen euer.«

So lief es weiter: Lieferung nach Lieferung, Korrekturbogen nach Korrekturbogen. Im März zweiundsechzig ist er bei Finanzen bis finden, muß aber, weil ihm zu Wilhelms Nachlaß und seinen »Weistümern« immer neue Anordnungen notwendig werden, in einem Brief an Hirzel von einem Unfall berichten, der Jacobs Umgang mit Büchern gemäß ist: »bei einrichtung meiner bibliothek fiel ich rücklings von einer leiter und wider einen schrank. das gab ein loch in den kopf mit heftigem blutverlust, weil eine pulsader durchschnitten war. der schädel konnte verletzt sein, was sich hernach nicht gezeigt hat...«

Ich sehe ihn stürzen. Er kippt weg, greift im Fallen ins Regal, sucht Halt an Büchern, die mit ihm fallen. Wie in Zeitlupe schwankt er, fällt und fällt, als habe in einem Film, der seinen Sturz feiert, die Leiter Turmeshöhe. Er schlägt mit dem Kopf auf, liegt jetzt, bleibt liegen. Blut färbt die Silberlocken. Umliegend die mit ihm gestürzten Bücher, dicke darunter, Folianten.

Ich sehe Wilhelms Witwe herbeieilen. Nach Auguste ruft sie. Folgsam mit dem Pflasterkasten kommt die Tochter, zeigt sich zugreifend praktisch. Schon ist der Kopf verbunden. Und wenig später sitzt er wieder und schreibt einen Brief an Hirzel, in dem er Bericht gibt von einer Vorlesung, die er trotz des Unfalls vor den Mitgliedern der Akademie gehalten hatte: »sie handelte vom schlafe der vögel.«

Nach Flucht steht Flug.
Weil immerfort flügelschlagend schrieb Bettine
ihre Briefe »wie im fluge«.
Wieland spricht »von der schnellen flüsze flug«.
Der Flug der Stunden, des Sonnenwagens.
Ein Flug Bienen, freut sich der Imker.
Nach der Vorwarnung gab es Fliegeralarm:
Feindliche Bombergeschwader im Anflug.
Zu Zeiten der DDR war Flugasche als Titel
für einen Roman geeignet.
Ab wann werden Engel
und ihnen verwandtes Geflügel flügge?
Wer niemals von der Schule flog…
Wem kein Traum zu Flugreisen verhalf…
Flügellahm stürzte Ikarus.
Nach ihm kamen alle Überflieger zu Fall,

verschwanden Flugzeuge von Bildschirmen,
wurden auf Flughäfen Flüge gecancelt,
gibt es Pillen gegen Flugangst.

Jacob, der, wie man weiß, über das gedoppelte F bei griff
und schiff geflucht hat – »nur inlautend kann man sich
nach kurzem vocal ff gefallen lassen« –, fügte dann aber
doch unter Punkt elf des Vorworts zum besagten Buchstaben das ff ein, »etwas aus dem ff thun, will sagen: mit
nachdruck ausführen«; denn so, oder eher unter Zeitdruck,
hat er sich schließlich den dritten Band des Wörterbuchs
abgerungen.

Verzögert kam er aus mehreren Gründen. Der Korrektor
Hildebrand hatte auf Jacobs Wunsch den Druck der »Weistümer« zu betreuen, was Zeit fraß. Eine Bahnreise nach
München und sonstwohin, zu der sich der alte Jacob über-
redete, als hätte ihn, der anders als Wilhelm gerne reiste,
noch einmal das Fernweh getrieben, und von der er, weil es
in Nürnberg »regnicht war«, verschnupft und fiebrig heim-
kehrte, raubte ihm abermals Tage und brachte nichts ein
außer Philologengerede. Als dann der dritte Band endlich
erschien, enthielt er zwar alles, was dem Buchstaben E anhängt, und vieles, was bis zum Stichwort Forsche mit F an-
lautet, doch fehlte peinlich, was dem Verleger versprochen
worden war, das Vorwort.

Danach kam nichts mehr oder nur wenig. Es dauerte
Monate, bis er den Übergang von Forsche für den Beginn
des vierten Bandes lieferte und mit dem ungebräuchlich
gewordenen Forschel, nachgewiesen als Förschelverfahren
für Inquisitionsprozesse, auf forschen, Forscher, Forschung

kam. Dazu fielen ihm beispielhaft nur »geschichtforschung, sagenforschung, sprachforschung« ein, nicht aber die Naturforschung, wie sie Alexander von Humboldt betrieben hatte und der im fernen England ein Zeitgenosse nachging, dessen Evolutionslehre einen Streit auslöste, der alle Religionen und deren Schöpfungsgeschichten in Frage stellte oder gar als kindisches Fabulieren abtat. Dem folgte heftiger Wortwechsel, der bis heutzutage nachhallt, denn aus frommer Sicht soll Gott immer noch in sechs Tagen alles, was »kreucht und fleucht«, fix und fertig hingekriegt haben.

Dabei hätte Jacob Grimm in Charles Darwin einen Bruder im Geiste erkennen können. Wie jener den fortwährenden Wandel der Arten, ihr Entstehen, Absterben durch natürliche Auslese, ihr Überleben bei geschickter Anpassung an veränderte Verhältnisse beobachtet und bewiesen hatte, so sind dem Sprachforscher Grimm Lautverschiebungen, Wortverlust und Wortwandel vom Sanskrit bis in seine sich mehr und mehr verflüchtende Gegenwart gewiß gewesen. Weshalb im Wörterbuch, weil Darwin auf den Galapagosinseln verschieden gearteten Finken begegnet war, gleich nach dem Fink, und dem althochdeutschen finco folgend, inmitten der Aufzählung blutfink, brandfink, distelfink, mistfink durchaus der Darwinfink hätte Nahrung finden können, denn »wer finken fangen will, musz ihnen zuvor körnen«.

Aber in seiner Freude am Zitieren nahm Jacob weder Humboldts noch Darwins Schriften zur Kenntnis; wahr sprachen ihm einzig die Dichter von Walther von der Vogelweide bis Goethe, auch gerade noch Jean Paul, der das Treiben auf dem »finkenherd« mit dem hexischen Treiben auf dem Blocksberg vergleicht.

Dennoch will ich mir vorstellen, wie der Sprachforscher und der Naturforscher, weil beiden beim Gehen in freier Natur die Gedanken zuflogen, einander in einem weitläufigen Gelände hätten begegnen können, vergleichbar dem Berliner Tiergarten oder einer englischen Parklandschaft, die mir gestrichelt und koloriert vor Augen ist, und schon sind sie wie nach Fingerschnalz da.

Der eine, weit jünger als der andere, wirkt, weil oben bald kahl und mit buschig die tiefliegenden Augen überdachenden Brauen, dem Rauschebart und seiner von Krankheit gezeichneten fleckigen Haut, ältlicher als der andere, der, wenngleich hohlwangig, weißhaarig und gekrümmt, zwar einen Greis verkörpert, aber dennoch jugendlich anmutet; das lese ich Photographien ab, die mir zum Vergleich vorliegen.

Noch schweigen beide, während sie Schritt vor Schritt setzen. Nun stehen sie am Rand einer Wiese, auf die Bäume Schatten werfen, vor einem frisch umgegrabenen Beet, das Gartenarbeiter zur Bepflanzung vorbereitet haben könnten: für eine Hecke Rosen womöglich. Nah und ferner stehen altwüchsige Eichen einzeln, Buchen in Gruppen. Eine Blickachse führt zum leicht gehügelten Horizont hin, den zierlich ein Pavillon in Gestalt eines Tempelchens überragt.

Immer noch bleiben sie maulfaul, fremdeln, wollen nichts voneinander wissen. Nach bewährter Methode versuche ich, das herbeigewünschte Paar mit einem Stichwort zu verlocken, damit sie ins Gespräch finden. »Wurm!« fällt mir ein. Und sogleich nach dem Ruf stochert Darwin mit seinem Gehstock in fetter Gartenerde und ist mit einem Regenwurm, der zu Tage tritt, prompt bei dessen Verdauungsfunktion und nützlicher Beschaffenheit, dem natürlichen Kreislauf, indessen Jacob Grimm anderen Nährboden umgräbt und den Wurm gotisch bei Ulfilas nachweist, dann mit Zitat den Lindwurm in nordischen Sagen als Drachen aufleben läßt und übergangslos, doch mit erhobener Stimme, auf einen Kritiker des Wörterbuchs namens Wurm kommt, den er, für Charles Darwin unbegreiflich, als »ihr gift ablassende spinne« beschimpft.

Nun reden sie jeder für sich, sind Einzelgänger, mehr noch Eigenbrötler, untauglich fürs Zwiegespräch. Dabei hätte Darwin gleichfalls Grund, sich abfällig über Kritiker seiner Evolutionslehre zu äußern und über Karikaturisten, die ihn gehässig als Affen zum Gespött gemacht haben, aber der Naturforscher spricht lieber über Galapagosfinken, wechselt dann von Riesenschildkröten zu Rankenfüßlern, ist abermals bei seinen anpassungsfähigen Vögeln, schließlich doch noch bei den Affen und deren Wandlung zur noch immer nicht fertigen Gattung Mensch. Bald aber findet er zu rankenden Gewächsen, worauf es dem Sprachforscher leicht fällt, weil mit dem Buchstaben F befaßt, vom Flechtmoos, und nach kurzem Blick auf Darwins Gesichtsflecken, auf den im Wörterbuch anschließenden Fleck zu kommen, der sich zwar nicht gotisch nachweisen läßt, aber im mittelhochdeutschen als flec erscheint und seit Anbeginn in Nähe zum Flick steht wie Flecken zu Flicken.

Schon schüttet er seinen bald verstummenden Gesprächspartner mit vielerlei sich wandelnden Bedeutungen zu: der Fleck als Fleischfetzen, Kuttelfleck. Auf einem Fleck stehen. Nicht vom Fleck kommen. Das fleckige Brautkleid. Oder mit Schiller gesprochen: »jedwede tugend ist fleckenfrei bis auf den augenblick der probe.«

Nun versucht er doch auf den Naturforscher einzugehen, indem er des so stolz wellenbeherrschenden Britanniens großräumige Macht lobt und im Vergleich den kleinteiligen Zustand seines Vaterlandes als deutschen Flecken- oder Flickenteppich beklagt. Aber sobald ihm Darwin, als wolle er ihn trösten, mit dem mählichen Wachstum der Korallenriffe antwortet und deren Lebensräume mit Lebewesen bebildert, für die Jacob keine Worte findet, rettet er sich, mit Vorgriff auf den vierten Band des Wörterbuchs, in die vielen Abwandlungen des Stichwortes Friede bis hin zum, seiner Meinung nach, schwächeren Frieden, der wie Wille zu Willen wurde.

Ich höre ihn, während sie im Schatten eines Ahorn verweilen, aus dem Gedächtnis die bei Hans Sachs zu findende Verkürzung rufen: »da kam ein knecht, schrei fried, fried, fried!« Er bietet dem wiederum sprachlosen Gesprächspartner den Friedboten, das Friedensfeuer, den Friedensengel an, huldigt Schillers Friedensfürst, läßt Goethe sagen »da nach vorüberfliegender friedenshofnung neue sorge eintrat« und endet scheinbar mit der Friedenstaube, über deren aufdringliche Symbolträchtigkeit der Naturforscher nur den Kopf schütteln kann, findet aber nunmehr über Kants Wirtshausschild »Zum ewigen Frieden« auf den Friedhof, dessen bloße Erwähnung Charles Darwin vertreibt; fürchtet er doch den Tod mehr als alle unwissenden Pfaffen. Ich sehe, wie er über die Wiese flüchtet, zwischen Rhododendronbüschen verschwindet, verkleinert wieder da ist, nun zum Horizont hin eilt, den das Tempelchen als Pavillon überragt.

Jacob Grimm jedoch führen viele den Friedhof säumende Zitate an seines Bruder Grab und bald darauf zu weiteren Gräbern, in denen Freund und Feind Friedhofsruhe gefunden haben.

Fern in Bonn war ihm Dahlmann, der Mitstreiter aus Göttinger Zeit, gestorben. Viel hatte man sich nicht mehr zu sagen gehabt.

Im Jahr darauf nahm er von seinem einst geliebten Lehrer an Marburgs Universität, dem ihm mittlerweile entrückten Savigny Abschied. Stumm, doch inwendig reich an Wörtern, stand er an dessen Sterbebett.

Der nur wenige Jahre ältere Ludwig Uhland, von dem er gemeint hatte, jener sei »schnittreifer als er« und an dessen Seite sein Platz in der Paulskirchenversammlung gewesen war, starb etwa gleichzeitig mit dem Erscheinen des dritten Wörterbuchbandes. Als ihm auch dieser Freund genommen, bedauerte er nun doch, nicht wie Uhland als »erklärter democrat« enden zu können.

Zudem ging ihm in Kassel der letzte Bruder, Ludwig Emil, verloren, dem er mit Wilhelm so oft das Profil zum feinstichigen Abzeichnen geboten hatte.

Zu viele Tote. Deren andauerndes Flüstern. Einst bewohnte, nun leergefegte Räume. Und auf Papier gereiht die Fülle vormals lebensstarker, nun abgestorbener Wörter: Fluder, fludern, der Fluderer, die Fluderei... Zu alledem enttäuschte ihn sein bis dahin so feinfühliger und mit Geduld begabter Verleger Salomon Hirzel, der, nur flüchtig auf Besuch in Berlin, Vorschläge unterbreitete, die geeignet waren, ihm weitere Arbeit am Wörterbuch zu vergällen.

Vereinsamt wie er sich sieht und ermüdet von der Schufterei in der Tretmühle nicht endenwollender Wortabfolge, schreibt Jacob einen seitenlangen Brief an jenen Mann, der ihm bis dahin als jemand gegolten hatte, »der andern am auge absieht was ihnen lieb ist. diesmal haben Sie doch nicht in meinem innersten gelesen.«

Er wirft Hirzel vor, »wiederholt auf beschleunigung des wörterbuchs« gedrungen und »gewaltsame maszregeln« vorgeschlagen zu haben. Er hingegen wolle »selbst bei langsamerem gang der arbeit« keine Gefahr für deren Fortgang sehen: »während ich noch am leben bin; für den todesfall, der allerdings immer näher tritt und plötzlich sich ereignen kann, müssen bestimmungen getroffen werden...«

Dennoch hatte Jacob nicht vor, das Wörterbuch »aus den augen zu verlieren«. Er fährt fort: »mitten unter andern arbeiten las ich nebenher vier bände alter romane genau durch, zog ihre redensarten aus und trug ordentlich in die sechs ersten buchstaben nach was dahin gehörte.«

Dann beteuert er: »wie oft habe ich mich im voraus gefreut auf die buchstaben L.M.N., die ungefähr die mitte des alphabets bilden und dem bearbeiter die allerangenehmsten des ganzen werks sein müssen. sie hätten etwa in unsern fünften band zu fallen, ob ich selbst bis zu ihnen reichen würde liesz ich völlig dahin gestellt. mein vorsatz war fortzufahren, so lange mir das leben und die arbeitsfähigkeit anhält.« Auf Rat des Verlegers, den übrigens die Ärzte, der Neffe Herman und der Philologe Moriz Haupt bekräftigen, er solle sich »die wörter zuarbeiten lassen«, gibt er bündige Antwort: »es gehörten schüler dazu, deren ich keine gezogen habe, meiner natur entspricht zu lernen, nicht zu lehren. ich weisz gar nicht vorher was aus dem artikel werden wird, den ich angreife...«

Schließlich pocht er auf sein Recht, die Arbeit »ungedrängt« fortzusetzen, »oder ich gebe es auf (da es erst mit meinem leben erlischt) und trete ab. dann aber gleich von jetzt an, ohne dasz ich einen buchstaben mehr schreibe. Hildebrand, Lexer, oder mit wem Sie sonst wegen der fortsetzung übereinkommen, können bei spalte 33 eintreten wie an jeder andern stelle. mir aber wäre unmöglich zur fremden fortsetzung noch einen lappen zu geben.«

Diesen Klagebrief schrieb Jacob Grimm am 18. Februar 1863, einem Mittwoch. Der ihm nachgesagte, von seinen Brüdern Wilhelm und Ludwig Emil bewunderte, von Carl und Ferdinand gefürchtete und verspottete Starrsinn, der ihn als Unersetzlichen auswies, hielt schon seit Monaten an. Ab August des Vorjahres hatte er keine Manuskriptsendungen auf den Weg nach Leipzig gebracht. Nun aber, vielleicht beflügelt von Wörtern, die in seinem so langen wie grundsätzlichen Brief mit fort anheben, geht eine Lieferung ab, die für den vierten Band des Wörterbuchs bestimmt ist. In ihr bedeutet diese weder gotisch noch althochdeutsch nachzuweisende Partikel innerhalb der dreieinhalb Spalten langen Erklärung zweierlei: »so ist in fort sowol der vorschritt, fortschritt, das weitere, als auch ein abgang, weggang, das ferne gelegen…«

Wieder einmal liefert ihm Luther Belege: »haben doch nu fort die keine entschüldigung die wissentlich zwingen und sich zwingen lassen.« Und Paul Gerhardt dichtet: »dasz dich fort nich mehr erschrecke deines feindes ungestüm.« Eine Doppelung ist bei Opitz zu finden: »die wir das trübe meer des irrthums fort für fort mit groszer angst durchreisen.« Außerdem setzt er »für und für« anstelle von »fort und fort«.

Danach häufen sich in Jacobs Lieferung spaltenlang Anhängsel, die der Partikel Zweck und Bedeutung auftragen, etwa beim fortarbeiten, das mit einem Jean-Paul-Zitat wie beiläufig und doch treffend sein Verhalten gegenüber dem Verleger auf den Punkt bringt: »ehrgeiz und

zorn des greises, welche beide unter dem eis seiner haare
fortarbeiten.«

Mir hingegen, der ich fortwährend
seine wie meine Feder führe, fällt es zu,
das begonnene Werk des älteren Grimm
über dessen absehbaren Fortgang fortzuschreiben.
    Noch bleibt er fähig, dem Buchstaben F
eine Weile zu folgen.
Wie zuvor schon ist er fortan besorgt
um den Fortbestand althergebrachter Wörter,
auch jener, die sich fortentwickelt haben,
streicht aber fortissimo als Fremdwort ohne Bedauern.
    Wer wird ferner auf weitläufigen Wortfeldern
fortackern und ab sofort zuständig sein
für Lohnfortzahlung und berufliche Fortbildung?
Er aber quält sich, wenn auch die Zeit ihm fortläuft,
mit nunmehr müden Kräften,
auf daß sich die Wörter fortzeugen,
bis endlich mit letztem Stichwort
die Frucht fällt.

Und was sich noch in nachfolgenden Anmerkungen findet,
mit fortzwirnen und fortzwitschern scheinbar schließt, doch
dann mit Ersatzwörtern für fort aufwartet: das Geld ist all,
ist flöten gegangen, man könnte auch sagen ist futsch und
hin, wie jemand, der von uns fortgehen muß, für immer und
ewig dahin ist.
    Dem nachfolgenden Forz, der bald zum Furz wurde, den
– wer sonst? – Luther in seinen Tischreden feiert, folgt die
Fotze, der Jacob nachsagt, sie sei »ein unhübsches, gemie-

denes wort, bei dem die sprachforschung doch manches zu erwägen hat«.

Das tut er mit Inbrust drei Spalten lang, indem er vulva und cunnus mit vielerlei Umschreibungen verkleidet, bis er zum Fotzenhaar und dem zärtlichen Fötzli kommt. Nach Fud und Vut und dem schweizerischen Fötzel schließt die Lieferung an den ungeduldig wartenden Verleger mit einem Gotthelf-Zitat: »so eine von der gasse, e fötzel oder e alte gritti, selb nit, lieber sterben ledig.«

Dererlei Fleischeslust konnte Jacob Grimm nicht anfechten, er, der einerseits ledig, andererseits fest eingebunden in Wilhelms Ehe mit Dorothea gewesen war, blieb nach anderem lüstern: einzig nach Wörtern und deren grammatischem Verhältnis zueinander, nach Wörtern, die einander begatten, die fremdgehen, die sich verflüchtigt hatten und eingefangen sein wollten, nach mehr, immer mehr Wörtern, verfallen der Sucht: Fortsetzung folgt...

VOM FRIEDHOF
ZU ENDLOSEN KRIEGEN

Kopffüßer, die nicht durch Kiemen atmen
und sich Mensch nennen, behaupten,
es sei die weibliche Cupa
als männlicher Chop, dann Kopp,
weil überzählig zu viele Köpfe,
um einen gekürzt worden,
denn das Volk rief so lange »Kopf ab!«,
bis Carl, König von England, zitiert nach Logau,
»kopfes ohne« war, worauf man ihm seinen
kinnbärtig vor die Füße legte.
    Ein Wort reicht, das ihn kosten kann.
Wer sonst ihn noch wagte: Katte, zum Beispiel,
des Kronprinzen Kumpel.
Sie steckten die Köpfe zusammen, ließen sie hängen,
kratzten einander Kopfläuse weg
und warfen die Münze: Kopf oder Zahl?
    Wer alles ihn hochtrug, mit ihm durch die Wand,
ihn einrennen wollte, noch kurz zuvor meinte,
Köpfchen zu haben; doch standen, wenn Krieg war,
»die völker« wie Gryphius sagt,
»gleich als vor den kopf geschlagen«.
Seitdem kämpfen Schlaflose mit dem Kopfkissen, ach…
    Man kann ihn schütteln, mit ihm nicken.
ihn sich waschen lassen: einmal Kopfwäsche, bitte!
ihn stützen, weil vom Kummer gebeugt,
bis er kopfoben wieder; einer aber
steht kerzengerade – worauf? –

und wundert sich mit den Beinen,
anderen sind die Kinder über den Kopf gewachsen,
und eine Daja warf, sagt Lessing,
»mir ihr geheimnisz an den kopf«.
    Das hält er nicht aus, hat ihn verdreht,
das macht ihm Schmerz, zumal es schwierig ist,
zu viele Meinungen
unter eine Kappe zu bringen.
Deshalb stehen bei Luther
»harte köpfe und verstockte herzen« beisammen;
hingegen kann Heine endlich im Grimmschen Wörterbuch
»leg an mein herz dein köpfchen« flöten.
    Und weitere Zitate, in denen er Hauptsache ist.
Genick- oder Kopfschuß? Nicht nur im Kino
sind Kopfjäger auf Kopfgeld aus.
Trotzköpfe gibt es, den Schlaukopf,
Schafsköpfe und Brückenköpfe,
die heiß umkämpft sind.
Sogar Berge haben Köpfe oder Kuppen,
heißen Schneekoppe und Ochsenkopf.
Und immer häufiger, klagt die Krankenkasse,
befällt Krebs den Kehlkopf, was in die Kosten geht.
    Ach, als ich jung war und Pusteblumen köpfte,
standen wie gemalt den Bach entlang Kopfweiden.
Vor wenigen Jahren noch gelang mir der Kopfstand.
Jadoch, selbst mir, der ich kein Zeus bin,
sind Kopfgeburten gelungen.
Auch traf ich manchen Nagel
mit erstem Schlag auf den Kopf;
doch wer zählt jene, die sich krümmen seitdem?
    Dieses Gedicht ist zu kopflastig, sozusagen verkopft.

Während Hildebrand fernab in Leipzig anfangs heimlich, bald von Jacob Grimm geduldet, dem Buchstaben K zuarbeitet und von kopfhängerisch auf kopfheister kommt – was auf Plattdeutsch kopphäster heißt und gleich kopfüber Purzelbaumschlagen bedeutet –, bleibt der zuletzt übrige Grimm in seiner Gelehrtenstube den Lieferungen zum Band vier, also dem F folgsam. Oder er ist, weil ihn mehr noch als der staubtrockne Atem der Bücher die Abwesenheit des Bruders bedrückt, auf Haupt- und Nebenwegen im Tiergarten unterwegs, wo ihm an sonnigen Tagen bunt aufgeputztes Stadtvolk begegnet, was ihn sogleich vom Fummelholz des Schuhmachers zu, wie er später auf Zetteln notiert, einer sich »leicht hingebenden, leichtfertigen, liederlichen weibsperson, fummel genannt« führt. Sodann hängt er – mit Blick auf spazierende Damen – dem »auffallenden kopfputz der frauen« ein treffendes Zitat an: »dasz dir der fummel vom kopfe fliegen sol.« Wie auf der Flucht vor sich selbst eilt er davon. Auch die unterm Nabel umhüllte, doch oberhalb bloße Venus, verlockend am Rand des Bassins, kann ihn nicht zum Stillstand verführen.

Wieder zu Hause und allein mit sich zwischen Büchern geht ihm auf, weshalb das tätige Fummeln auch als »obszönes betasten« gedeutet werden kann. Bei aller Scheu vor schmutzigen Wörtern und lebenslänglich gehaltenem Abstand zum weiblichen Geschlecht ist nicht zu verschweigen, »dasz fummeln nahe dem ficken« anzusiedeln ist. »sich in unzüchtiger weise mit dem fleisch vermischen, was abfummeln meinen kann«, schreibt er und rettet sich schnell in harmlose Bestimmungen. Er vergleicht fummeln mit flüchtig getaner Arbeit, dem »müszigen umherscharwenzeln« und wiederum mit nachlässig getragener Kleidung, dem Fummel.

Doch während Jacob mit der Fummeltasche abschließt, um alsbald aus sattgefülltem Fundus zitatsicher auf Fund und dessen schwanzlange Anhängsel zu kommen, hat andernorts der gleichermaßen worthungrige Hildebrand, ohne sich Erlaubnis zu erfragen, die Buchstaben G und H, das ichbezügliche I, das jasagende J übersprungen; er füllt nur noch Zettel mit Wörtern, die alle dem K aufs Kommando gehorchen.

Warum dieser Sprung? Wieso huldigte er nicht dem G oder H mit Wörterhaufen zu Gott und Geist, zu Himmel und Hölle? Weshalb wurde die alphabetische Folge mißachtet?

Aus Gründen, die unerklärt bleiben müssen, hielt er den Buchstaben K für vordringlich. Oder hat Jacob ihn angestiftet, voreilig zu sein? Wollte er sich den Korrektor auf mehrere Buchstaben Distanz vom Leibe halten? Ahnte er etwa, daß vor allen anderen Zitiersüchtigen Hildebrand befähigt sein würde, ihm, dem die Zeit verging und der Tod auf den Fersen war, die unvollendete Arbeit abzunehmen?

Lauter Fragen, die ohne Antwort bleiben. Zu vermuten ist nur: vielleicht doch von lenkender Absicht bestimmt, hat er ihn wie nebenbei mit Belegen zum K gefüttert, etwa mit dem Stichwort Knoten, von dem noch zu reden sein wird.

Der Korrektor. Ohne ihn ging es nicht. Anfangs nur spärlich, dann häufiger ist er im Briefwechsel mit dem Verleger anwesend. Oft zwischen Zeilen versteckt, als hätte Hirzel ihn für den Notfall aufgespart. Als es noch mit dem Buchstaben A kein Ende nahm, weigerte sich Jacob, dessen Zusätze zum Stichwort Alpe, nämlich die Ableitungen Alpenlandschaft, Alpenröschen, Alpental in die Gesellschaft von ihm erwählter Wörter einzureihen, nahm dann aber Alpenglut, doch nicht das Alpenglühen, welches sein Verleger, der aus familiären und geschäftlichen Gründen oft in die Schweiz reiste, vorgeschlagen hatte, vielleicht um seinem Korrektor beizustehen, der sich von Anbeginn als Zulieferer verstand.

Wer aber war er, ohne den das Wörterbuch nicht auskam? Was trieb ihn an, neben dem gewiß aufreibenden Verschleiß in der Thomasschule um Wörter und deren verzweigtes Geflecht zu feilschen?

Auf einigen Korrekturbögen überlebt er mit leserlicher Handschrift, so auf jenem Bogen, der von ahnen bis Ahnfrau reicht. Drauf steht sein Zusatz aus Schillers Wallenstein »sie scheint unglück geahnt zu haben«. Und weitere Ergänzungen, die die Wortartikel zu »aber« und »als« anschwellen ließen.

Später wird der Korrektor in einem der Hirzelbriefe ausdrücklich als »Dr. Hildebrand«, an anderer Stelle als »gelehrtes Haus« empfohlen. Noch keine dreißig Jahre alt, gibt er dennoch dem sich hinschleppenden Verlauf der Wörterklauberei Rückhalt, indem er Zweifel in Fragen ummünzt und Jacobs Kommentare mit zusätzlichen Zitaten stützt.

Als Karl Reimer im Jahr zweiundfünfzig die Weidmannsche Buchhandlung verläßt, worauf der Verlag als Hirzel-Verlag Geschichte macht, fallen bald darauf Setzer und einige Buchdrucker aus, andere kommen und gehen, Hildebrand bleibt. Und doch reagiert Jacob unwirsch auf des Verlegers briefliche Bitte, bei der Danksagung im Vorwort zum ersten Band seinen Mitarbeiter namentlich zu nennen und zudem als Pädagogen auszuweisen: »es stimmt durchaus nicht zu dem stil meiner vorrede, dasz ich Hildebrand als lehrer an der Thomasschule bezeichne. höchstens läszt sich für den fall, dasz es mehrere Hildebrande zu Leipzig gäbe, der vorname beisetzen.«

Seine wachsende Kinderschar, zwei Söhne, zwei Töchter mußten ernährt werden. Vor einigen Jahren, als Emmy, das erste Kind, geboren wurde, war durch dieses freudige Ereignis der Abgang von Korrekturbögen verzögert worden. Was dem Verlag Ärger einbrachte. Die Setzer hatten Grund zu klagen. Schon bald aber tilgte der junge Vater wiederum Druckfehler, stellte, an den Rand des Satzspiegels geschrieben, gescheite Fragen, wußte ungefragt Rat, indem er Vorschläge machte, unter denen neunmalkluge glänzten, andere nur Keimlinge bloßer Laune waren.

Aus seiner Feder ist ein Kinderliedchen überliefert, von dem man nicht recht weiß, ob es, außer für den Hausgebrauch der Familie, dem noch fernen Buchstaben S oder eher dem übersprungenen I gewidmet ist.

Sellerie, Sellerie,
schmeckt mir wie,
riecht nach Windeln, wie Pipi,
wie nach Vaters Ironie,
man weiß nie,
soll man lachen oder wie,
irgendwie, irgendwie,
bis er Emmy übers Knie,
bis sie schrie, bis sie schrie,
ich will nie,
nie und nimmer will ich nie
essen Pappis Sellerie.

Aus vielerlei Gründen, von denen einer sich auf die skurrilen Einfälle seines Mitarbeiters berief, ahnte Hirzel schon früh, daß ihm mit Hildebrand mehr als nur ein Korrektor zur Seite stand. Schonend bereitete er den älteren Grimm auf den zukünftigen Bearbeiter von Buchstaben vor, ohne daß ausdrücklich vom K die Rede war.

Als dann aber noch ein Karl Weigand, der sich, um Jacob zu gefallen, vor Jahren öffentlich mit kruder Polemik gegen die Kritiker des ersten Bandes ausgelassen hatte, für den einen oder anderen Buchstaben vorgeschlagen wurde, weigerte sich jener, beide zu Beginn des dritten Bandes bekannt zu machen: »besser ists dasz ihre namen erst verlauten sobald sie wirklich auftreten. ich kann weder über Hildebrand noch Weigand jetzt schon genau urtheilen, der letzte ist ein uns zugethaner, redlicher, arbeitsamer mann, vielleicht aber besitzt er nicht die nöthige kraft.«

Offenbar ignorierte er Weigands Attacken, die den Wörterbuchkritiker Wurm zum Verstummen gebracht, weil niedergemacht, und Daniel Sanders als mecklenburgischen Provinzler abgetan hatten, indem er Zweifel äußerte, »ob in den Adern des in seinem Tadel wahrhaft Unermüdlichen auch nur ein Tropfen deutschen Blutes fließe«. Als sei er verflucht, wurde Sanders von dem sich rasserein wähnenden Philologen als Jude an den Pranger gestellt.

Damit wollte sich Jacob nicht gemein machen. Oder sah er sein Tun und Lassen mittlerweile aller Kritik enthoben, jenseits des lärmigen Alltags? Außerdem wird ihm Starrsinn geraten haben, seinen Abgang ohne geeignete Nachfolger zu sehen.

Doch Hildebrand war nicht zu beirren. Trotz melancholischer Einbrüche – er galt als Hypochonder – blieb er weiterhin mit dem Wörterbuch verklammert und sammelte, sobald Lieferungen zum F ausblieben, mit gleichbleibendem Fleiß Belege fürs K: Krempel, Keller, Kreuz, Zitate zu Kehle, kehlig, dem Kehllaut.

Jacob hingegen hielt nach dem Tod des Bruders Abstand zum weitläufigen Wortartikel Feld, zur Feldameise, dem Feldarzt und den Feldflüchtern, jenen Tauben, die morgens den Schlag verlassen, feldflüchtig sind, die er sogar bei einem Zeitgenossen, Fritz Reuter, auf Plattdeutsch gefunden hatte und die zwischen den Stoppeln meiner Romane einschlägige Zitate picken, sich den Kropf füllen könnten.

Nicht mehr auf Fundsachen aus, nahm er seinen hinfälligen Zustand zum Anlaß und beendete die langsam zu Papier gekommene »Rede über das Alter«, die er wiederholt, zuerst wie üblich nur vor Akademiemitgliedern, dann anläßlich einer öffentlichen Feierstunde zum Geburtstag des zweiten Friedrich, der Große genannt, am 26. Januar 1860 gehalten hat; womöglich bewog ihn die Absicht, seinem Ende mit vielstrophigem Abgesang vorweg zu sein.

Es ging um das Alter an sich und um ihn. Eigentlich war dieses Stichwort, als im ersten Band des Wörterbuchs das A behandelt wurde, bereits abgeschöpft worden. Von alt und dem Alt, der Mittelstimme in der Musik, geht es über das Altentheil, das mit einem Platen-Zitat belegte »altersschwach« und die nach Goethe »alterthümelnde, christelnde kunst« zu den altklugen Kindern. Vom Altweibergewäsch und altehrwürdigen Göttern, auf die sich wiederum Goethe beruft, steht zu lesen.

So reichlich mit Wörtern gerüstet und des eigenen Alters bewußt, schrieb Jacob seine Rede. Sie wurde, wie alle Reden zuvor, etwa die auf Lachmann, jene auf Wilhelm und die tiefschürfende »Über den Ursprung der Sprache«, in der er von einem Vortrag ausging, den einst Johann Gottfried Herder, Wege und Irrwege weisend, zum gleichen Thema verfaßt hatte, vor überwiegend alten Männern gehalten, die seinen Schwanengesang hörten, als sei er ihnen gewidmet. Kein Wunder, wenn sich aus längst abgelebter Zeit weitere Zuhörer einfanden, so der eben erwähnte Herder.

Als Urgroßvater aller Wortgrübler und Hüter verschollen geglaubter Papierschätze sitzt er in der vordersten Stuhlreihe. Weiter hinten, wo ich mich zwischen zwei zittrige Herren dränge, ohne Anstoß zu erregen, glaube ich leibhaftig Gottfried Wilhelm Leibniz zu erkennen, der zu den Gründern der Akademie gehörte und schon früh ein grundschürfendes Wörterbuch angemahnt hatte.

Und wenn mich mein Hang zur Übertreibung nicht täuscht, sehe ich den Prediger Schleiermacher zwischen zwei Philosophen sitzen, deren Wahl in die Akademie er einst verhindert hatte: Fichte und Hegel rahmen ihn ein; dem zuletzt genannten haften noch immer, so scheint mir, die Spuren der Cholera an.

Zu anderen, die einst namhaft waren und jetzt dem Vergessen entkommen möchten, fehlt mir der Name. Aber der da könnte Adelung sein. Und dort sitzt mit barocker Perücke Schottel, der sich Schottelius nannte. Beide Wörterbuchmacher, von denen Jacob nicht allzuviel hält, sind begierig zu hören, was ihr Nachfolger zu bieten hat. Leider gelingt es mir nicht, zwei aus katholischer Sicht namhafte Ketzer, die als Zitatlieferanten dem Wörterbuch verbunden sind, nämlich den arianischen Bischof Ulfilas, der als Westgote vermutlich eine griechische Mutter hatte, und den abtrünnigen Mönch Luther zu Zuhörern einer Rede zu machen, die, weil sie vom Alter und dessen Stufen handelt, in die Schulbücher gehört.

Schon beginne ich Notizen zu kritzeln: Kurzsätze, die raffen, was umschweifig laut wird. Denn was der mittlerweile sechsundsiebzigjährige Greis vom Katheder weg mit zwar immer noch heller, doch im Verlauf längerer Sätze brüchig werdender Stimme vorträgt, gilt mir, meint mich, trifft zu, stellt in Frage und lehrt, meine nunmehr ab achtzig zählenden Jahre als möglichen Zugewinn zu nutzen: letzte Ernte steht auf dem Halm.

Also ist für mich, den Hinterbänkler, bestimmt, was Jacob, der vorne den Pultdeckel kaum überragt, dem Psalm nachspricht: »unser leben währt siebenzig jahre, wenn es hoch kommt so sinds achzig jahr, und wenns köstlich gewesen ist, so ists mühe und arbeit gewesen.«

Oder wie er gleich darauf nach althergebrachter Berechnung das Menschenalter mißt: »ein zaun währt drei jahre, ein hund erreicht drei zaunes alter, ein ros drei hundes alter, ein mann drei rosses alter«, was unterm Strich zur Summe gerechnet, meinen bis heute gezählten Jahren entspricht, wenngleich ich, wenn mein nicht ergrauen wollendes Haar in Vergleich kommt, kaum mit den schlohweiß schultertief fallenden Locken des stehend vortragenden Redners mithalten kann.

Doch wie ihn vereinzelt mich, sobald ich von Gesellschaft umgeben bin, zunehmende Schwerhörigkeit. Vergleichsweise ebenbürtig ertauben wir. So bleibt uns manches Gerede erspart. Wie von einer Käseglocke behütet, hören wir nur noch auf uns, tun aber dennoch so, als seien wir auf dem laufenden und geben richtige Antwort auf falsch gestellte Fragen. Wir genießen die uns zuwachsende Stille, sind Selbstunterhalter, ahnen jedoch, was beiläufig tickt und tickt. Auch stimme ich Jacob Grimm zu, sobald er nach diesem und jenem Abschweif, in dem das Stichwort Qual nach einem tiefschürfenden Artikel verlangt, vom A aufs Z kommt, indem ihm »alter gleichviel mit zeit bedeutet«, weshalb wir die Abschnitte der Zeit Zeitalter nennen.

Sein Zeitalter, mein Zeitalter. Seines begann mit der Französischen Revolution, ging in Kriege und die Herrschaft Napoleons über, die seine Heimat Hessen im kurzlebigen Königreich Westphalen aufgehen ließ und ihn, weil im Dienst der Franzosen, abhängig machte. Dem folgte die öde Zeitspanne der Restauration, die Vertreibung aus Göttingen in die »unfreiwillige musze« des Exils, sodann das Angebot der Verleger aus Leipzig, der Wechsel nach Berlin, wo ein backenbärtiger König ein wenig Hoffnung machte, bald aber landauf landab Stillstand befohlen wurde, doch immerhin europaweit das Zeitalter der Eisenbahn begann. Als im März achtundvierzig die ersehnte Freiheit erst zaghaft zu Wort kam, dann heftig aufflackerte, erlosch sie alsbald, nachdem sie zuvor schon in Frankfurt zerredet worden war. Danach blieb ihm nur sein rückwärts gewendetes Erforschen von Sprachdenkmälern, die verschüttet oder, weil verschandelt, kaum noch kenntlich zu machen waren. Dabei ließ sich in wechselnden Gelehrtenstuben kein Ende absehen: verschluckte Silben wollten im Kot gefunden werden, einst ansehnliche Wörter fand er verkümmert zu Wörtern, die ihren Sinn verloren hatten. Und immerfort redeten Dichter mit, die darauf bestanden, zitiert zu werden. Dann starb ihm der Bruder weg. Und was er nicht ahnen konnte: rechtzeitig wird ihm der eigene Tod die auf »Blut und Eisen«, was heißen sollte, auf drei Kriegen fußende Reichsgründung unter Bismarcks Fuchtel ersparen; der allerdings war dem Wörterbuch wohlgesonnen, weil, wie er sagte, das Wörtersuchen geeignet sei, die Einheit Deutschlands zu festigen.

Mein Zeitalter hob an, als sich die Weimarer Republik gerade ein wenig von ihren chronischen Schwächeanfällen erholt hatte, dann aber um so schneller verfiel, worauf das Dritte Reich nur zwölf Jahre dauerte, doch Zeit genug ließ, jedweden und so auch mich mit einem Völkermord zu belasten, der, auf den Ortsnamen Auschwitz gebracht, für alle Zeit wie ein Kainsmal haftet. Danach lud der aus Trümmern gedeihende Wohlstand zum Vergessen ein. Zeitgleich folgten einander weit entfernt Kriege, die der Rüstungsindustrie Zugewinn brachten, nahmen Auto und Flugzeug der Eisenbahn reiselustige Kunden, wechselte die Mode, erlaubte die Pille Familienplanung, wollte Demokratie erlernt werden, schrieb ich Buch nach Buch, machte mir einen Namen, ergriff als Sozialdemokrat Partei, glaubte als Bürger den Sozialstaat gefestigt zu sehen und erlebe gegenwärtig, wie Korruption zunimmt, während Grundrechte schwinden, indem Freiheit zur Worthülse wird, sobald Reiche unverschämt reicher, Arme klaglos ärmer werden, so daß ich gegen Ende meiner Zeitweil mit Jacob Grimm erkenne: »je näher wir dem rande des grabes treten, desto ferner weichen von uns sollten scheu und bedenken, die wir früher hatten, die erkannte wahrheit, da wo es an uns kommt, auch kühn zu bekennen.«

So spricht er vor versammelter Akademie. So kommt es ihm immer noch leicht hessisch gefärbt über die Lippen. So höre ich ihn, wie der auf Länge des Vortrages auferstandene Herder, der im Hintergrund sitzende Leibniz, wie Adelung, Schottelius und der von Fichte und Hegel eingerahmte Schleiermacher ihn hören. Wären Ulfilas und Luther dabei, verginge ihnen jeglicher Theologenstreit.

In bedächtigen Sätzen wägt Jacob Vor- und Nachteile des Alters. Gemessen an allen benennbaren Behinderungen, ist ihm das allmähliche Ertauben ein nur geringer Schaden, weil »überflüssige rede, unnützes geschwätz nicht mehr unterbricht«. Im Vergleich zum Erblinden wiegt ihm die Schwerhörigkeit weniger, weil »die seit erfindung der drukkerei bald allgemein durchgedrungene verbreitung des lesens« durch Blindheit verlorenginge.

Annähernd heiter zählt er auf, was alles seit Cicero an Beiwörtern dem Greis anhängt: mürrisch ist er, grämlich, eigensinnig, ableibig. Er gilt als Knicker, Erbsenzähler, als betrübte Hausunke. Beweisführend zitiert er Hans Sachs: »verzehren die zeit einsam wie ein unk.«

Dieses Tier, gelbbäuchig, anderenorts rotbäuchig, hängt mir an. Sah ich doch allzu oft, weil ich hinsah und mich nicht beschwichtigen ließ, was als Übel bereits seinen Vorschein hatte. So in einem meiner Bücher, das unter dem Titel »Unkenrufe« von einer deutsch-polnischen Friedhofsgesellschaft und deren Scheitern berichtet, aber der Fahrradrikscha Zukunft verspricht.

Und weiteres Scheitern machte mich vorlaut. Nahm doch, was Jacob Grimm auch von sich wußte, mit dem Alter das Unken zu. Oder sind es vermehrte Anlässe, die den warnenden Ruf abnötigen? Sind meine Warnrufe, die gelegentlich laut werden, weil sich die Demokratie in Zerfall bringt, nur störendes Geunke? Und was soll die Gewißheit widerlegen, daß uns, die wir als einzige Gattung fähig zur Selbstvernichtung sind, die Ratten überleben werden? Aber vielleicht stirbt der sich deutsch nennende Teil des Menschengeschlechts, wie mir bereits vor Jahrzehnten in dem Büchlein »Kopfgeburten« schwante, schon vorher aus. Und ist es nicht so, daß Alfred Döblins, meines Lehrers Vision der Enteisung Grönlands in »Berge, Meere und Giganten« vom Klimawandel bestätigt wird?

Jetzt – und ich höre ihn inmitten der greisen Akademiemitglieder und Gasthörer aus entlegenen Zeiten – spricht er über das gehässigste Laster des Alters, den Geiz. Nein, er spricht nicht, vielmehr wird Jacob, wozu Schwerhörige neigen, laut, zu laut, so daß einige der ihm nahesitzenden Zuhörer, so der nachweislich unsterbliche Herder, aber auch der entfernter anwesende Leibniz, dergestalt erschrekken, daß aus ihren Perücken Staub aufwölkt.

Lautstark zitiert er Cato und stellt danach fest: »in allen lustspielen sind die geizigen immer greise.« Er verdonnert regelrecht Leute, »die kostbare ringe an ihrem finger behalten wollen und gold, ja papiergeld in den sarg bergen, sei es um diese habe mitzunehmen oder wenigstens sie verhaszten erben zu entziehen«.

Nun, davon wäre ich frei. Würde mir allenfalls eine meiner Pfeifen, mäßigen Vorrat Tabak und Zündhölzer als Wegzehrung in die Kiste legen lassen. Und zum Blei- oder Filzstift einigen Papiervorrat. Es könnte ja sein, daß sich die Strecke ins Nichts allzu lang hinzieht.

Doch auf angemessene Entlohnung aller durch Arbeit entstandenen Produkte, seien es Bücher oder Zeichnungen und Skulpturen, war ich ähnlich wie Wilhelm Grimm bedacht, der in Geldsachen seinen Bruder vertrat und – was man dem Märchensammler kaum zutrauen wollte – zäh um Prozente und urheberrechtliche Ansprüche handelte. Er hat die Kinder- und Hausmärchen gegen Raubdruck verteidigt.

Mir jedoch gefiel es, aus überschüssigem Geld, allein schon, um im Erbfall die Vielzahl meiner Söhne und Töchter nicht mit Unverdientem zu belasten, Stiftungen, vier an der Zahl, zu finanzieren, darunter eine, die dem immer noch mißachteten Volk der Sinti und Roma behilflich sein soll. Der Preis, den die Stiftung verleiht, ist nach einem meiner Lehrer, dem Zeichner und Holzschneider Otto Pankok benannt, der zeitlebens mit Zigeunern umging und nicht nur auf Selbstporträts, auch auf Fotos, zudem in meiner Erinnerung als schöner Greis gelten kann; wie nun Jacob Grimm diesen Gewinn des Alters verbucht, indessen er vom Katheder weg verkündet: »weshalb es auch wohl heiszt, dasz alte leute manchmal schöner werden als sie vorher waren.«

Er jedenfalls steht mir in Schönheit, die durch Verfall gesteigert wird, vor Augen. Es stimmt: die Wangen sind eingefallen, das einst lockige Haar fusselt, auch fehlen ihm Zähne, doch immer noch will sein Kinn festen Willen ausdrücken. Kein Schleier trübt sein Auge. Es ist, als heize ihm inneres Feuer ein. Er spricht über die Altersfreude am Spaziergang und sagt dem Mann in der Mitte seiner Lebenszeit nach, daß er selten Muße findet ins Freie zu gehen, »denn hundert pläne und geschäfte halten ihn in der stadt zurück. für den greis hingegen wird jeder spaziergang zum lustwandel.«

Gleich darauf mäßigt er die ihm geläufige Sprachkritik an Fremdwörtern, die unzulänglich eingemeindet wurden, indem er für »spazieren« eine Ausnahme gelten läßt und zur Wortfindung »lustwandel« sagt: »diese verdeutschung könnte steif aussehen, diesmal hat sie den nagel auf den kopf getroffen.« Und gleich nach kurzer Redewendung ist er bei seiner seit Jahren und noch zuletzt gepflegten Gewohnheit, sich auf entlegenen Pfaden zu bewegen, »selbst unter verdoppeltem schritt«, wobei ihm gute Einfälle zugeflogen, ihm unterwegs liebe Bekannte begegnet seien: »wie freute mich innig im thiergarten auf meinen bruder zu stoszen, nickend und schweigend giengen wir nebeneinander vorüber, das kann nun nicht mehr geschehen.«

Solche oder ähnliche Begegnungen sind auch mir bekannt, wenn ich mit unserem Hund, einst war es Kara, jetzt ist es Minka, unterwegs bin, sei es dem Elbe-Trave-Kanal entlang, sei es durch den wildwüchsigen dänischen Wald Ulvshale, und dabei, je älter ich werde, um so häufiger – vielleicht in Ermangelung eines Bruders – mir selbst begegne, dem Doppelgänger nicht ausweichen kann, mir zunicke, wortlos, doch voll innerer Rede, die den jeweiligen Faden spinnt, derzeit einen langgezwirnten, mit dem Grimms Wörter versponnen werden, auch solche, die sich, trotz garantiert kurzer Lebensdauer, neu bilden.

Besorgt bin ich um den verbliebenen Bruder, dessen Arbeit am Buchstaben F schon wieder ins Stocken geraten ist, weil die »Rede über das Alter« ihn hinderte, sich über froh und fromm in Richtung Frucht zu bewegen. Er konnte nicht enden, setzte eine Satzperiode hinzu, kaum daß er Wörter gestrichen hatte.

Immerhin spricht aus ihm jetzt, da sein akademisches Publikum zu ermüden beginnt und auch die Gäste aus Vorzeiten sich des Gähnens kaum erwehren können, gesammelte Erfahrung, wenn er dem Alter die besondere Eignung nachsagt, Begonnenes zum Abschluß zu bringen: »ein philolog durfte wagen zuletzt an ein wörterbuch die hand zu legen, dessen fernliegendes, fast zurückweichendes endeziel in der engen frist des ihm noch übrigen lebens, wo die regentropfen schon dichter fallen, leicht nicht mehr zu erreichen steht.«

Er ahnte es. Er war sich gewiß, daß sein baldiges Ende mitgemeint war, sobald er zum Ausklang seiner Rede den Tod des Greises anrief. Vom »verglimmen« und von der »abendröthe am himmel« sprach er und setzte dem Leben einen Schlußpunkt: »nach ihr folgt düstere dämmerung und dann bricht nacht ein.«

Kein verklärendes Wort mochte er sich abgewinnen. Der Tod war ihm ein Einsilber zwischen vielen, die dem Buchstaben T unterzuordnen waren: Tat, Teig, Tier, Topf und Tür. Nur einige derbe Redensarten des Volkes nannte er treffend: »sein letztes brod ist ihm gebacken, sein letztes kleid geschnitten.«

Eher schleppender Beifall gab Antwort. Herders Erscheinung verblaßte. Schottelius, Leibniz, Adelung und weitere Perückenträger zogen sich in ihre Zeitweil zurück. Das Dreigestirn, Schleiermacher zwischen Fichte und Hegel gezwängt, war wohl doch nur ein Trugbild. Desgleichen hätte sein letztes Wort sowohl Ulfilas wie Luther vertrieben, wäre es mir gelungen, diese Kronzeugen seines schürfenden Suchens herbeizuwünschen. Der Saal leerte sich. Gleich nach ihm schlich ich mich davon.

Nun aber drängt sich mir der Tod auf. Nein, Freund Jacob, nicht an den allgemeinen, an meinen Tod denke ich, an den vorzuahnenden Punkt nach all den kurzen und langen Sätzen. In früherer Zeit war es der Tod von Freunden, der mir naheging, ohne daß ich meinte, er könne auch mich so plötzlich oder peinigend verzögernd auslöschen. Ich sah mich durch ihn beleidigt, wenn er jemanden wegraffte, der mir lieb war. Indem ich zufällig noch lebte, empfand ich Leben als Geschenk, verdient oder unverdient. Der Millionen zählende Tod systematisch Ermordeter, der gegenwärtig in fernen Ländern alltägliche Hungertod, dessen Zahl gleichfalls Jahr für Jahr in die Millionen geht, der in Statistiken gelistete Massentod erfüllt mich mit Scham, empört mich, bleibt aber dennoch entrückt, während mir das langsame Sterben meiner Mutter nicht aufhören will, als sei ihr Tod erst gestern eingetreten.

Jetzt aber steht er mir bevor. Nach ihm wird nichts sein. Vielleicht ist es altersbedingt mein gestörter, sich mehr und mehr verweigernder Schlaf, der ihn mir nahebringt. Ich treffe, weil im allgemeinen Chaos, wie darin geübt, auf Ordnung bedacht, Vorkehrungen, ziehe Bilanz, räume auf. Gewiß, noch bleibt Neugierde auf den kommenden Frühling, die Spargel-, die Erdbeerenzeit. Die geplante August-Bebel-Stiftung will auf den Weg gebracht, das wahrscheinlich letzte Buch für den Druck fertig werden, auch lasse ich ungern von meiner Frau, den Töchtern, Söhnen, den Enkeln, dem konfusen Zeitgeschehen, meinem Vergnügen, dem Achterbahnfahren und den Fußballergebnissen am Wochenende. Doch da mir, umringt von mehr und mehr Ungewißheiten, einzig der Tod gewiß ist, will ich ihn, wie Jacob es tat, als ungeladenen, aber unumgänglichen Gast empfangen und allenfalls mit der Bitte belästigen: mach es kurz und schmerzlos.

Noch fremdelt er, wird aber vertrauter mit jeder schlafarmen Nacht. Ich weiß: auf ihn ist Verlaß.

Zwei weitere Jahre hielt Jacob Grimm aus. Oder eher: diese Frist forderte er ein. Wilhelms Witwe und deren Tochter

Auguste pflegten ihn, soweit er es zuließ. Herman kam selten; wenngleich Philologe, war Wilhelms Sohn eher auf eigene Dichtung nach Arnims Vorbild und auf Bilderkunst bedacht, kaum auf Wörtersuche. Niemand ging Jacob zur Hand. Er verlangte auch nicht nach Hilfe, verweigerte sie, sobald ihm Beistand angeboten wurde.

So sehe ich ihn aus seiner Stube in Wilhelms unbelebte wechseln, beladen mit Büchern, die er stets aufs neue ordnet. Manche hat er kürzlich kostbar einbinden lassen; er, der als sparsam gilt, scheut nicht die Kosten. Auch kleidet ihn neuerdings ein farbiger Hausrock, der aller calvinistischen Strenge spottet.

Jetzt, wieder zurück, hockt er über Korrekturbögen, kramt in Zettelkästen voller Belege zum Buchstaben F. Beide Stuben gleichen einander, sind ähnlich biedermeierlich möbliert und kommen mir dennoch merklich verschieden vor. Ohne ins Detail gehen zu wollen: auf Wilhelms nun ungenutztem Schreibtisch fallen Bündel ragender Gänsekiele auf, die inmitten der Ordnung auf Jacobs Tisch fehlen; er schreibt mit Stahlfedern.

Wie reizt es mich jetzt, ihm einen Füllfederhalter, jadoch, einen Montblanc mit Goldfeder zum Geschenk zu machen, ihn listig zu überreden, zumindest auf winzigem Zettel die Erprobung der gefüllten Feder zu erwägen.

Dieses Stichwort, lateinisch penna, klingt altdeutsch fedara, erinnert an Flederwisch für Federwisch und wird im Wörterbuch neunzehn Spalten benötigen, um von Feder über Federlecker, als »elenden schreiber«, die Federscharen, die poetisch bei Spee, genannt von Langenfeld, zu finden sind und das Federspiel, welches im Tristan das »schoene vederspil« heißt, bis zum Schreibgebrauch von Federkielen zu reichen, denen Schiller schöpferische Kraft nachsagt: »ein federzug von dieser hand und neu erschaffen wird die erde.«

Ich muß zugeben: der Füllfederhalter nimmt sich in Jacobs Hand fremd aus; genauso mutwillig wie albern wäre es, wollte ich ihm meine Olivetti-Reiseschreibmaschine oder gar ein Notebook mit der neuesten Windows-Kreation unterschieben.

Er greift zur Stahlfeder, taucht sie ins Fäßchen, streicht der Tinte Überfluß ab, schreibt: »es steckt noch in der feder, ist in der feder geblieben; das wort erstarb schon in der feder«, fügt Jean Paul als Autor hinzu und läßt Kant sagen: »das gelehrte volk schreit dringend nach der freiheit der feder.«

Nachdem er diesen Wortartikel erschöpft hat, sehe ich ihn lustwandeln, wie in seiner »Rede über das Alter« gepriesen: Schritt nach Schritt im Tiergarten. Immer noch beeilt. Am Goldfischteich, um ihn herum, auf Wegen zwischen Bäumen, einheimischen und zugewanderten, die ihm als Ahorn, Buche und Birke, Ceder, Eberesche und Fichte alle bisher abgehandelten Buchstaben in Erinnerung rufen. Dann aber sind es die folgenden, die auf nachgewiesenen Ursprung, den Kommentar, auf Zitate warten.

Wenn er vor sich hinmurmelt, hört es sich an, als spreche er mit dem Bruder, als solle ihm mit dem G der Genuß beim Gehen, mit dem H das Herz und der Herzenswunsch empfohlen werden. Nun dient er Wilhelm das I an, das erlauben werde, spaltenlang beim Stichwort ich zu verweilen, das Ich zu feiern, es absolut zu setzen, nach ihm süchtig zu sein oder bescheiden es kleinzuschreiben. Zumindest soll er ein Ja dem J abgewinnen; ihm gehören das Jahr, das Jenseits, der Jubel und auch das Jammertal an.

Und jetzt ist Jacob an einem Wintertag unterwegs. Schnee lastet auf kahlem Geäst. Jeder Schritt knirscht. Sperlinge scharren nach Futter. Die Venus friert, doch er nimmt den Frost nicht wahr.

Jetzt, in knospender Frühlingszeit – Kastanien blühen weiß und rot – kommen Freude und Frohsinn auf, reich an Zitaten, in denen freudigst frohlockt wird und sich die Wörter wie im Tanz finden.

Jetzt, im Sommer, ist er seinem Schatten voraus, dann hinterdrein, als wollte er ihn fangen, hofft nun auf fallenden Regen, auf Feuchte, die bei Luther und Paracelsus belegt sind.

Und jetzt, im Herbst, fallen ihm mit den Blättern Wörter zu, die von der Fron oder Fran, dem mitteldeutschen Frone und – ohne nachweislich gotischer Herkunft zu sein – von früher Bedeutung reden, als Fron noch für heilig, herrlich, für den Engel des Herrn als »fronebote« stand, aber mit zwischengemogeltem H zur Frohn der Arbeit führte, zur erzwungenen Frohn auf dem Frohnacker, zum Frohnbauern, dem Frohndienst der Knechte, die tagaus tagein ihren Herren frohnen mußten, weshalb Johann Elias Schlegel angesichts anderer Herrschaft rief: »hier frei sein gilt mir mehr als in palästen frohnen!«

Hingegen sagt Hippel, »obgleich ich eigentlich kein diener gottes, sondern des lieben gottes fröhner bin.« Und Jacob Grimm, der jahrzehntelang seine Arbeitskraft auf dem Frohnaltar des Wörterbuchs opferte, wird, als er nach längerem Lustwandel im Tiergarten nun auf dem häuslichen Schreibtisch alles sammelt, was vom Frohnbrot lebte, in seinem Zettelkasten voll einschlägiger Zitate einen Zettel finden, dessen Wortlaut ihn mit dem älteren der

Humboldtbrüder seufzen läßt: »gezwungen tag um tag zum sauren fröhnen der stier den pflug ins joch gespannet ziehet.«

Als ihm der Winter abermals zu weiß wehendem Atem verhalf, wird ihn spürbar Frost auf verschneiten Wegen begleitet haben. Sogleich weiterer Wörter sicher, rief er frigus und gelu, leitete gotisch frius ab. Dann jedoch meinte er, weil Schritt nach Schritt bewegt, den Frost kaum noch als Kälte zu empfinden und unterschied »leichten geringen frost« von »harter, grimmiger kälte«.

Sobald es leichtflockig zu schneien begann, beglückte ihn ein Flemingzitat: »es fiel ein sanfter schnee und ein gesunder frost.«

Aber im übertragenen Sinn war auch Voss zitierbar: »doch mag der jahre frost das jugendfeuer lindern.«

Zudem half der stets nach Neuwörtern süchtige Jean Paul, der für den ersehnten Frühling den »frostableiter« erfunden hatte.

Nur Hiob behauptete weiterhin: »vom odem gottes kompt frost…«

Erst auf dem Heimweg, als ihn Schlittschuhläufer erstaunten, die auf dem Luisenteich geschickt Figuren liefen – einige gefielen sogar als anmutige Paarläufer –, er aber dennoch bemüht blieb, weitere Wörter ins alphabetische Gefälle zu zwängen, setzte, wiederum frei nach Jean Paul, die Kälte »seinem herzen eine kleine frostbeule an«, so daß es ihn noch in seiner Gelehrtenstube fröstelte. Wilhelms Witwe und die immer besorgte Auguste ängstigten sich, weil er mit teils unsinnigen Sätzen auf bibbernden Lippen heimgekehrt war, die ihm in fieberfreiem Zustand kaum notierenswert gewesen wären, mir jedoch gefallen, zumal sie sich erweitern lassen:

Der Frauen Frohsinn machte ihn frösteln.
Wörter hingen frosterstarrt an Fenstern,
hinter denen es finster blieb,
denn im Verlauf der Kriegsfolgejahre
fehlte es an allem, nur nicht an Dauerfrost.
    Im Film wie im Leben: frostigen Abschied
geben die Liebenden sich.
    Die Freiheit fror, jetzt brennt sie in den Öfen,
schrieb ich, noch jung, ins Gedicht »Polnische Fahne«.
    Er blickte in des Fürsten Frostgesicht,
fand fingerreibend und von blauer Farbe
bei Hofe nur Fröstlinge vor.
    Und wiederum hieß es: Väterchen Frost
habe Mütterchen Rußland gerettet.
    Als aber der Winter
nicht enden wollte, sprach Kardinal Frings
von der Kanzel herab alle Kohlendiebe
von Sünde frei, worauf das frierende Volk fortan
jegliche Futtersuche – auch die fürs Feuer – »fringsen« nannte.
Dennoch erfroren Frauen und Greise,
starben unterkühlt Kinder, die, laut Statistik,
unter weiteren Frostschäden zu finden waren.

Jacob Grimm überlebte den Winter zweiundsechzig dreiundsechzig. Im Frühling schrieb der Verleger Hirzel begeistert, sein Sohn Heinrich, der kürzlich die Buchhändlerlehre in einem angesehenen Londoner Verlag abgeschlossen habe, ihm nun zur Seite stehe, sei bei schönstem Sonntagmorgensonnenschein mit eiligen Schritten ins Zimmer getreten und habe ein Manuskript hoch in der Hand gehalten, dessen Schriftzüge signalisiert hätten: »Neues zum Wörterbuch!«

Er dankte dem »lieben Grimm«, den er als Hofrat betitelte, »denn nun lebe er wieder auf und hoffe, dasz nichts mehr ins Stocken gerate.«

Jacobs Sendung nach Leipzig umfaßte die Stichwörter fränkisch bis Frauenwürde. Leider erkrankte bald danach Salomon Hirzel schwer, worauf sein Sohn, dem der Vater vorsorglich Prokura erteilt hatte, die Betreuung aller folgenden Lieferungen übernahm, so die, in der es von freibrüstig bis freiwüchsig ging. Im Mai trafen weitere Sendungen ein, die bis freudig reichten; frei und Freude gaben Sturzbäche Zitate her.

Dann aber war der Korrektor Hildebrand bettlägerig, worauf, was Hirzel befürchtet hatte, alles stockte. Ende Mai teilte Jacob seinem wieder genesenen Verleger mit: »krankheit und todesfälle sind sehr angreifend. ich habe im vorigen monat meinen letzten bruder zu Cassel verloren und bin von den neun kindern meiner eltern allein noch übrig.«

Inzwischen suchte Hirzel bei Goethe nach einem Zitat mit dem Wort frech und nach der Quelle für ein Schillerwort, das frei mit dem Gewissen verbindet. Der erste Beleg fand sich in Goethes »Claudine von Villa Bella«, einem Schauspiel mit Gesang, der zweite im fünften Akt des »Don Carlos«. In weiteren Briefen wurde über das Wetter geklagt.

Bei der nächsten Lieferung von freudig bis Friedstück mußte ein Setzer den immer noch kranken Korrektor ersetzen. Den Juni über, der verregnet war, weilte Hirzel in der Schweiz, wo es Geschäfte zu regeln gab. Auch dort regnete es immerfort. Nachdem eine Lieferung auf dem Postweg verlorengegangen zu sein schien, fand der Verleger bei seiner Rückkehr weitere Bögen, abschließend mit fromm.

Da Jacobs Schwägerin wieder einmal kränkelte, mußte die Reise in die erholsame Sommerfrische verschoben werden. In einem Nachtrag lieferte er Belege zum Stichwort Frevel und bat um weitere Korrekturbögen.

Inzwischen hatte sich der verloren geglaubte Bogen gefunden. Und Anfang August 1863 lagen die Belegexemplare der ersten Lieferung des vierten Bandes vor; es sollte die letzte sein, die Jacob Grimm vollenden konnte.

Danach geht es bergab. Er fährt nun doch mit Wilhelms Witwe und Tochter für mehrere Wochen in die Ferien, kommt Anfang September aus dem Kurort Suderode zurück und wird wenige Tage später von einem Gallenfieber befallen. Blutegel werden angesetzt. Aber das Fieber will nicht sinken. Seiner Nichte Auguste diktiert er einen letzten Brief an Hirzel in die Feder, in dem er die abermalige Verschleppung der Arbeit am Wörterbuch bedauert. Auch tue es ihm leid, daß aus der Reise nach Meißen und weiter nach München zu den Philologen und Historikern nichts werden könne. Er, der sein Leben lang gerne auf Reise ging, doch aus der Ferne Sehnsucht nach Hessens Wäldern empfand, wollte noch einmal...

Plötzlich scheint Besserung einzutreten. Das sagen die Ärzte. Er ißt mit Appetit, steht auf, zieht Bücher aus Regalen, blättert darin, stellt zurück, sitzt farbig gekleidet am Schreibtisch, füllt Zettel mit kratzender Feder, kramt im Zettelkasten, ist wenige Tage lang fleißig, bis ihm ein Schlagfluß die rechte Seite lähmt.

Am Abend des 20. September hört er zu atmen auf. Neben seinem Bruder wird er begraben. Zwischen Trauergästen bin ich dabei und sehe voraus, wie schon auf Wilhelms Grabstein wird auch auf seinem schlicht zu lesen sein: »Hier liegt Jacob Grimm.«

Bis zum Schluß hat er am Buchstaben F gearbeitet. Dabei kam er zum Stichwort Frucht, einem aus dem Lateinischen entlehnten Wort, das althochdeutsch fruht lautete, im Plural frühte. Bald aber ist es die Frucht des Baumes, sind es Feldfrüchte, die er sammelte. Und wie einst, zitiert aus Parzival, »ein muoter ir fruht gebirt«, so zielte man später auf des Feindes Nachkommen: »an ihren früchten sollt ihr sie erkennen...«

Reife, faule, fallende.
Immer bedroht vom Anflug der Fruchtfliege.
Früchte, die vom Himmel fallen, die Himmelsfrucht,
und Lesefrüchte, zu Zitaten geschrumpft.
　　Schiller sah goldene Früchte glühen,
Gottsched sprach von den Früchten des Glaubens,
Uhland bat: »laß mich genießen meiner arbeit frucht.«
Gebenedeit, hörte Maria,
sei die Frucht deines Leibes.
Dennoch schnitten Söldner, wie Gryphius verbürgt,
inmitten des dreißig Jahre währenden Krieges
ungeborene Frucht aus schwanger gerundetem Bauch.
　　So geschah Fürchterliches wieder und wieder,
doch vergebens riefen die Mahner:
der Schoß ist fruchtbar noch...
Und Ceres, die Fruchtgöttin weinte,
als Felder verwüstet wurden,
Fruchtfolge ausblieb.

Und was noch Folgen hatte, weil sich auf jedem
der schutzverheißenden Gipfel
der Herren Gerede als fruchtlos erwies.
Schon begann die eine, die nächste Fruit-Company,
genveränderte Frucht anzubauen: verbotene Frucht,
die Früchte des Zorns.

Von keinem Leichenschmaus wird berichtet. Nach Jacobs
Tod gab Wilhelms Witwe die Wohnung in der Linkstraße
auf. Beide Gelehrtenstuben entleert. Wer erbte die Feder-
kiele, wer die Stahlfeder? Was geschah mit den vieltausend
Büchern, den Zettelkästen?

Dorothea Grimm, geborene Wild, starb nach wenigen
Jahren. Sie durfte oder wollte nicht liegen, wo die Brüder
lagen. Die Tochter Auguste blieb unverheiratet, desgleichen der als Jurist tätige Sohn Rudolf. Da aus der Ehe des
Kunsthistorikers und Philologen Herman mit Bettines Tochter Gisela keine Kinder hervorgingen, kam der Nachlaß der
Brüder Grimm nach und nach an den preußischen Staat.

Herman hat später die Arbeit am Wörterbuch als wissen-
schaftlich überholt abgetan, bedürftig gründlicher Neufas-
sung. Man belächelte den vergeblichen Fleiß. Nicht aufhören wollte die Mäkelei. Dem Berliner Tiergarten jedoch
wird mit seinem dem Alphabet folgsamen Baumbestand,
vom Ahorn bis zur Zypresse, der Lustwandler Jacob und
dessen Bruder gefehlt haben. So wie nun ich auf einer
Bank gegenüber der Rousseauinsel auf die Brüder warte, sie
ohne Echo mit Stichwörtern locke, dem L den Laut, das
Leben abgewinne, es zur Liebe überrede, leise Kinderlieder
lalle: Lirum larum Löffelstiel, dann aus nie und nimmer-
mehr, das in Märchen zu finden ist, auf niemals komme, auf

niedrig, den Niederschlag, die Niederlage, die den Grimms im Plural geläufig gewesen ist; wie ich Niederlagen gesammelt habe, mich durch Niederlagen beleben ließ, was auch von den nächsten zu hoffen bleibt.

Oder ich versuche es mit dem übersprungenen Buchstaben I, dem höchstlautenden der Vokale, rufe »Ia!«, wie der Esel ruft, dann »Jajacob!«. Ich imaginiere ihn, zitiere ihn mit von I-Pünktchen verzierten Sätzen herbei, komme von Jammer auf Jubel; und schon ist mir, als sitze er neben mir auf der Tiergartenbank.

Ich rede auf ihn ein, will ihn ermuntern. Es geht ja weiter, sage ich, auf Hirzel ist Verlaß, gleichfalls auf Hildebrand, der nicht vom K abläßt. Und Weigand, treu ergeben seinem Idol, wird sich bestimmt an die Kleinschreibung, an alle anderen strengen Vorgaben halten und sogleich nach der letzten Eintragung Frucht beim F bleiben. Matthias Lexer, im Mittelhochdeutschen bewandert, wird bald hinzukommen. Und alle sind euch, den Brüdern Grimm, den Grimmbrüdern, Grimms, den Urhebern ergeben bis hin zum Semikolon nach jedem Zitat...

So war es: die Arbeit wurde fortgesetzt, wenn auch zögerlich, was den vierten Band betraf, der erst fünfzehn Jahre nach Jacobs Tod erschien; doch immerhin wird unterhalb der 259. Spalte und dem Stichwort Frucht mit einer kleingedruckten Fußnote seiner gedacht: »mit diesem worte sollte Jacob Grimm seine feder von dem werke leider für immer niederlegen. das übrige bis zu ende des so weit geführten buchstabens ist meine arbeit.«

Unterzeichnet hat diesen einzigartigen Nachruf Karl Weigand, sein blindlings folgsamer Fürsprecher. Der ihm anvertraute Band geht vom F zum G über, dem gelinde stummen Kehllaut, der die Mitte einnimmt zwischen dem härteren K und dem mit Hauch gesprochenen CH.

Hirzel hatte nach Jacobs Tod offenbar keine Bedenken, den erklärten Antisemiten als Mitarbeiter zu gewinnen. Vielleicht, weil ihm dessen Polemiken gegen den Wörterbuchkritiker Daniel Sanders nicht nur verjährt erschienen, sondern weil Weigand wie Hildebrand, nunmehr im Wettstreit miteinander, bereit waren, dort, wo sich Sanders' Kritik als berechtigt erwies, diese zu berücksichtigen. So wurden als Zitatspender Autoren aufgenommen, die Jacob übersehen oder mißachtet hatte.

Der Verleger schätzte auch Weigand als »gelehrtes Haus«, der, mit Hildebrand übereinstimmend, in der Einleitung zum Buchstaben G darüber klagte, daß die im 16. Jahrhundert beliebte Schreibung von bergk und burgk späterhin zwar zu recht ausgemerzt und so die »häszliche schreibung« bekämpft wurde, »doch hätte man das g auswerfen sollen, nicht das richtige k.«

Spaltenlang geht es weiter bis zum gedoppelten g in dogge, baggern, flagge, um dann auf gaban als erstes Stichwort zu kommen, das Regenmantel aus Filz bedeutet und noch heute als Bekleidung bekannt, doch kaum sprachüblich ist.

Später führt der Buchstabe zu allem, was der vorlautenden Silbe ge folgt. Nach dem Heinezitat »o ich kenne das geflunker künftiger unsterblichkeit« und Geflüster, wozu sich Pappelgeflüster, zudem – nach Schiller – Schauernachtgeflüster gesellen, seien noch zwei verschollene Wörter als Eintragungen genannt: Geflüte und Geflützert. Dem schließt sich Gefolge mit eineinhalb Spalten Einführung an, darin das Goethe-Zitat »die wohnungen der gesandten und ihres gefolges«, mit eher kurzem Schwanz von Folgewörtern wie Gefolgschaft, Gefolgschaftsführer und Gefolgsmann, die mir, sobald mich meine jungen Jahre einholen, schrecklich geblieben sind, weil ihnen zufolge auch ich als gefolgstreuer Hitlerjunge auf Gefolgschaft bis in den Tod eingeschworen wurde.

Schnell setze ich deshalb zum Sprung an vom G, dem vier Bände kaum genug sein wollten, über die vernachlässigten Buchstaben H, I, J, entferne mich vom Galgen, gotisch galga und redensartlich, »wer zum galgen geboren ist, ersäuft nicht«, komme abermals dem K nahe, um das sich nach wie vor Hildebrand kümmert, der mittlerweile beim Stichwort Knoten ist, wozu mir eine Geschichte taugt, die erzählt werden will, nicht nur weil sie anschaulich vom Galgen und vom Knoten zugleich handelt.

Es ging um ein Monster. Dessen Gesicht wurde auf Mattscheiben, Fotos, schwarzweiß oder farbig, in einigen Regionen unseres globalen Dorfes sogar als Poster überliefert. Er, überlebensgroß. Wo immer er auftrat, sah ihn die Welt. Wie er Hände schüttelt, Kinderköpfe streichelt, Paraden abnimmt, mit einer güldenen Maschinenpistole beschenkt wird, sich selbst als Denkmal einweiht.

Freunde und Feinde sind darin einig: er ist fotogen. Selbst später noch, als man ihn aus einem Erdloch zieht, gibt er struppig und ungewaschen ein Bild ab. Desgleichen, doch nunmehr gepflegter, wie er als Massenmörder vor Gericht gestellt ist und das Böse zu verkörpern hat.

Als er aber zuletzt, und nachdem das Urteil verkündet worden war, keine verhüllende Kapuze tragen will, also ungeschützt auf die Falltür starrt, kommt nicht er unterm

Galgen ins Bild, sondern ergeben der Strick als Schlinge und darüber der mächtige Knoten ein Stilleben.

Was sich, weil gegenständlich und faßbar, eingeprägt hat: Galgen, Strick und Knoten waren sehenswerter als sein verbrauchter Anblick.

Zwar kannten wir diese Dreieinigkeit aus Wildwestfilmen, in denen Pferdediebe, Bankräuber und sonstige Revolverhelden an Galgen oder Bäumen – bei Luther noch »grüner galgen« genannt – gehängt werden, aber diesmal kam uns der Knoten besonders vor: anschaulich zu massiver Größe, zum Kunstwerk, zum absoluten Knoten getürmt. Der war nicht geknüpft worden wie jener, von dem es in Lessings »Minna« heißt, »als ob der knoten sich nicht von selbst bald lösen müszte«.

Deshalb stellte sich manch einem – und mir gewiß – die Frage, wem sonst noch außer Saddam könnte ein so kunstvoller Knoten samt Schlinge als Halsschmuck zugedacht werden? Wer außer Saddam hätte ihn verdient? Etwa all jene, die ihm, weil dem Ölgeschäft dienlich, die Hände geschüttelt, ihn mit Waffen aller Kaliber aufgerüstet, zudem mit Giftgas und sonstwie wirksamen Chemikalien versorgt haben, damit er den nachbarlichen Feind, der vor Saddam als das Böse ins Bild kam, besiegen möge?

Da wir uns aber nach so viel Tod im Namen der Freiheit mit dem einen Erhängten zufrieden gaben und im Prinzip, weil mittlerweile gesittet, gegen den Vollzug der Todesstrafe sind, erschraken wir heftig, als bald nach der Vollstreckung des Urteils drei Kinder sich selbsttätig erhängten. Davon stand beiläufig in den Kurznachrichten zu lesen: Knoten, Strick und Schlinge wurden, wenn auch weniger kunstvoll geknüpft, von Jugendlichen nachgeahmt.

In Houston, Texas, nahm sich ein Zehnjähriger an dem, was Amerikas Fernsehen an beweglichen Bildern zu bieten gehabt hatte, ein Beispiel und opferte sein Leben stellvertretend für seinen feixenden Präsidenten. Neun Jahre alt war ein Junge aus Pakistan, der sich die Schlinge unter dem Knoten um den Hals legte. Und nicht älter als zwölf wurde ein Knabe in Saudi-Arabien. Beide folgten ihrem Idol.

Kein Foto zeugt davon. Namenlos alle drei. Mehr oder weniger geschickt werden sie den Knoten geknüpft, die Schlinge gelegt haben. Dann sprangen sie vom Tisch, Stuhl oder Eimer, hingen jeder für sich.

Nach dem Knoter, wie man vormals einen Kapuzinermönch mit Knotenstrick um die Kutte nannte, folgte die Pflanze Knöterich und bald das Knötlein. Schneller als Weigand mit dem vierten Band kam Hildebrand mit dem fünften zu Rande. Er reicht von K bis Kyrie, schloß also den Knoten zum Galgenstrick ein, zu dem ihm noch Jacob einen Zettel hatte zukommen lassen, auf dem es aber nur mit einem Voss-Zitat nach Virgil um den Haarknoten ging.

Und andere Stichwörter wurden, während er noch dabei war, das F zu melken, nach Leipzig geliefert. Er fütterte Hildebrand sozusagen, so daß ich Grund habe, abermals den älteren Grimmbruder auf eine Tiergartenbank zu bitten, ihn halblaut zu beruhigen: er könne sich auf den Korrektor verlassen. Mit ihm bleibe jemand dem Wörterbuch verbunden, den man als Ziehsohn der Grimms ansehen dürfe. Treu ergeben und doch kritisch habe er mit seinem Vorwort zum K-Band Anhänglichkeit bewiesen. Jadoch, peinlich genau folge er der von den Brüdern verordneten Kleinschrift. Auch bleibe es beim sz beim kusz. Allerdings lasse er sich von Personen anregen, die in zurückliegender Zeit mit ihren Wörterbüchern Vorarbeit geleistet hätten und die Jacob abgetan habe, etwa Schottel und Adelung. Er, Rudolf Hildebrand, sehe sich selber als Philologe, wolle aber nicht als Germanist gelten, vielmehr stehe bei ihm zu lesen, »germanistik, germanist ist und bleibt mir barbarisch«. Auch halte er nicht viel davon, jedem Wort Herkunft aus dem Latein, noch früher, aus dem Sanskrit nachzuweisen. Ausdrücklich berufe er sich auf Menschen, »die ihr geburtsjahr nicht wissen, ohne an ihrem werte das mindeste einzubüssen«.

Ich weiß nicht, ob es mir gelang, meinen Banknachbarn zu beruhigen. Jacob schwieg vor sich hin, wollte nur als Zuhörer anwesend sein. Also redete ich auf den Verstummten ein, indem ich von Hildebrands Übereinstimmung mit den Grimmbrüdern berichtete und das von ihm genutzte Goethe-Zitat wiedergab: »so sehr zu wünschen ist, dasz uns der ganze deutsche sprachschatz durch ein allgemeines wörterbuch möge vorgelegt werden, so ist doch die praktische mittheilung durch gedichte und schrift sehr viel schneller und lebendig eingreifender.«

Um diese These zu stützen, hat sich der Korrektor und nunmehr Herausgeber auf Jean Paul berufen, »man könnte aus Fischarts werken allein ein wörterbuch erheben«, weshalb denn auch, fügte ich hinzu, in der Grimmschen Ansammlung so häufig aus dessen Gargantuaübersetzung und in Nachfolge aus dem Simplicissimus des Grimmelshausen zitiert werde.

Mein Banknachbar reagierte immer noch nicht. Er saß wie von Ludwig Emil in Kupfer gestochen: schön im Profil. Nur als ich beiläufig erwähnte, daß Hildebrand nicht bei

Goethe und Schiller Schluß mache, sondern Zeitgenössisches, sogar Heinrich Heine zitiere, glaubte ich, ein jähes Erschrecken an meiner Seite zu bemerken. Kurz danach saß ich allein, hörte aber nicht auf zu brabbeln, sinnlos, umsonst, allenfalls tauglich als Lebensbeweis.

Rudolf Hildebrand beschließt sein Vorwort zum Buchstaben K mit einem Bekenntnis zu Goethes »gegenständlichem denken« anstelle des »krankhaften abstracten denkens«. Er beruft sich zugleich auf Jacob Grimm, der »in seiner grammatik den weg jenes gegenständlichen denkens auf dem sprachgebiete« betreten habe. Dann aber spuckt ihm das Zeitgeschehen in die Suppe, jedenfalls verschlägt ihm die Politik das »gegenständliche denken«. Zwei Jahre nach der Reichsgründung schreibt er: »das wiedererstehen der nation hängt in der that an dem gedeihen und der wirkung der deutschen philologie überhaupt und nicht am wenigsten unseres werkes. Staatskunst und kriegskunst und tapferkeit haben endlich dem kranken und verkümmerten baume der nation wieder spielraum und luft und licht geschaffen.«

Das wäre Jacob kaum aus der Feder geflossen. Oder doch? Hätten sich die Grimmbrüder über die von ihnen oft beteuerte Liebe zum Vaterland hinaus dergestalt hinreißen lassen, jene kurz nacheinander der Reichsgründung dienlichen Kriege zu preisen, die nach Bismarcks Willen gegen Dänemark, Österreich und Frankreich geführt wurden?

Ich weiß keine Antwort, will aber das Stichwort Krieg im K-Band des Wörterbuchs suchen: gleich nach Kriechsucht ist es zu finden.

Anfangs steht es für kriegerisches Werkzeug, etwa für die Spannbank der Armbrust, dann erst für bellum, ist aber in germanischen Sprachen nicht nachzuweisen. Erst im »Tristan« und anderen mittelalterlichen Versdichtungen wird kriec im Sinn von Widerstand geschrieben. Oft meint es Zweikampf, »krieg bis aufs messer« und Wettstreit jeder Art, so den Sängerkrieg auf der Wartburg. Ehezwist wird zum Ehekrieg.

In früher Zeit ist noch, wenn es kämpferisch gegeneinander zugeht, von urliuge, auch orleuge und orloch sowie orlog die Rede. Doch dann setzt sich der Krieg als Kriegswesen durch. Mit ihm wird ein Land überzogen. Er nährt sich selbsttätig. Man kann zu ihm hetzen, ihn entfesseln, in ihm sein, ihn wie gewöhnlichen Streit vom Zaun brechen. Es heißt: »krieg ist bald gemacht, aber langsam geendet«. In Schillers »Wallenstein« besteht die Absicht, »den krieg zu tragen in des kaisers länder«. Religionskriege gibt es, den Freiheits- oder Befreiungskrieg, Angriffs- und Verteidigungskriege, nicht zu vergessen: Erbfolgekriege. Mangelt es an äußeren Feinden, bieten Bürgerkriege Ersatz.

Er findet im Gebirge, zwischen Schiffen, auf der Krim, zur Zeit in Afghanistan statt. Vom kleinen Grenzkrieg weitet er sich zum Weltkrieg. Es heißt: »der krieg verschlingt die besten.« Wortstreit kann zum Wörterkrieg führen. Mit jemandem auf Kriegsfuß stehen. Wie man der Liebsten die Liebe, kann man dem Nachbarn über die trennende Hecke weg den Krieg erklären. Und nach Luther war es »ein wünderlich krieg, da tod und leben rungen. das leben behielt den sieg, es hat den tod verschlungen.«

Auch ist der Krieg nach Urteil der Vorsokratiker der Vater aller Dinge und nach Clausewitz die Fortsetzung der Politik mit anderen Mitteln. Ich aber will alles, was im Wörterbuch ferner dem Krieg anhaftet, überspringen, nur kurz auf jenen Krieg kommen, der mich trotz der von Rudolf Hildebrand gerühmten Kriegskunst das Fürchten lehrte, dann aber sogleich auf Kriege, die bis in die Gegenwart reichen und nicht enden wollen, zumal der Frieden, das andere Stichwort, dem Jacob Grimm noch Sorge getragen hatte, nur immer zwischen den Kriegen fristet.

Ich überlebte zufällig. Und nach dem Abwurf von Atombomben auf zwei japanische Städte, einem weiteren Kriegsverbrechen, das jedoch nicht zählen durfte, weil von Siegern verübt, sollte endlich Frieden die Welt beglücken.

Bald begann aber der Kalte Krieg, den der heiße in Korea begleitete. Die Großmächte zettelten Stellvertreterkriege an. Im Nahen Osten haben mehrere Kriege, darunter Blitzkriege, nur eingefleischten Haß genährt, doch weder Israelis noch Palästinensern Frieden gebracht. Und als der Staat Jugoslawien auseinanderbrach, sahen die kriegsmüden Europäer zu, wie Serben und Kroaten einander bekriegten und die Serben dabei, wie beiläufig, ihre Nachbarn moslemischen Glaubens abschlachteten.

Zuviel geschah gleichzeitig. Kaum hatte sich mein Land, das kriegsbedingt vierzig Jahre lang geteilt war, auf dem Papier geeinigt, ging es fernab wieder einmal ums Öl, was zum Krieg führte, der wiederholt wurde. Golfkriege, in deren Verlauf ferngelenkte Raketen meistens trafen; was danebenging, wurde als Kollateralschaden verbucht.

Gegen diese Kriege sprach sich Ohnmacht in Protesten aus. Auch ich schrieb gegenan, wiederholte Klagegesänge, Jeremiaden, der Literaten vergebliche Wehrufe. So im Jahr 2003, als ich vor neuer Kriegsgefahr in der Golfregion mit einem Matthias-Claudius-Zitat warnte:

»'s ist Krieg! s' ist Krieg! O Gottes Engel wehre,
Und rede Du darein!
's ist leider Krieg – und ich begehre
nicht schuld daran zu sein!«

Und im Mai des Jahres 2006 sprach ich vor den Kongreßteilnehmern des Internationalen P.E.N. in Berlin. Im Verlauf der Rede, die zwangsläufig den anhaltend mörderischen Krieg im Irak zum Thema hatte, zitierte ich aus dem
Gryphius-Sonett »Threnen des Vatterlandes« und danach aus
Martin Opitz' »TrostGedichte in Widerwertigkeit deß Kriegs«:

»Die grosse Sonne hat mit jhren schönen Pferden
Gemessen dreymal nun den weiten Kreiß der Erden
Seit daß der strenge Mars in vnser Deutschland kam
Und dieser schwere Krieg den ersten Anfang nahm...«

Darauf folgten Zeilen von Simon Dach:

»Wo laß ich, Deutschland, dich?
Du bist durch Beut vnd morden
Die dreissig Jahr her nun
dein Hencker selbst geworden...«

Gryphius, Opitz, Dach: lauter Barockpoeten, die mir nahe
sind und schon nach dem Willen der Brüder Grimm fürs
deutsche Wörterbuch ein Füllhorn Zitate, um nicht zu
sagen, ihr Herzblut hatten spenden müssen. Im Mittelpunkt
meiner Rede jedoch stand ein Appell, den der mir beispielhaft anstößige englische Schriftsteller Harold Pinter bei
der Vergabe des Literaturnobelpreises hatte laut werden
lassen: »Wie viele Menschen muß man töten, bis man die Be-

zeichnung verdient hat, ein Massenmörder und Kriegsverbrecher zu sein?«

Pinter sprach vom Irak-Krieg, von gegenwärtigen und zurückliegenden Schandtaten der USA und über das heuchlerische Zählverhalten des Westens, den »Body count«, dem nur die eigenen Toten wichtig sind. Er spuckte aus, was jeder wußte, aber nur wenige zu sagen wagten.

Umsonst, »für die Katz«, um beim K zu bleiben. Seine Rede wie auch meine verhallte. Und was gehört wurde, ging im alles zerfasernden Geschwätz unter.

So auch mein Essay »Freiheit nach Börsenmaß«, den ich im Mai 2005 schrieb und der die gegenwärtige Krise als soziale Kälte vorwegnahm: »Nicht der Bundestag, sondern die Pharmaindustrie und die von ihr abhängigen Verbände der Ärzte und Apotheker entscheiden darüber, wem die Gesundheitsreform nützlich, aus ihrer Sicht gewinnbringend zu sein hat. Anstelle der Sozialverpflichtung des Eigentums gibt sich Profitmaximierung als Grundwert aus. Die freigewählten Parlamentarier fügen sich dem landesinneren wie globalen Druck des Großkapitals. So richtet man zwar nicht den Staat – der hält viel aus – wohl aber die Demokratie zu Grunde.«

Und weil mich mit dem soeben Herbeizitierten wiederum der Buchstabe K grüßt, der im Grimmschen Wörterbuch einen Band füllt, will ich beim Kapital und dessen Ausgeburt als alleinseligmachender Religion, beim Kapitalismus bleiben. Beide Stichwörter sind in dem noch von Jacob Grimm besorgten zweiten Band zu finden. In ihm ist das C dem Capital vorangestellt. Und um den vom Capital abgeleiteten Capitalisten zu stützen, werden dort die Sorgen des armen Lessing, den zeitlebens Spielschulden drückten, weil er an keinem Casino vorbeikam, durch ein Zitat vertreten: »was sind so einem capitalisten tausend thaler?«

Da aber schon Marxengels im »Manifest der Kommunistischen Partei« Abschied vom C nahmen, schreiben wir Kapital und Konsum. Seitdem gibt es die Konkurrenz und den Klassenkampf. Und zur Zeit erleben wir den Kassensturz des Kasino-Kapitalismus wie einen Kreuzweg mit allen Stationen bis hin zur profitverheißenden Auferstehung.

Die Kinder schon spielen Monopoly
und nehmen sich ein Beispiel.
Als nämlich der Kommunismus
sich selbsttätig liquidiert hatte,
einzig K-Gruppen als Sekten kümmerten,
herrschte nur noch das Kapital,
indem es sich in Konzernen konzentrierte,
kapitalflüchtig verkrümelte,
schließlich wundersam von faulen Krediten nährte.
    Das konnte, sagte man hinterher,
auf Dauer nicht gutgehn.
Nun kollabiert er, wie vormals
der Kommunismus und mittlerweile
der kanonisierte Katholizismus.
    Seitdem verdienen Konkursverwalter.
Kauflaune vergeht, und eine Krise
küßt die nächste wach.
Gleich krummen Kräuterweibern
befragen Kommentatoren den Kaffeesatz
nach künftigen Katastrophen.
Wissen wollen sie, was nach dem Kapitalismus kommt
und wer uns, bei verändertem Klima,
künftiges Heil verspricht.

Als Rudolf Hildebrand im fünften, hernach als elften gezählten Band des Grimmschen Wörterbuchs den Buchstaben K einführte, sagte er ihm nach, er sei »der harte stumme kehllaut« und stehe »im verhältnis zu C, seinem nebenbuhler«. Außerdem habe das K »das schicksal gehabt, an den ihm zukommenden stellen nicht durchdringen zu können oder wieder davon verdrängt zu werden«, etwa vom G.

Doch dieser Buchstabe fand erst später, viel später seine Bearbeiter: hundert und mehr Spalten allein zum Stichwort Geist, zu Grün und mehr noch zu Gott. Den Wortstrecken war kein Ende abzusehen. Wer würde auf längere Sicht lüstern aufs L sein? Wen könnte das N vom Nabel auf die Null bringen? Wer traute sich zu, das T durch Tür und Tor zu tragen? Ab wann durfte das R auf Rache sinnen und mit Ruhm rechnen? Wer konnte dem O opfern, das P pfänden, mit dem S Siege feiern und Sauflieder singen? Wem würde das Q Quelle sein? Wem war das U zuzumuten? Wessen Wissen würde dem W nicht weichen wollen, und wer nicht zögern, mit dem Z zügig zum Ziel zu kommen?

Das und noch mehr mochte sich der Verleger Salomon Hirzel fragen, als ihm Jacob Grimm weggestorben und vieles noch ungetan war.

UNGEZÄHLTE KUCKUCKSRUFE

Nach Jacobs Tod geschah lange nichts, außer daß als Nachweis dreier Kriege, die zur aus Blut und Eisen geschmiedeten Einheit Deutschlands führten, die Namen tausender Soldaten in steinerne Gedenktafeln gemeißelt wurden, die noch heute in dänischen und österreichischen, in französischen und deutschen Stadt- und Dorfkirchen zu finden sind, hier wie dort namentlich von den Daten der Gefallenen folgender Kriege ergänzt; hinzu kamen Massengräber und besondere Friedhöfe, auf denen Grabkreuze weithin in Reih und Glied stehen. Besucher finden diesen letztmöglichen Ausdruck militärischer Ordnung auf den knochenhaltigen Schlachtfeldern beider Weltkriege, die allein deshalb als Landschaften sehenswürdig sind und zum Fotografieren oder stummen Verharren einladen.

Doch nahezu unberührt vom waffenklirrenden Zeitgeschehen, und selbst wenn es den Anschein hatte, mit Jacobs Weggang habe das spaltenlange Flüstern und Wispern aufgehört, mit ihm sei die Lust an Vokalen und Konsonanten für immer geschwunden, mehr noch: mit ihm habe die Pflege deutscher Sprachdenkmäler aus längst abgelebter Zeit ihren obersten Fürsprecher verloren, ging dennoch die Suche nach Wörtern und sie jeweils stützenden Zitaten weiter.

Es stimmt: dem Kalender zufolge verrann darüber viel Zeit. Wie ja zuvor schon der Zeit nichts blieb, als zu verrinnen. Das tut sie unentwegt. Um ihrer habhaft zu werden, wird sie datiert. Deshalb steht fest: erst 1878, nach der großen Bankenkrise, dem Gründerkrach, der neue Wörter wie

Aktiensturz, Börsenfieber, Kursverfall, Konkurs und Pleite in Mode brachte und zeitgleich per Gesetz die Unterdrückung der Sozialdemokraten begann, erschien im Hirzel-Verlag die erste Abteilung des vierten Bandes von Forschel bis Gefolgsmann, für die, neben Karl Weigand und Rudolf Hildebrand noch Jacob Grimm als Bearbeiter vermerkt ist. Die zweite Abteilung von Gefoppe bis Getreibs kam annähernd zehn Jahre später, die dritte von Getreide bis gewöhniglich im nächsten Jahrhundert, die vierte von gewöhnlich bis gleve erst 1949, die fünfte von Glibber bis Gräzist ein Jahrzehnt danach auf den Buchmarkt. Die sechste hingegen, weil außer der Reihe zwischengeschoben, die von greander bis Gymnastik reicht, war schon im Jahr 1935 fertig zum Druck.

Doch nebenläufig, und weil keiner der übersprungenen Buchstaben auf Dauer mißachtet werden wollte, wurde im Jahr 1877 in einem Band alles was sich zum H, I, J gefunden hatte, ausgeliefert. Der Band fünf aber, für den ausschließlich jener Rudolf Hildebrand zeichnete, der bereits zu Jacobs Zeit als Korrektor aufs K versessen gewesen war, hatte schon zweiundsiebzig die verbliebenen Freunde des Wörterbuchs beglückt.

Zugegeben: viel Durcheinander, dem noch weitere Wirrnis beizufügen ist, vergaß ich doch zu erwähnen, daß der Band sechs, der sich der Buchstaben L und M annehmen sollte, im Jahr fünfundachtzig des neunzehnten Jahrhunderts käuflich erworben werden konnte; in ihm wird das Stichwort Märchen viel zu kurz abgehandelt.

Welch Kreuz und Quer bei chronologischem und scheinbar folgerichtigem Verlauf datierter Geschichte. Die Buchstaben tanzten aus der Reihe. Ihre Sprünge folgten keinem Muster. Die übersprungenen Wortstrecken beeilten sich nicht. Nachzügler gab es und Vorläufer, die der Abfolge des Alphabets spotteten. Allgemein ging es absurd zu. Denn gleichzeitig ermunterten Friedensschlüsse zu neuen Schlachten, sollten Mietskasernen Antwort auf die »Soziale Frage« geben, gab sich Rückschritt als Fortschritt aus, feierten sangesfrohe Stammtischbrüder den Sieg über die aufständischen Boxer im fernen China. Hochgestimmt verlangten sie nach Kolonien und einer Kaiserlichen Flotte. Indessen wurde die Menschheit mit Glühbirnen, Telegraphenmasten, dem Dieselmotor beglückt.

Und weiterhin spuckte die deutsche Chronik zeitraffend Daten aus: Während vom Buchstaben F zum letzten dem G angehörigen Wort annähernd ein Jahrhundert verging, über dessen Verlauf Dutzende Wörterklauber, Stichwortbetreuer und Zitatenfahnder wegstarben, der Verlag aber weiterhin Hirzel hieß, veränderten zwei weltumfassende Kriege beinahe alles und doch nicht genug, schwand Bismarcks Kaiserreich, ließ aber seine Beamten zurück, scheiterte eine Revolution an sich selbst, verkam elend die Weimarer Republik, hielten die Schrecken des Tausendjährigen Reiches zwar nur zwölf Jahre lang an, blieben aber spürbar bis heute, und entpuppten sich aus den Trümmern des Reiches zwei deutsche Staaten, die jeweils entschieden anders sein wollten, weshalb sie nichts Gemeinsames erlaubten außer der lautlosen, weil stillschweigend nur Papier bewegenden Arbeit einiger in Ost und West tätiger Stubenhocker am immer noch nicht vollendeten Grimmschen Wörterbuch, zu der die letzten Eintragungen zum G, alles zum S und zum T, ferner zu den Buchstaben V und W, vorauseilend zum Z gehörten: Z wie Zeit. Wortwörtlich ging es weiter, bis nichts mehr fehlte oder zu fehlen schien.

Davon später. Ich muß mich zurücknehmen. Noch besteht Rudolf Hildebrand darauf, mir seine Anhäufung von Wörtern zu präsentieren, die alle vom K angeführt werden: Kaserne, Kelle, Kitzel, Kohle, Kummer, sowie Kirche, Kinder, Küche. Er ließ nichts aus. Geschult an Jacob, gab er sich pingeliger als sein Lehrer. Und doch reizt es mich, zwischen seine K-hörigen Funde und spaltenlangen Ausführungen über Kroppzeug, Kröpel, den Kropf, einige Fundsachen aus meiner Zeit weil zu setzen: Das Kartellamt. Die Kapitalerhöhung. Den Kampf um Kunden. Die Kernspaltung. Den Klimawandel. Das Konsumverhalten der Konsumenten. Dazu die Knüppelgewalt, den Kommissar und Kriminalrat, Kimme und Korn, schließlich als Stichwort den Eigennamen Kurras, Karl-Heinz.

Aber bevor ich auf ihn und seinen zielgenauen Kopfschuß komme – datiert auf den 2. Juni 1967 –, verlangt eine schlingernde Vor- und Nachgeschichte danach, erzählt zu werden. Sie begann zwei Jahre zuvor und setzte sich eigenmächtig fort. Sie betraf mich und sorgte anfangs für kurzlebigen Klamauk in Westberliner und bundesweit lärmenden Zeitungen.

Es geschah im September und ging eher ums Kokeln als um eine Feuersbrunst. Kaum Sachschaden. Nur Brandspuren blieben zur Erinnerung.

Zum zweiten Mal kandidierte Willy Brandt für das Amt des Bundeskanzlers. Kurz vorm Wahltermin kam ich aus Cloppenburg, dem Ort meiner letzten Veranstaltung zurück, ziemlich bekleckert, weil mich geworfene Eier, die im schwärzesten Wahlkreis der Republik billig zu haben waren, zum Schweigen bringen wollten, was nicht gelang: Mich kriegt ihr nicht klein!

Es war die letzte aller Reden, die ich zwischen Passau und Flensburg zum Schlußpunkt gebracht hatte. In Cloppenburg und Umgebung, inmitten einer Region, in der sogar die schwarzweißgefleckten Kühe katholischer Konfession waren, gab es viele Geflügelfarmen mit Käfighaltung, entsprechend groß ergab sich der Überschuß an Eiern von genormtem Kaliber.

Zu Hause angekommen, fiel ich im Friedenauer Klinkerhaus in schachttiefen Schlaf und mag im Traum noch in volle, rauchverhangene Säle hinein geredet, geredet, Zwischenrufe schlagfertig beantwortet, um jede noch unschlüssige Stimme gekämpft, das letzte Wort gehabt haben, als mich Geschrei weckte: »Es brennt!«

Nur die Haustür zum hölzernen Windfang. Oder hintergründiger gesagt: äußerlich wahrnehmbar stand nur die Haustür in Flammen. Gute Freunde, Ulli und Herta Härter, die auf Besuch bei uns Quartier genommen und als erste den bis ins Dachgeschoß steigenden Qualm bemerkt hatten, löschten den Brand in kurzer Zeit.

Indessen wurden die Kinder wach, stellten Fragen, die kaum oder nur vage beantwortet wurden. Eine zerscherbte Flasche und verschmurgelte Lappen wiesen auf Brandstiftung hin. Das sagte der Brandmeister der Feuerwehr, die, von Nachbarn herbeigerufen, schneller kam als die Polizei. Zuvor schon hatte es Drohbriefe, anonyme Anrufe gegeben, das üblich mordlustige Vokabular. Dennoch zögerten die Beamten, hinter dem Anschlag Rechtsradikale zu vermuten.

In Zeitungskommentaren stand tagsdrauf, mein in Wahlkampfreden ausgesprochener Verzicht auf die ehemals deutschen Ostprovinzen, mithin die Anerkennung der Oder-Neiße-Grenze habe einen »Dummejungenstreich« provoziert. Wer Wind säe, werde Sturm ernten und weitere Sprüche. Im übrigen, hieß es, sei die Sache harmlos verlaufen, was stimmte.

Nichts weiteres geschah, außer daß von Ende September an zwei Polizisten mit Dienstwaffe ab Einbruch der Dunkelheit im Spielzimmer unserer Kinder saßen und bis lange nach Mitternacht den Vorgarten in Erwartung einer eventuellen Wiederholungstat beobachteten. Wir plauderten mit ihnen, sorgten für Milchkaffee und Käsebrote, die Kinder gewöhnten sich an den polizeilich verordneten Besuch. Bis übers Jahresende hinweg kamen, gingen die jungen Männer und meldeten ihrer Dienststelle: Keine besonderen Vorkommnisse.

Auch sonst ereignete sich kaum was, außer daß mich Zahnschmerzen plagten, die nach zu langem Warten auf nachlassende Pein zur langwierigen Behandlung meines Progenie genannten Unterbisses führten. Was Folgen hatte, denn später wurden die ausgedehnten Sitzungen in einem beweglichen Dentistenstuhl für die Rahmenhandlung des Romans »örtlich betäubt« tauglich, samt behandelndem Arzt. Auf mehrspurigem Erzählgleis lief das Jahr siebenundsechzig mit seinem unablässig beredeten Einerseitsandererseits ab: dafür oder dagegen, erste Schüler- und Studentenproteste, der ferne Krieg in Vietnam, Napalm und dessen Wirkung, die stoische Ruhe des Zahnarztes, die Kümmernisse des handlungsunfähigen Studienrates, das Schülerpaar in Liebe und Dauerstreit, ein Dackel, der vorm Hotel Kempinski verbrannt werden sollte: aus Protest gegen alle Gewalt.

Danach verging, wie anderswo auch, wiederum Zeit, in der ich von berufswegen gegen ihr Vergehen anschrieb, wobei mir die dinglichen und wörtlichen Ablagerungen mehrerer Zeitläufte durcheinandergerieten, so daß ein eigens erfundener Zeitbegriff, »die Vergegenkunft«, behilflich werden mußte. Langsam, zeitverschleppend und durch zu oft notwendigen Ortswechsel gehemmt, kam mein Roman »Der Butt« zu Papier.

Und als ich gegen Ende der siebziger Jahre aus des Butts jeweiliger Zeitweil einige Episoden, weiß nicht in welcher mittelgroßen Stadt, vor Publikum vorlas, sprach mich nach der Lesung ein Mann an, der sich als einer der Polizisten bekannt machte, die ab September fünfundsechzig den Vorgarten unseres Hauses in der Niedstraße überwacht hatten. In Zivil stand er neben dem Signiertisch und sagte auf meine Frage, ob er noch im Dienst sei, er habe bei der Berliner Polizei gekündigt, wolle nicht mehr Polizist sein, wegen Kurras.

Da ist er wieder, der Todesschütze, der mich von Grimms Wörterbuch und den K-hörigen Wörtern weggeführt hat. Der ehemalige Polizist, dessen Name mir entfallen ist, konnte »es auf Dauer nicht verantworten«, mit dem Mörder des Studenten Benno Ohnesorg gemeinsam Dienst zu leisten.

»War ne Gewissensfrage«, sagte er. Ekelhaft sei es gewesen, wie seine Kollegen vor Gericht immer wieder einstimmig Kurras mit falschen Aussagen gedeckt hätten. »Wir sind doch Kameraden«, wäre ihm hinter vorgehaltener Hand beteuert worden. »Die Reihen dicht halten« hätte die Parole geheißen. Aber solche Kameraderie habe ihm gestunken. Überhaupt sei ihm die Berliner Polizei nach dem 2. Juni wie ein Sumpf vorgekommen. Höhere Dienstränge hätten mit ihrer Praxis als Partisanenbekämpfer in der Ukraine, auf dem Balkan geprahlt. »Und überall Kumpanei und Klüngelwirtschaft!«

Noch im Rückblick erstaunt mich das Verhalten des Polizisten, der seine Waffe ablegt, die Dienstmarke auf den Tisch knallt, Karriere, Beamtenstatus sowie zukünftige Pensionszahlungen aufgibt und fortan Zivil trägt. Er will mir nicht aus dem Sinn, kommt sogar zu überdeutlichen Konturen: als kürzlich – während ich an meinem Schreibpult zeitabwärts unterwegs und dabei den Grimmbrüdern während ihrer Wörtersuche hinterdrein war – in allen Medien bekannt gemacht, ja, triumphierend herausposaunt wurde, Karl-Heinz Kurras sei als Westberliner Kriminalrat und ausgewiesener Scharfschütze zugleich bezahlter Agent des Staatssicherheitsdienstes der DDR gewesen, worauf in ersten Kommentaren die Lust erkennbar wurde, nunmehr die Ermordung des Studenten Ohnesorg dem inzwischen untergegangenen Staat und dessen Machthabern anzulasten, tückischer noch, den Studentenprotest als kommunistisch ferngesteuert zu denunzieren, stand mir sogleich in nicht abreißender Bilderfolge die Knüppelgewalt der Westberliner Polizei vor Augen; deren Schlagkraft war zeitweilig der Ostberliner gleichwertig.

Eigentlich ging es nur um einen der in der geteilten Stadt üblichen Staatsbesuche. Als normal sollte er gelten und normal verlaufen. Doch der hohe Besuch kam in Gestalt eines Diktators, der sich als Schah von Persien mit Hilfe seiner Geheimpolizei und gestützt von den USA an der Macht hielt. Die Stadtregierung jedoch und der herbeigeeilte Bundespräsident Lübke empfingen ihn wie einen Freund und Verbündeten im Kampf gegen den Kommunismus. Besuch im Rathaus, Besuch der Oper, roter Teppich, alles nach Protokoll. Dagegen protestierten tausend und mehr

Studenten. Unter ihnen, mehr am Rand und als Zuschauer, der Student Benno Ohnesorg.

Zuerst waren es sogenannte »Jubelperser«, bezahlte Schläger, die mit Dachlatten zuschlugen, dann war es die Polizei, die nach dem Kommando »Knüppel frei!« ihres Vorgesetzten, der zur »Füchsejagd« aufrief, die Protestierenden vom Vorplatz der Oper in Nebenstraßen trieb, so auch Benno Ohnesorg, der, wie alle anderen, flüchtete.

Ihn aber trafen nicht nur Knüppel. Kurras zog seine Dienstpistole. Der Kriminalrat Kurras schoß gezielt auf kurze Distanz, wurde aber in mehreren Prozessen freigesprochen, wie auch niemand die Springerpresse belangte, die mit schlagzeilenfetten Parolen die Polizisten und also Kurras scharfgemacht hatte; mit ihm krümmten mehrere Schreibtischtäter den Finger am Abzug. Ab dann begann Mordlust gesellschaftsfähig zu werden.

Darüber verging Zeit. Der westdeutsche Verfassungsschutz löschte die Akte Kurras. Nur im Osten überdauerte sie im Nachlaß des Staatssicherheitsdienstes, gekennzeichnet mit einem Decknamen.

Während ich noch meinem standhaften Polizisten nachsinne, der den Dienst quittierte, und dabei in Nebengedanken bemüht bin, aus dem Westberliner Sumpf des Jahres siebenundsechzig in den Tiergarten gegen Ende des neunzehnten Jahrhunderts zu finden, wünsche ich mir einen der Grimmbrüder dorthin: weil Jacob sich sperrt, soll Wilhelm neben mir auf der Bank gegenüber der Rousseauinsel sitzen. Doch so viele Lockwörter ich probiere, wobei mir der Buchstabe M – nein, nicht mit Mord und Mörder, vielmehr mit Mär, Märlein, Märchen – behilflich sein soll, unablässig holt mich die Gegenwart ein.

Ich versuche den Schmutz wegzuwischen, habe Übung darin. Mich schmerzt und ekelt mein Land, dessen Sprache ich anhänglich liebe. Es kommt mir abhanden, wird fremd. Ich suche, um mich abzulenken, nach Fundsachen aus anderer Zeit, blättere in der kurzgefaßten Chronik des Hirzel-Verlags, gehe eine ins Abseits geratene Wegstrecke deutscher Geschichte ab, höre, wie draußen – das hilft – unaufhörlich, als wolle er wenauchimmer unsterblich machen, der Kuckuck ruft, auf den ich vorhin noch, um zu den Grimms zurückzufinden, gestoßen bin; doch fand ich ihn nicht unter K, sondern im Umfeld des Buchstaben G; und dort war der Gauch zu finden, wie vormals der Kuckuck hieß.

Er will nicht enden. Oder kann nicht. Manchmal stolpert er, stottert, verschluckt sich, ist wieder da, will, daß ich zähle, wie oft er seinen Namen betont und als anhaltendes Ereignis feiert, denn vom Ruf dieses unter anderen Vögeln berüchtigten Nutznießers fremder Nester hat sich namengebend der doppelte Kehllaut abgeleitet. Ich lerne, daß Gauch einst für Narr stand. Und daß des Vogels gezählter wie ungezählter Ruf, sobald der »gauch gauchzet« oder »guckte« – ich zitiere: »er hat gekugtzet hundert jar« –, schon früh mit einem Spruch Reinmars von Zweter, »swer einen gukgouch haben wil« den Kuckuck vorahnen ließ, wie er in späterer Zeit, nein, immer noch, jetzt, ruft und ruft, als habe ihn die nach ihm benannte Uhr als »schnelle Kathrein« erwischt. Er ist sich selbst genug, weiß wie er heißt.

Nein, ich bleibe beim Gauch, der in Mundarten, so im Schweizerdeutschen, als Schimpfwort überlebte. Üble Tätigkeiten werden ihm nachgesagt. Er nimmt verschiedene Gestalt an. In Fischarts Gargantua ist der Gauch des Mannes schlaffer wie standfester Pimmel, den die liebende Frau warm zudecken möge, damit ihm »die gaucheyer nicht erfrieren«. Überdies nennt das Grimmsche Wörterbuch einen Gauchkäfer, der giftgrün und mit langen Beinen stinke »wie ne gauch«. Und jener »gauchberk«, von dem Hans Sachs als von einem Narrenberg spricht, weist auf einen wirklichen Gauchberg hin, den Wilhelm Grimm während früher Wanderungen in der Pfalz gesehen, womöglich bestiegen, jedenfalls später, wie gewohnt, mit gelehrten Anmerkungen und Hinweis auf Sebastian Brants »Narrenschiff« kommentiert hat.

Er bestätigt mir diesen Fund, gleich nachdem es gelungen ist, ihn auf die Tiergartenbank zu locken. Auch hier ist Frühling. Auch hier ruft wie närrisch der Kuckuck, als wolle er Wilhelms Unsterblichkeit bestätigen. Eigentlich will ich ihn geradewegs auf den Buchstaben M bringen, den er gern bearbeitet hätte, wenn ihm, wie zu Lebzeiten oft beteuert, genügend Zeit geblieben wäre. Dennoch versage ich mir, mich über Mensch, menschlich, die Mißachtung der Menschenrechte auszubreiten, verzichte auf Mann, mannhaft, den Männlichkeitswahn und komme sogleich auf die von ihm gesammelten Märchen. Ich erzähle, wie mir als Kind schon die Mär vom Däumling nahgegangen sei, so daß ich mir später eine Figur habe ausdenken müssen, die auf eigenen Wunsch kleinwüchsig blieb und Oskar heißt...

Doch sobald mir meine Nacherzählung zu breit gerät und ständig, als könnten sie für mich zeugen, weitere Romanfiguren aufruft, droht Wilhelm zu schwinden. Also komme ich zur Sache, das heißt auf den Band zwölf des Wörterbuchs und bemängle, daß dessen Bearbeiter Moritz Heyne das Stichwort Märchen zu knapp behandelt habe. Dort seien die

Grimmbrüder nur als Fußnote zu einem Freiligrath-Zitat, »doch halt, noch eins! her euer mährchenbuch!«, erwähnt. Solche Schmälerung nachweisbarer Verdienste werde insbesondere Wilhelm nicht gerecht, der mit dem »Märchen von einem, der auszog, das Fürchten zu lernen« nicht nur die literarische Gattung der Mär in einem Titel betont habe, sondern behilflich geworden sei, als mich der Krieg die Furcht lehrte und was mir dabei...

Aber Wilhelm will weder hören, wie ich – was im Zwiebelbuch steht – hinter die russische Frontlinie geriet und dennoch überlebte, noch auf den Buchstaben M eingehen, sondern kommt nochmals auf den von ihm entdeckten Gauchberg zu sprechen. Er weist mit der Klitterung »gaucheyerbrütler« auf das Gewohnheitsrecht des Kuckucks hin, seine Brut Ei nach Ei in fremde Nester zu schmuggeln.

Doch während er noch spricht und mit einem Sturzbach Zitate den Gauch einen Kuckuck sein läßt, verblaßt er von den Rändern her, verkrümelt sich sozusagen. Gerade noch höre ich: »weshalb gauchen vormals für täuschen stand, so daß sich Paracelsus sicher sein konnte: ›also geucht ein narr den anderen.‹«

Welch ein Frühlingsspektakel! Knallende Knospen. Trugbilder verlocken, schwinden, gaukeln neuerdings. Immer noch ruft er aus dem nahen Erlengebüsch. Jetzt setzt ein zweiter ein, weiter weg. Vermutlich gaukt er aus den hängenden Zweigen der Trauerweide am Ufer jenseits der Rousseauinsel. Nicht um den einen abzulösen, ruft der andere. Sie überbieten sich, wollen gewinnen, rufen um die Wette. Ich zähle nicht mit. Sollen sie gauken und gäuchen; mir wird die Zeit knapp.

Vorgriff aufs Z: zu seiner, zu meiner.
Aber gibt es die Zeit?
Ist sie, weil meßbar, auch wirklich?
Hilft sie nicht vielmehr als Krücke,
an der wir Halt finden, unterwegs
im Nebel der Zeitlosigkeit?
    Chronik sagen wir und reihen Daten,
behelfen uns mit Sekunden, Minuten,
zählen Stunden, Tage, Monate,
sagen sogar der Natur Jahreszeiten nach,
rufen: Kinder, es ist Zeit, schlafen zu gehen.
    Sie sich vertreiben, sie verleben, sie überstehn,
sie verschwenden, mit ihr geizen,
als könne sie Zinsen einbringen.
Wir wickeln die Köpfe frischgefangener Heringe
als Abfall in Zeitungspapier von vorvorgestern;
alles währt seine Zeit.
    Sie totschlagen, sie verspielen,
einerseits zeitlos, andererseits zeitgemäß sein.
Wenn ich als Knabe in hallender Kirche sang:
»Wie du warst vor aller Zeit, so bleibst du in Ewigkeit«,
glaubte ich felsenfest,
diese Zeitspanne einzig auf mich beziehen zu dürfen;
dabei war nur Liebgottchens Zeit gemeint.
    Zeitumstände und Zeitabschnitte.
Schön blüht die Herbstzeitlose.
Gezeiten wie Machtwechsel: nach Mommsens
römischer Geschichte kamen die Herrscher überein,
eine zeitweilige Diktatur eintreten zu lassen.
    Viele meiner Zeitgenossen
zeitigten vorzeitig ihre Zeit.
Und jederzeit lärmte der Zeitgeist.

Hört nur, hört: aus jeder Richtung
spotten Kuckucksrufe der Zeit.

Endlich schweigt er. Bevor plötzlich eingeräumte Stille dem
gegenwärtigen Geschnatter weichen muß, frage ich mich
vorbeugend schnell: Wie verhielt sich Salomon Hirzel,
als es keinen Jacob Grimm mehr gab? Wie verlief die Geschichte seines Verlages von seinem Jahrhundert ins nächste? Kann eine gradlinige Chronik dem folgen? Was geschah
zwischen den Bänden zu diesem und jenem Buchstaben;
während die Durststrecken, das G betreffend, länger und
länger wurden? Wer kümmerte sich um das übersprungene
H, das I und das J, wer fand Zitate zum Haß, Herz, Hohn,
zum Humor, zur Idee und zum Irrsinn, zur Jauche, dem Jäh-
zorn? Und wen bestimmte Salomon Hirzel zum Nachfolger
der Grimmbrüder?

Da mit ihrem Tod der Briefwechsel mit dem Verleger
abriß und Herman, Wilhelms Sohn, brieflich wenig zu sagen
wußte, muß, um von Hirzels Bedeutung ein Bild zu gewinnen, auf Jacobs Vorwort im ersten Band des Wörterbuchs
zurückgegriffen werden. Dort preist er ihn als einzigartiges
Beispiel »aufopfernder anhänglichkeit«. Dem folgt: »er liest
jeden bogen vor dem abdruck durch, und seine vertrautheit
mit der sprache und den dichtern, zumal aber, wie man
weisz, mit göthe, flöszt ihm lauter feine bemerkungen ein.
kann der verfasser sich eine günstigere lage wünschen?«

Ähnlich urteilt Karl Weigand, dessen gelegentlich lautwerdenden Judenhaß Hirzel vermutlich überhört oder als
zeittypische Marotte abzutun versucht hat. Ihm wurde
neben Hildebrand – kaum hatte sich Jacob mit dem Stichwort Frucht verabschiedet – die Fortsetzung des Wörter-

buchs übertragen. Er nennt Salomon Hirzel »einen Buchhändler im großen Stile«.

Wie aber sehe ich meine Verleger, denn im Verlauf der Jahre blieb es bei einem nicht?

Mein erster, Eduard Reifferscheid, stand dem Luchterhand Verlag vor, deutlicher, er besaß ihn als Haupteigner. »Ein Sachse mehr, der die Welt verplaudert«, schrieb ich in einem Gedicht als lobpreisenden Beitrag zu einem seiner runden Geburtstage. Denn ein Plauderer, der in Fontanes Romanen hätte Figur machen können, war er, besonders in seinen Briefen, die jedes mit jedem verknüpften und noch der schrumpligsten Backpflaume Geschmack abgewannen. Ein überall rundlicher Gönner, Genießer, der sein Geld mit Loseblattkommentaren zu neuerlassenen Gesetzen und juristischen Standardwerken verdiente; mithin ein begnadeter Geschäftsmann. Die Literatur war das gehätschelte Kind seiner Liebhaberei, von dem er nicht lassen wollte, um keinen Preis, denn meistens zahlte er drauf, doch nicht, als ich nach einem Lyrikbändchen, das naturgemäß so gut wie nichts einbrachte, seinen Umsatz mit Romanen steigerte.

Er genoß die Erfolge seines Autors, hielt sich jedoch im Hintergrund, mied Buchmessen, trug, wenn er sein tägliches Pensum zu Fuß unterwegs war, einen Schrittzähler am Bein, geizte nur mit Pfennigbeträgen, gewann stets beim Skatspiel mit seinen leitenden Angestellten, wechselte immer rascher die Cheflektoren, ließ sich gegen zähen Widerstand die von mir geforderten Übersetzertreffen und ein Autorenstatut, das vorm Verkauf unserer Buchrechte schützen sollte, schlußendlich abhandeln. Er blieb mein Freund, sofern man mit seinem Verleger befreundet sein kann, bis er hochbetagt den Verlag verscherbelte, dabei die Autoren infam außer acht ließ, einzig auf Eigennutz bedacht, als hätte er vorgehabt, mit dem Erlös seines schnellen Handels ins Jenseits zu verschwinden.

Was ihm verlegerisch folgte, glänzte durch erwiesene Unfähigkeit und ist nicht der Rede wert; von Luchterhand wechselte ich zu einem anderen Verlag.

Keines der großen Häuser mit Namen lockte. Zu Gerhard Steidl ging ich, der willens war, meine Buchrechte rauszukaufen und mir als leidenschaftlicher Büchermacher bekannt war.

Er betreibt in verwinkelten Göttinger Altstadthäusern seinen Verlag mit Druckerei, wobei er nie zur Ruhe kommt, immerfort treppauf treppab eilt, Entscheidungen als Befehle verkündet, Wörter wie bitte und danke für überflüssig, weil zeitraubend hält und mit zwei Umhängetaschen voller Papiere stets reisefertig ist. Nur notgedrungen schläft er und wird deshalb von mir zu jenen kreativ Verrückten gezählt, die, so unleidlich sie gelegentlich sein mögen, liebenswert sind, weil sie immerfort etwas schaffen, erschaffen müssen und – wie Steidl – ins Bücherdrucken vernarrt bleiben.

Er macht mir die allerschönsten, geht, was niemand vermuten würde, mit seinen Produkten zärtlich um, prüft, wie es einst Salomon Hirzel tat, jeden Andruck, der aus der Maschine kommt, sorgt für deren Futter, indem er auf Kurzreisen nach Amerika und bis in die Arabischen Emirate Aufträge einholt, auf daß sein Wunderding von Druckmaschine, die ich ihn streicheln sah, Tag und Nacht nicht zur Ruhe kommt, denn trotz Internet und Google glaubt er an die Zukunft des Buches, wenn es von erlesenem Papier, sorgfältig gebunden, altmodisch mit einem Lesebändchen ausgestattet und sein Satzspiegel ansehnlich ist.

Ein geschäftiger Eremit, der kommt und geht. Räuspern kündigt ihn an. Auf Reisen erledigt er seine Post. Der Rest bleibt liegen, stapelt sich selbsttätig. Wer auf ihn wartet, muß Zeit übrig haben. Der immer eilige Steidl. Ein Chaot, der vorgibt, auf Ordnung bedacht zu sein. Neuerdings trägt er, den man vormals für den Nachtwächter seines Verlages halten konnte, auffällige Jacken, in die ihn sein Mentor, der Schöpfer exquisiter Modelle für ein Pariser Modehaus, kleidet. Für dessen weltweit gerühmte Kostbarkeiten druckt und druckt er Kataloge voller magersüchtiger Schönheiten und was sonst noch alles der eleganten Welt dienlich sein möchte.

Ganz anders die beiden Verlegerinnen, denen ich besonders zugetan war und bin. Die eine, Maria Sommer, steht in Berlin dem Gustav-Kiepenheuer-Bühnenvertrieb vor und ist seit Mitte der fünfziger Jahre des vorigen Jahrhunderts für meine ungespielten Theaterstücke sowie für Film- und Fernsehrechte zuständig; die andere, Helen Wolff, betreute mich dreißig Jahre lang von der »Blechtrommel« bis zur Erzählung »Unkenrufe«. Streng überwachte sie jede Übersetzung meiner Bücher bis hin in die verstiegenste Wortakrobatik.

Maria Sommer gründete ihren Bühnenvertrieb unmittelbar nach Kriegsende, kaum hatte sie ihr Studium abgeschlossen. Anfangs halfen ihr die Rechte an »Charleys Tante«, einem Stück, das zu jeder Zeit bühnentauglich ist, dann wurden vielgespielte Franzosen und Belgier ihre Autoren. Stets ist sie auf Suche nach Talenten und zahlt aus Prinzip pünktlich.

Helen Wolff emigrierte nach dreiunddreißig mit ihrem Mann Kurt Wolff, der als junger Verleger Kafkas erste Erzählungen auf den Buchmarkt gebracht hatte, über Italien, die Schweiz nach Amerika, wo sie, nach Verlagswechsel, bei

Harcourt Brace Jovanovich die Buchreihe »Helen and Kurt Wolff Books« herausgaben, zu der auch meine ins amerikanische Englisch übersetzten Bücher zählten.

Maria Sommer, die auf die Neunzig zugeht, ist nicht nur Bühnenverlegerin. Streitbar tritt sie für Autorenrechte ein, ist sozusagen der Schutzengel der Autoren in einer Zeit, in der kleingedruckte Enteignungsklauseln in Verträgen und schleichende Enteignung durch Digitalisierung als neueste Praxis des Raubdrucks üblich werden. Sie aber durchschaut alle Finten, kennt jeden Trick. Oft kommt es mir vor, als habe sich in ihr der bessere Teil Preußens konserviert.

Helen Wolff, mit der ich nach Kurt Wolffs Tod jahrzehntelang Briefe wechselte, in denen sich von Präsident zu Präsident Amerikas Brüche und Hoffnungen spiegelten und wie nebenläufig mein familiäres Auf und Ab Spuren hinterließ, starb 1994. In meinem Nachruf, den ich während der Leipziger Buchmesse hielt und der eigentlich als Preisrede ihre verlegerischen Verdienste hätte loben sollen, steht gegen Ende: »Heute hätte Helen Wolff hiersein wollen, in einer Stadt, in der vor wenigen Jahren viele tausend Menschen den damals Regierenden zugerufen haben: Wir sind das Volk! Wie gerne hätte ich ihr gedankt, der Freundin, der Verlegerin. Sie fehlt mir.«

Beide kennen und kannten sich besser in meinen Hinterzimmern und mit den Regeln meiner Versteckspiele aus, als ich wahrhaben möchte. Beide sind mir teuer und ohne Vergleich, es sei denn ich stelle Maria Sommer und Helen Wolff neben Salomon Hirzel, dessen »aufopfernde anhänglichkeit« Jacob Grimm lobte. Und als ich kürzlich meinen leidenschaftlichen Drucker und in Entwicklung befindlichen Verleger Gerhard Steidl ermunterte, dessen Brief-

wechsel mit den Grimmbrüdern während Bahn- und Flugreisen zu lesen, glaubte ich seiner Mimik, die wenig Innen-
leben preisgibt, ansehen zu können, daß er, bei aller Eile,
die ihn umtreibt, bereit zu sein scheint, sich dem Verleger
des deutschen Wörterbuchs zu nähern.

Ich sagte: »Hirzel beantwortete jeden Brief seiner Autoren postwendend und vergaß nie, bitte und danke zu sagen.« Das aber war wohl zu viel verlangt; kaum da, war Steidl
wieder weg.

Nach Hildebrand und Weigand gelang es Salomon Hirzel,
weitere Herausgeber unter Vertrag zu nehmen: Lexer, Wunderlich und Heyne. Was an Jacobs Eigensinn gescheitert
war, die Verteilung der Wortstrecken an tüchtige Zuarbeiter,
wurde nun Praxis: Moritz Heyne übernahm die Buchstaben
H, I, J. Er nannte das H einen »reinen hauchlaut von den
ältesten zeiten her«, wies auf das lachende Haha, erschreckte
Hu und erstaunte Aha hin, erhob das I zum »höchsten
unter den vokalen«, das kurz in »ich« und bald gedehnt
»durch ie in viel« lautet. Das J stufte er als Halbvokal ein,
der lange brauchte, bis er in Schottels Wörtersammlung
der deutschen Hauptsprache, wie Heyne sagt, »vollkom-
men eingebürgert« war, so bei Jahr, Joch und jemand. Fürs
Ja benötigte er elf Spalten.

Als des vierten Bandes zweite Abteilung oder zehnter
Band meiner Ausgabe kamen die drei Buchstaben 1877 auf
den Buchmarkt. Im selben Jahr starb Salomon Hirzel, dem
Heyne in seinem kurzen Vorwort nachrief: »es ist schmerzlich
zu empfinden, dasz die treuesten augen, die auf dem werke
geruht und es mit warmem interesse begleitet haben, sich
schlieszen muszten, hart bevor dieser band vollendet war.«

Salomons Sohn Heinrich übernahm den Verlag. Während seiner Zeit als Verleger erschienen als Wörterbücher die Bände fünf, sechs, sieben und acht. Für L und M war wiederum Heyne zuständig. Für N bis Q zeichnete Lexer als Herausgeber, von R bis Schiefe abermals Heyne.

Nun fällt es mir schwer, zwischen den Stichwörtern Lüge und Märchen, dem Nichts und der Qual, der Rache und der Schande eine Auswahl zu treffen; schließlich entscheide ich mich für das Märchen und versuche mit leisem Gemurmel und namentlicher Beschwörung »Rapunzel, Rapunzel, laß mir dein Haar herunter« – denn lebenslang habe ich mich zu ihr, wie immer anders sie hieß, hochgehangelt – abermals Wilhelm in den Berliner Tiergarten zu locken; er ist schon immer gut für Begegnungen außer der Zeit gewesen, darin verführbarer als Jacob.

Diesmal sitzen wir auf einer Bank nahe dem Lortzingdenkmal. Tauben gurren vorm Sockel. Die Sonne wärmt unsere Erinnerungen. Nach unverbindlichem Geplauder über Berliner Gesellschaft damals und heute und Rückblicken auf längst Verstorbene – anhaltend schmerzt ihn das Zerwürfnis mit Bettine – kommen wir auf die mittlerweile weltweit und zigmillionenfach verbreiteten Kinder- und Hausmärchen und deren analytische Deutungen. Ich will wissen, warum er Rapunzels Schwangerschaft in der zweiten Fassung des Märchens versteckt hält. Dann komme ich auf Bruno Bettelheims Lotungen seelischer Abgründe, nach dessen Erkenntnis der im Märchen bedeutsame Spindelstich zur sexuellen Reife geführt haben soll.

Wilhelm scheint zuzuhören, gibt sich halb mürrisch, halb erstaunt, lächelt nun, was ihm zu Lebzeiten selten gelang, neigt mir sogar sein Ohr zu.

Stets ist die Hexe fürs Feuer gut.
In Fässern, innen mit Nägeln bestückt,
wird Strafe vollstreckt.
Und immer ist die Stiefmutter böse.
Alle Brunnen verwünscht sie,
so daß Schwesterchen rufen muß,
»Brüderchen, ich bitte dich, trink nicht,
sonst wirst du ein Wolf und frissest mich.«

Alles, aber auch alles, Wald, Wiese, Stadt,
eignet dem König Drosselbart,
der sich jedoch ärmer als arm stellt; ein Trick,
der bei den oberen Zehntausend Schule machte,
wie ja auch Rumpelstilzchen
mit seinem »Ach, wie gut, daß niemand weiß...«
ein Heer Agenten und sonstige Geheimnisträger
geschult hat, bis sie aufflogen,
nicht alle, aber einige doch.

Und als es Königstochter jüngste juckte,
sich den kalten Frosch ins Bett zu holen,
schmiß sie ihn alsbald angewidert gegen die Wand,
worauf ein Prinz aus ihm ward;
weshalb sich später, viel später
die Analytiker aller Länder trafen,
um klug über Ekel und Eros zu reden.

Als aber Hänsel und Gretel, deren Eltern
unterhalb der Armutsschwelle lebten
und ohne Anspruch auf Hartz IV waren,
sich im Wald verliefen, begann die Soziale Frage
nach Antwort zu suchen; das tut sie noch immer.

Indessen hatte Wilhelm Grimm meine Fragen beantwortet und begann nun mit seinem Bruder zu hadern, weil der im Fall Aschenputtel auf der Urfassung »Blut ist im Schuck« bestand, während er, des sauberen Reimes wegen, aufs Ruckedigu der Tauben mit »Blut ist im Schuh« setzen wollte.

Als ich mich, vielleicht ein wenig zu ausführlich, zuerst über Hexenverbrennung im Märchen, dann über absichtsvolle Selbstverstümmelung zu verbreiten begann, verging mir Wilhelm. Gerade noch konnte ich ihm die Nachricht von Heinrich Hirzels Tod im Jahr 1894 vermitteln und aufzählen, was alles zu dessen Lebzeiten dem Buchstaben M folgte, aber von meinem nun wieder mißmutigen Gesprächspartner kam nur noch, während er zuerst von den Rändern her zerfranste, sich schließlich als Wolke verflüchtigte, die anschließende Verszeile: »der Schuh ist zu klein, die rechte Braut sitzt noch daheim.«

Oder waren es die gurrenden Tauben vorm Lortzingdenkmal, die ich hörte?

Kaum lag der Tiergarten und alles, was ihm von A bis Z anhing, hinter mir, fing mich auf dem Potsdamer Platz die Berliner Gegenwart mit all ihren Nebengeräuschen ein: Intrigen, Skandale, das alltägliche Zeitungsgewäsch und der besondere, wie schon Fontane sagte, »Sprechanismus« der Bewohner dieser immer unfertigen, auf Sand gebauten und wohl deshalb nie mit sich zufrieden sein wollenden Stadt. Auf dem Platz verlor ich mich zwischen Fassaden von Großbauten, die auch anderswo hätten beliebig sein können, doch an Ort und Stelle Ausgeburten jener Bauwut sind, die sich, kaum war die Mauer gefallen, der seit Kriegsende öden Fläche bemächtigt hatte.

Weil mir aber noch immer Wilhelms klagende Stimme leicht hessisch nuschelnd im Ohr nistete und er nicht aufhören wollte, mich mit einer Variante des Märchens vom Schlaraffenland einzudecken, indem er mit Würsten, Schinken und einer knusprig gebratenen Gans gereihte Lügengeschichten auftischte, deren Pointen mal dickbäuchig auftrumpften, mal fadenscheinig blinzelten oder aber die ihnen anhängliche Moral wie ein Kostüm wechselten, so daß schlußendlich Arm und Reich miteinander versöhnt, Mangel und Überfluß gott- und naturgegeben zu sein schienen, bin ich nun versucht, meinerseits eine wahre Begebenheit aus jüngstem Zeitgeschehen, die allerdings kaum noch zum Himmel stinkt, zweigleisig in ein Märchen zu kleiden.

Es war einmal ein Mann, der sich äußerlich gesittet gab, aber inwendig hartgesotten war. Er beherrschte das gesamte Postwesen, ob verdrahtet oder drahtlos vernetzt. Seine vieltausend Bediensteten überwachte er bis ins Geheimste. Ob seiner erwiesenen Härte und feinsinnigen Manieren genoß er Ansehen, weshalb die Regierenden seinen Rat suchten, der nicht billig war.

Da ihn aber seine Herrschaft reich und immer reicher gemacht hatte und der Segen nicht ablassen wollte, wußte er nicht, wohin mit dem angehäuften Geld. Schließlich und nach kurzer Beratung mit eigens für solche Notlage geschulten Beratern versteckte er es weitweg in einem Ländchen, dessen Schloßherren fürstlich vom Versteckten leben. Dabei vergaß er in aller Eile – gewiß auch in Vorfreude auf weiteren Zugewinn –, von seinem Geld Steuern abzugeben, wie es nun mal das Recht verlangt.

Das aber mißfiel einer Frau, die als weise galt, weil sie das Recht gründlich studiert hatte, nunmehr streng über das Rechte wachte und ihm, der sich nicht an das Recht halten wollte, auf die Schliche gekommen war. Er wurde abgeführt und dabei fotografiert: ein wenig verlegen und erstaunt schaut er auf Fotos drein. Mit seiner Brille, die von erlesener Qualität zu sein scheint, ist er bemüht, sich ein unschuldiges Ansehen zu geben – solche Brillen verkaufen sich immer noch landesweit gut.

Da aber geschah es, daß der steuerflüchtige Mann, den sein Volk mittlerweile König Winkel nannte, nicht von der weisen Frau, die über das Recht wachte, vor Gericht gestellt wurde, vielmehr sah sie sich urplötzlich in eine entlegene Provinz versetzt, während König Winkel von einem milde gestimmten Richter mit Strafen bedacht wurde, die einerseits zu verschmerzen waren, andererseits nicht hinter Gittern, sondern zur Bewährung in Freiheit und während Schönwetterperioden bei Sonnenschein abgesessen werden konnten.

Da begann das Volk zu murren. Noch lauter murrte es, als er sich, seinem Spitznamen Winkel getreu, in ein benachbart gebirgiges Land verflüchtigte, in dessen Tälern bereits viele Steuersünder ansässig waren. Also befand er sich in guter Gesellschaft. Damit es aber dem einstigen Herrscher über das Postwesen an nichts fehle, wurde ihm aus der Pensionskasse des nunmehr herrscherlosen Königreiches eine satte Million ausgezahlt: fürsorglich fürs Alter und, wie er beteuerte, verdientermaßen.

Darauf murrte das Volk, das im Murren geübt war, noch lauter. Auch nahm das Murren zu, weil zur selben Zeit eine nicht mehr ganz junge Frau, die gegen kargen Lohn an der Kasse einer Discounterfiliale saß, fristlos ihre Arbeit und deren Lohn verlor. Sie wurde beschuldigt, in Summe einen Euro und dreißig Cent für sich behalten, wie es hieß, unterschlagen zu haben; so etwas sei strafwürdig und zu verurteilen. Auch das geschah von Rechts wegen.

Obgleich sie dreißig Jahre lang ohne Fehl und Tadel an der Kasse gesessen hatte, durfte sie sich nicht wie König Winkel bewähren. Keine Pension in Euro wurde ihr wohlwollend nachgereicht. In Armut sollten fortan ihre Tage dahingehen: Strafe muß sein.

Weil aber, wie es in längst vergangener Zeit, als es weder Euro noch Cent, sondern Taler, Schillinge, Pfennige gab, üblich gewesen war, kein rettender Prinz, keine gute Fee und gewiß keine mit Schläue gerüstete Anwaltskanzlei der armen Frau hilfreich sein wollte – auch fielen, wie es in einem anderen Märchen geschah, keine Sterntaler vom Himmel –, bedachte das Volk, oder zumindest der murrend ärmere Teil des Volkes, den fernen König in seinem Winkel mit einem Fluch, der ihm, wogegen kein Geld half, andauernden Juckreiz und ein schmerzlich ächzendes Alter versprach.

Danach entschlief, wie landesüblich, das Murren des Volkes. Die arbeitslose Kassiererin jedoch durfte, auf Wunsch der nunmehr schweigenden Mehrheit, auf einen Lotto- oder Totogewinn hoffen, damit sie zeitlebens in einer der vielen Discounterfilialen reichlich Schweinekotelett und Putenbrüste, Bier im Sechserpack, Schokoriegel und Gummibärchen für ihre Enkelkinder kaufen kann; denn wo kein Recht ist, hilft nur noch wünschen.

Indessen war, weil ihr keine Wahl blieb, Zeit vergangen. Grad noch erlebte Heinrich Hirzel den Druck des achten Wörterbuchbandes, in dem, da er von R bis Schiefe reicht, das soeben noch fraglich gewordene Recht eines der Stichworte ist. Moritz Heyne hat es in über siebzig Spalten bearbeitet: Recht, rechtens, Rechthaber, Rechtsanwalt, rechtlos, Rechtsordnung, das gebeugte Recht als Rechtsbeugung und abgeleitet davon das legitimisiert waltende Unrecht und die in zahllosen Reden beschworene Gerechtigkeit. Es fehlte nicht an Zitaten aus den von Jacob Grimm erforschten »deutschen Rechtsalterthümern«.

Nach Heinrichs Tod übernahm sein Sohn Georg, eigentlich zu jung für die zu schulternde Last, den Verlag. Zu Hilfe kam ihm die Preußische Akademie der Wissenschaften, der eine von ihr bezahlte Arbeitsstelle für das Wörterbuch beigeordnet wurde.

Georg Hirzel überlebte das Kaiserreich und dessen Ende. Er starb zur Zeit der Inflation im Mai 1924, einem Jahr, in dem dennoch die Bände sprechen bis Stechuhr und W bis Weg erschienen, worauf wiederum ein Heinrich – in der Hirzelchronik der jüngere Heinrich genannt – in schwerer Zeit die Nachfolge antrat; ab dreiunddreißig unter besonderer Aufsicht.

Was in der kurzgefaßten Verlagsgeschichte, die zur Zeit der Deutschen Demokratischen Republik im Jahr 1953 erschien, verschwiegen wurde, kam nachträglich dennoch ans Licht: als die Rassengesetze überall im Großdeutschen Reich angewendet und zudem Ahnennachweise verlangt wurden, ergab sich für amtlich besoldete Schnüffler, daß auch der Hirzel-Verlag, wie es hieß, jüdisch versippt war, worauf man ihn arisierte, ein allerorts praktizierter Vorgang, dessen Nutznießer noch fernerhin das Raubgut von einst vererben.

Die letzten Angehörigen der Verlegerfamilie emigrierten in die Schweiz, aus der Salomon Hirzel stammte. Der Verlag jedoch setzte, als habe ihn kein Unrecht getroffen, ohne auf den Namen zu verzichten seine Tätigkeit fort, wie auch die Arbeitsstelle der Akademie weiterhin und unbekümmert vom Zeitgeschehen die Nachlieferungen zu Band vier von geander bis Gymnastik beendete und zudem den ersten Teil von Band elf von T bis teftig lieferte.

Fragen tun sich auf, die ohne Antwort bleiben, weil in keinem der vielen Briefe, die zwischen Salomon Hirzel und den Grimmbrüdern gewechselt wurden, ein Wort oder Nebensatz zu finden ist, der auf die Herkunft der Hirzels hinweisen könnte. Die judenfeindliche Tendenz in »Soll und Haben«, dem 1858 erschienenen Erfolgsroman des Hausautors Gustav Freytag, der als befreundet mit den Hirzels galt und sogar Zitate zum Wörterbuch lieferte, wurde weder von Jacob noch von Wilhelm kommentiert, obgleich der Familienname einer der Hauptpersonen des Romans, Veitel Itzig, die Brüder zumindest an einen Vorgänger gleichen Namens hätte erinnern können, denn ihr gemeinsamer Jugendfreund Achim von Arnim hatte zur Zeit der napoleonischen Herrschaft, als sich ein Kreis Dichter aus romantischem Überschwang gemeinschaftlich schwelgend in einer Tafelrunde gefiel, mit wüst antisemitischen Thesen einen jungen Mann namens Itzig provoziert, der daraufhin Arnim zum Duell aufforderte, was jener ablehnte: ein Jude sei nicht satisfaktionsfähig.

Bald danach, im Befreiungskrieg gegen Napoleon, kam der beleidigte Itzig als freiwilliger Soldat zu Tode; Achim von Arnim jedoch überlebte als Hauptmann der preußischen Landwehr. Und gleichfalls überlebte das Schimpfwort Itzig, ohne die Verlegerfamilie zu berühren, wie schon Karl Weigands Ausfälle gegen den Wörterbuchkritiker Daniel

Sanders hingenommen worden waren. Als deutschsinniger Goethekenner, zudem protestantischen Glaubens, sah sich Salomon Hirzel wohlmeinend dem Volk der Dichter und Denker verbunden, also jenseits aller Gefahr durch beginnende Barbarei.

Weil aber während meiner Kindheit das Schimpfwort Itzig, was ich nicht ahnen wollte, tödlich gewesen war, habe ich es in den Roman »Hundejahre« übertragen. In dessen Verlauf wird der Vogelscheuchenbauer Eddi Amsel von einem Mädchen namens Tulla Pokriefke als Itzig beschimpft, weil er es wagte, nach der Natur einen reinrassigen deutschen Schäferhund, der an der Kette lag und eine Möbeltischlerei bewachte, mit dem Zeichenstift zu porträtieren: haargenau von der Schnauze bis zur Schwanzspitze.

Im deutschen Wörterbuch findet sich infolge des Buchstabens J, den Heyne betreut hatte, gleich hinter Judas das Stichwort Jude. Der erklärende Kommentar sagt: »die sociale und rechtliche stellung der juden ist gedrückt, wenn sie auch dem schutze des reiches unmittelbar unterstehen und dessen kammerknechte heiszen; sie müssen sich durch ein abzeichen ihrer kleidung absondern: dasz die jüden einen gelben ring an dem rock oder kapfen allenthalben unverborgen, zu ihrer erkandnusz, öffentlich tragen.«

Diese Information von altertümlichem Klang bezieht sich auf das Augsburger Reformationsdokument aus dem Jahr 1530, konnte aber auch zukünftig beim Wort genommen werden. Gleichfalls das folgende Zitat nach Zinkgref: »es were groszer mangel an juden, drumb wucherten die christen.«

Danach geht es über sechs Spalten vom Judenbart und dem Judenbengel bis zum Judenwitz und dem Judenzins.

Dazwischen wird die Judenfrage »wegen der politischen und sozialen stellung der juden« gestellt. Eine Teilantwort darauf gab, bevor es zur »Endlösung« kam, die nicht im Grimmschen Wörterbuch zu finden ist, die Arisierung des Hirzel-Verlages.

Gleichfalls mußten alle wissenschaftlichen Herausgeber, die in der Arbeitsstelle der Akademie tätig waren, einen arischen Nachweis erbringen, aber nur einer von ihnen, namens Hans Neumann, wurde eines jüdischen Großvaters wegen entlassen; er überlebte die zwölf Jahre, sogar als Soldat den Krieg.

Das Leipziger Verlagsgebäude in der Königstraße 2 jedoch brannte nach einer Bombardierung der Stadt am 4. Dezember dreiundvierzig völlig aus. Mit ihm wurden die gesamten Buchbestände und Materialien vernichtet, zu denen Korrekturbögen mit Eintragungen von Wilhelms und Jacobs Hand gehörten.

Zum Glück wurden gerade noch rechtzeitig vor dem Brand die Lieferungen von Stehung bis stitzig und von Strom bis Szische fertig. Und noch vorm Krieg, im Jahr sechsunddreißig, war die dritte Abteilung des elften Bandes von U bis Uzvogel in den Buchhandel gekommen. Der Herausgeber Karl Euling lobt in seinem kurzen Vorwort die Zusammenarbeit der Berliner Abteilung der Akademie mit einer Göttinger Zweigstelle; diese erstmals erwähnte Verbindung sollte nach dem Krieg Zukunft haben, wovon zu erzählen sein wird.

Ferner sagt Euling einführend: »Der vorliegende Band, in der Hauptsache ein Versuch, die unerschöpflichen Zusammensetzungen mit un, unter, ur in ihren Grundzügen zu erfassen, ist der erste von einheitlicher Abfassung der unter

Leitung der Preußischen Akademie fertig gewordenen
Bände...«

Und weil nach un und Unart, nach undeutsch, Unflat,
Unglück, Unheil und Unhold noch Unmensch und unser –
wie unser Vater und Vaterunser – auf über sechshundert
doppelspaltigen Seiten der Untergang dem Stichwort unter
zugeordnet ist, soll er zu Wort kommen:

Was alles unterging,
nicht nur täglich die Sonne,
aus Spenglers Sicht das Abendland,
tatsächlich das Dritte Reich.
    Erst untertage ging mir ein Licht auf.
Unter Trümmern begraben fand sich...
Nach drei Torpedotreffern unterhalb der Wasserlinie
tauchte in Wirklichkeit wie im Film das U-Boot auf.
    Als aber der Untermensch geboren wurde,
klagte die Dame ohne Unterleib, die unterm Kirmeszelt
und in Schaubuden für Geld zu sehen war,
auf Unterhalt für ihr Kind.
    U-Musik unterhält,
weshalb unter Sangesbrüdern
das Lied vom Unterüberoberammergau beliebt ist.
Wo liegt der Unterschied zwischen Untertanen
und sonstigen Untergebenen?
Gefälschte Unterschriften, geblümte Unterhosen gibt es
und Unterricht auf unterstem Niveau.
    Als aber das Unterste zu oberst gekehrt wurde
und letzte Wahrheiten untermauert waren,
begann es im Untergrund zu rumoren,
tat sich die Oberfläche der Unterwelt auf.

Doch als ich aus der U-Bahn stieg
und ans Licht trat, sah alles wüst aus,
weshalb beide Grimmbrüder,
kaum war ich gleich ihnen
im Tiergarten unterwegs,
ohne Unterlaß Wörter ausschieden,
die alle dem W unterstellt waren.

AM ZIEL

Wohin auch, wie weit und auf was der Blick fiel: wüst lag der Tiergarten. Vor der geschwärzten Reichstagsruine und dem von Narben gezeichneten Brandenburger Tor bis hin zum Flakbunker, dem Betonklotz am Neuen See, dehnte sich Wüstenei, in die Bomben- und Granateinschläge Trichter getrieben, Panzerketten Furchen gewühlt, letzte Aufgebote Gräben gekerbt hatten. Geblieben waren restliche Bäume, nachgelassenes Kriegsgerät, versumpfte Tümpel. Weder Enten noch Haubentaucher ließen sich sehen, doch kreisten Krähen über dem hinterlassenen Schlachtfeld. Ob vereinzelt oder im Pulk, ihr Geschrei blieb wie in einem Stummfilm, der finale Zustände bebildert, tonlos, war aber dennoch nicht zu überhören.

Worauf rückgewendet mein Blick liegt: auf geborstenen oder schief stehenden Denkmälern, auf Nymphen geköpft, der geschändeten Göttin, auf Brandenburgs entthronten Kurfürsten. Nur noch die Stiefel des einst siegreichen Feldherrn haften auf erhöhendem Sockel. Und wie geworfen in diese Wüstnis: Tiere der Gattung Mensch, die, weil der Winter naht, entwurzelte Baumleichen zersägen, aus Wurzelstrünken Späne hacken, Äste zu Bündeln schnüren und wegschleppen in die zerbombten Stadtviertel Moabit, Tempelhof, bis in den Wedding, nach Friedrichshain und Prenzlauer Berg.

Was von der Wehrmacht und ihren Waffen geblieben war: Schrott. Was ab Wahn, wähnen, dem Wahnwitz sonst noch dem Buchstaben W eigen ist: wüst, wüstliegend, verwüstet. In Spees »Trutznachtigall« finden sich »wüsten öd«.

Nach Luther ist des Menschen Leben »gleich wie eine wüsten und eine nacht«. Und in den gesammelten Sagen der Brüder Grimm liegt »auf einer wüsten bettstatt eine grosze schlange«.

Was sich bestätigt hat: »die wüste wächst«, und was nachgesetzt warnt: »weh dem, der wüsten birgt!« Dem folgt ein Distelbeet Zitate, die allesamt aus Wüstensand sprießen.

Deshalb geht es im dreißigsten Band des mir greifbaren Wörterbuchs, dessen Lieferungen von 1913 bis 1960 datiert sind, siebenunddreißig Spalten lang von wüst über Wüste, den Wüstling und dessen »wüstlingsleben«, das bei Thomas Mann zu finden ist, bis hin zur Wüstung, wie vormals gesagt wurde, wenn Krieg und Pest weithin Verwüstung zur Folge hatten.

Wieder und wieder. Ich kann den Blick nicht wenden. Auf das Jahr fünfundvierzig des zwanzigsten Jahrhunderts zurückgeworfen, sehe ich den Berliner Tiergarten vom Kahlschlag getroffen. Kaum noch sind Wege und Nebenwege zu finden, auf denen ich vormals den Brüdern Grimm begegnet bin, sobald es gelang, sie mit Lockrufen zu ködern oder auf bloßen Wunsch hin herbeizuzwingen.

Von den Zelten her, deren einst belebte, weil Vergnügen und Genuß versprechende Gebäude nunmehr in Trümmern liegen, gingen sie verschiedene Wege, der eine schlendernd, auf Brücken, an Ufern verweilend, weil ohne Plan, der andere, den zielstrebiger Wille trieb, kam zügig voran. Sie trafen einander am Venusbassin, dem jetzt die Göttin fehlt: ein vermülltes Gewässer, in dem, als es Null schlug, gedunsene Leichen schwammen, deren Uniformen jeweils den Feind kenntlich machten; kürzlich noch war der Tiergarten umkämpft gewesen.

Die Brüder trennten sich, um einander wiederum, oft gegenüber der Rousseauinsel, zu begegnen. Und immer brachten sie Wörter mit, zu denen in Fülle Zitate abrufbar waren; soviel Erlesenes sprach aus ihnen. Jacob ging lange mit den Buchstaben A, B, C einher, führte Anmut und Armut, Bilsen und Bolzen, das verkleinernde chen im Munde; Wilhelm begnügte sich mit dem D, kam von Dank auf Durst und hatte entsprechende Redensarten parat: den Dreck am Stecken, die Kirche im Dorf, des Herzens Dieb. Oder sie huldigten dem H mit inlautenden Vokalen: Haß, hell, hier, Hohn, Huf.

Später, als die Zeit nur noch wenig Frist versprach, ihnen Freunde und Feinde wegstarben, übersprangen sie Buchstaben, wollten ans Ende des Alphabets, endlich ans Ziel gelangen. Dabei nahmen sie Einsilber wie Zank, Zeit, Zorn vorweg, verweilten lange bei der Zunge, jenem Körperteil, der, mit Zitaten bewiesen, so redselig wie sprachmächtig ist. Und selbst als herbstlich fallendes, dann winterlich raschelndes Laub ihnen einschlägige Stichwörter zum L lieferte oder die politische Ohnmacht jener Jahre den Vorgriff aufs später von Matthias Lexer bearbeitete O anbot, als plötzlich dem Brüderpaar der Laut P hart von den Lippen sprang und sie sich paarig, gepaart, paarweis sahen, war es beider Wunsch, dennoch weit weg in den Wortfeldern des Buchstaben W zu weilen, worauf sie Wall, Weg, Witz, Wohl und Wut reihten und was alles und wen noch in Frage stellten: Warum und wozu? Wo war wer wann? Wem wie und weshalb?

In den vier Bänden zum W sind es die Spalten des letzten Bandes, die mir die passenden Wortartikel zum verwüsteten Tiergarten liefern. Wer hätte ahnen können, daß vom Band siebenundzwanzig, den Karl von Bahder 1922 druckfertig lieferte, bis zum Band dreißig, der im Jahr 1960 die Arbeit am Grimmschen Wörterbuch vorläufig abschloß, soviel Zeit vergehen würde?

Die beiden folgenden Bände zum Z, denen das Stichwort Ziel zukam, lagen bereits seit Mitte der fünfziger Jahre vor. Doch besonders dem von Wilb bis Ysop reichenden, der im Verlauf eines halben Jahrhunderts von Ludwig Sütterlin bis Hartmut Schmidt mehr als zwanzig Zuarbeiter verbrauchte, läßt sich die Mühsal unablässiger Wörtersuche ablesen; aus etlichen Artikeln sprechen wechselnde politische Herrschaft und gleichbleibende Zwänge, die während verstrichener Zeit spürbar wurden.

Das gilt auch für den Band dreißig. Dessen knappe Einleitung haben Theodor Frings und Hans Neumann unterzeichnet. Vor dem nur angedeuteten Datum, »im Dezember 1960«, sind als Arbeitsstellen Berlin und Göttingen ausgewiesen. Der Leipziger Professor Theodor Frings, der im Osten der geteilten Stadt tätig wurde und Hans Neumann, der trotz eines jüdischen Großvaters die mörderischen zwölf Jahre überlebt, sich nach Kriegsende gemeldet und gleich danach in der Grimmschen Tretmühle nützlich gemacht hatte, sparen als gemeinsame Verfasser allen Zank und Zwist aus, der die kommentierende Wortfindung während Jahrzehnten behindert, zeitweilig gelähmt und mehrere Herausgeber in Zwietracht gebracht hatte.

Nur kurz werden kriegsbedingte Verzögerungen erwähnt. Zwar müssen sie nun der Not- und Zwangslage des gespaltenen Landes gehorchen, betonen aber ihren Zusammenhalt: »Nach 1945 teilten sich die Göttinger und die Berliner Arbeitsstelle in die wiederaufgenommene Arbeit.« Zurückhaltung war geboten. Ergänzend dazu nur wenige Worte darüber, wie ein halbes Jahr vor Kriegsende die östliche Arbeitsstelle wegen zunehmender Bombenangriffe aus der Reichshauptstadt in das Schloß Fredersdorf nahe Belzig verlegt werden mußte.

Ich trage nach: alles Zettelmaterial und die Bibliothek waren schon zuvor untertage in einem Kalibergwerk bei Bernburg an der Saale in Sicherheit gebracht worden. Auf tiefster Sohle, verborgen in einem der leergeschrappten Firste, hätte man notfalls den Dienst zugunsten der Buchstaben W und Z fortsetzen können, und sei es beim Funzellicht von Karbidlampen.

Weil aber die Front und mit ihr die Rote Armee näher und näher rückte, wurden im April fünfundvierzig, als sich der Führer des Großdeutschen Reiches bereits eingebunkert hatte, von Fredersdorf aus vier Kisten voller noch nicht abgeschlossener Stichwortartikel auf ein Gut in Blumental nahe Magdeburg gebracht. Weit verstreut sollten die verkürzten Zeugnisse der Literatur vor zu befürchtender Zerstörung geschützt werden: ein Schatz, aus dessen Fülle eine Million und mehr Zitate beredt werden wollten.

Schon bald nach Kriegsende förderte dann die sowjetische Militärverwaltung die Rückgabe des Zettelmaterials. Zwar war es im Schloß Fredersdorf zu Plünderungen gekommen, unter denen besonders die Bibliothek der östlichen Arbeitsstelle hatte leiden müssen, auch blieben die vier nach Blumental transportierten Kisten verschollen. Zudem hatte ein örtlich zuständiger Kommandant der Roten Armee den Schacht des Kalibergwerks zumauern lassen. Dennoch konnten bald zwei Räume in der Berliner Universitätsstraße für zukünftige Arbeit vorsorglich gesichert und mit Papieren geschützt werden, die die Besatzungsbehörde gestempelt hatte; offenbar gab es innerhalb des nun alles beherrschenden Machtapparates einige Liebhaber der deutschen Sprache.

Gleich zu Beginn des folgenden Jahres gelang es durch Vermittlung der sowjetrussischen Akademie der Wissenschaften, den Rücktransport aus Fredersdorf und aus dem Kalischacht bei Bernburg einzuleiten. Mit Lastwagen der Roten Armee, die streng bewacht in Kolonne fuhren, wurde die Masse der Belegzettel, deren Vielstimmigkeit seit Jacob und Wilhelm Grimms Zeiten angereichert worden war und die nun, erregt durch plötzlichen Transport, wirr vor sich hinflüsterte, zurück nach Berlin befördert. So geriet, was man kriegsbedingt gelagert hatte, allmählich wieder in Fluß. Göttingen gehörte zwar zur britischen Besatzungszone, nahm aber dennoch mit Ostberlin Kontakt auf; Ostberlin wußte in Göttingen einen zuverlässigen Mitarbeiter, den überlebenden Hans Neumann.

Mir aber liegt im Rückblick auf das Jahr des Untergangs und der Befreiung, in dem weltweit Frieden erhofft wurde, noch immer der Tiergarten wüst. Zwischen verkohlten Baumstümpfen, militärischem Schrott und verschilften Wasserlöchern habe ich Mühe, die Grimmbrüder aus den biedermeierlich möblierten Nischen ihres Jahrhunderts hervorzulocken.

Ich versuche es mit zukunftsverheißenden Versprechungen: »Bald geht es weiter! Dem Wörterbuch ist Zuwachs gewiß! Zielstrebig haben Frings und Neumann Kontakt aufgenommen!«

Ich rufe: »Das Z soll noch vor dem W zum Abschluß gebracht werden.«

Ich bestätige Tatsachen: »Jadoch! Alle Belegzettel wurden untertage in einem Kalibergwerk geborgen. Kein Wasserschaden!«

Ich sage auf, was mir erst später bekannt werden wird: »Eine Kolonne Lkw, lauter Fünftonner, lieferte kürzlich alles in die Universitätsstraße 3b, wo inzwischen Professor Frings und seine Mitarbeiter…«

Ohne Echo bleibt, was mir als Lockruf einfällt. Jetzt stelle ich mich unter eine kaum geschädigte Buche, suche ringsum die weitgebreitete Wüstenei nach zerstreut liegenden Stichwörtern ab, stolpere über Gasmaskenbüchsen und durchlöcherte Stahlhelme unterschiedlicher Prägung, bin versucht, Patronenhülsen, Granatsplitter und Uniformknöpfe zu sammeln, stoße mein Knie an einer Geschützlafette wund, habe Ziegelsplitt, den der Wind mit sich trägt, zwischen den Zähnen und befrage fromme Kirchenlieder nach einem Zitat, das den Zorn Gottes belegt. Ich erinnere mich an von mir beschriebenen Zerfall, der aus anderem Anlaß von Krieg und zerstörender Gewalt zeugte, brülle mich heiser – »Es geht zügig weiter, vorwärts, voran!« –, will, weil mittlerweile verzagt und zermürbt vom Zweifel an allem, was ein endliches Ziel verspricht, die Suche aufgeben, rufe: »Ist doch zwecklos alles!«, da sehe ich sie zu zweit hingezaubert, wie möglich allein im Märchen.

Vorm Sockel des wundersamerweise bis auf wenige Granatsplitterspuren heilgebliebenen Lortzingdenkmals sitzen sie in einem bereits vom Rost zerfressenen Kübelwagen der einstigen Wehrmacht, dem das Steuerrad, alle Reifen sowie das Getriebe und der Motor fehlen.

Auf den Rücksitzen haben sie Platz genommen. Unverkennbar, wie mir von Zeichnungen und Photographien vertraut, sind beide altdeutsch gekleidet, doch scheint Mörtelstaub auf dem Tuch, dem Haar, auf ihrer Haut zu lagern: unterm grauen Belag muten die Brüder versteinert an.

Ich nähere mich, umkreise das Fragment des Kübels, wie der geländegängige Vierzylinder genannt wurde. Wieder einmal ist mein Wunsch mächtig geworden. Weil zeitlos, sind sie mir gegenwärtig: zwar vom Staub befallen, doch angepaßt der allgemeinen Nachkriegslage. Noch schweigen sie vor sich hin. Hat es Ihnen die Sprache verschlagen? Ob es gelingen kann, sie mit Wörtern herbeizuzwingen, die von der Jetztzeit sprechen und zur Wechselrede verführen?

Mir ist nicht sicher, wie ein Gespräch einzuleiten wäre. Soll ich den Ursprung ihres ausgeweideten und verrotteten Sitzmöbels, das Volkswagenwerk in Wolfsburg freilegen, weil dort seit Kriegsbeginn nicht mehr VW-Käfer, nur noch nach Professor Porsches Idee offene Kübelwagen produziert wurden? Mit der Klitterung Volkswagen könnte ich zu den Buchstaben V und W zugleich beitragen; auch ließe sich dem Stichwort Käfer zusätzliche Bedeutung nachsagen.

Dann aber, nachdem ich mit Vorgriff auf den letzten Buchstaben des Alphabets das Wort Zone und die vier Besatzungszonen der in Trümmern liegenden Stadt als Einstieg erwogen und sogleich verworfen habe, will ich, wie bereits eingangs und angesichts des Tiergartens auf wüst, Wüste, Wüstung kommen. Doch bevor es gelingt, mich mit dem bei Rückert verbürgten »wüstenschiff« als orientalisch-poetische Umschreibung des Kamels anzubiedern, zudem auf den Zuspruch der Mechthild von Magdeburg für einen Eremiten, »so wonest du in der waren wüstenunge«, hinzuweisen, machen mich die Grimmbrüder, ohne sich von den Kübelsitzen zu lösen, zum Zuhörer eines Zwiegesprächs, das von mehreren Buchstaben handelt, aber zuerst und zuletzt wie auch zwischendurch von Zank und Zwist bestimmt wird.

Sie wissen alles voraus. Was Jacob zu Lebzeiten geahnt und Wilhelm befürchtet hatte, zu andauerndem Gezänk und unheilbaren Zerwürfnissen zwischen Bearbeitern und Herausgebern hatten sich wiederholt Anlässe gefunden: in jedem Jahrzehnt, das seit ihrem Ableben verstrichen war, seit der Erfindung des Zündnadelgewehrs bis hin zum Vormarsch und Rückzug in Kübelwagen.

Kaum hatte sich der letzte Grimm davongemacht, geriet Weigand mit dem einstigen Korrektor in Streit. »Das war abzusehen!« bestätigt Jacob.

»Aber schlimmer noch«, höre ich Wilhelm rufen, »wiegt der Zank zwischen diesem Hildebrand, dem unser Hirzel alle Marotten nachsieht, und dem Privatdozenten Heyne, der dem inzwischen zum Professor ernannten Thomasschullehrer vorwirft, mit allerlei gelehrtem Geranke dem Wörterbuch Erweiterungen zuzumuten, die gewiß nicht in deinem Sinne sind, Bruder!«

Worauf Jacob am Beispiel des Stichwortes Gefühl nachweist, daß Hildebrand vorgehabt habe, »unser Wörterbuch zur Kulturgeschichte auszuweiten«.

Ich stimme ihnen zu, indem ich auf die Motorhaube klopfe und versuche, mich in ihr Gespräch einzufädeln: »Er hätte sich an Jacobs Artikeln zu empfinden und Empfindung ein Beispiel nehmen sollen...«

Doch plötzlich und mir ins Wort fallend, lobt Wilhelm Hildebrands Eigensinn, den in Anspruch zu nehmen – darauf pocht er – auch ihm eigentümlich gewesen sei, wenngleich der Bruder ihn deswegen, »als ich über Jahre hinweg dem Buchstaben D dienlich zu sein hatte«, heftig getadelt habe: »Nicht frei von Zorn!«

Darauf Jacob: »Zu Recht! Denn dein ausschweifender wie allzu lässiger Umgang mit Partikeln sowie die Mißachtung des Semikolons haben leider Schule gemacht. Nicht nur bei Hildebrand, dessen Abschweife sogar mit dem Blech des Kronenordens dritter Klasse belobigt wurden. Und Heyne trat in dessen Fußstapfen, behauptete sogar, er vertrete die kürzere, wenngleich gedrungenere Art weit mehr als die ausführliche.«

»Auch wollte er wie du, liebster Bruder, keine Mitarbeiter dulden. Nach Hildebrands und Lexers Tod hat er gedroht, nur dann weiterzuarbeiten, wenn ihm der Ruhm blühe, der Vollender des großen Werkes zu sein.

»Was wir vorausgewußt haben!«

»Immerwährendes Gezänk…«

»Kleinliche Querelen!«

»Jahrelanger Stillstand!«

»Kein Wunder, wenn selbst dein Herr Sohn, der ach so begabte Herman, bald nach unserem Ableben behauptet hat, das Grimmsche Wörterbuch sei schon bei unserem Tode veraltet gewesen.«

»Womit er in erlauchten Philologenkreisen sogleich Zustimmung fand.«

»Man sollte das Ganze aufgeben, hieß es.«

»Und dennoch ging es weiter.«

»Immerhin nahm sich dann doch noch die Akademie der Wissenschaften unserer Sache an.«

»Zögerlich genug und mit Zahlungen knausernd.«

»Jedenfalls wurden nachweislich hundertfünfundsechzig Exzerptoren tätig...«

»...und der Zettelvorrat zählte mehr als eine Million Zitate.«

»Dieser Wunderlich aber, der sich nach Hildebrand und Heyne hervortat, wollte gleichfalls keine Mitarbeiter dulden, selbst als ihm das G über den Kopf wuchs, dabei mehr und mehr in die Breite geriet und schließlich als Schwellkörper fünfeinhalb Bände mästete.«

»Alles über den grammatischen Leisten gespannt.«

»Zum Glück ist er nur bis ›gezwang‹ gekommen.«

»Dazu der endlose Professorenstreit zwischen Kluge und dem, genau besehen, verdienstvollen Schröder.«

»Zerwürfnisse!«

»Eitle Zankteufelei!«

»Elende Zwietracht herrschte...«

Dann aber, urplötzlich, waren sie bei ihren Anfängen in Kassel, beim A, als der Vertrag zum Wörterbuch abgesegnet werden sollte, was immer wieder verzögert wurde. »Aber nein!« riefen abwechselnd beide, »Aber ja!«

Vergeblich versuchte ich, mich ins Gespräch der Brüder zu mengen, sie zum Z zu zwingen. Ich zwängte mich sogar auf den Fahrersitz mit der Absicht, trotz fehlenden Steuerrads die Lenkung zu übernehmen. Der vom Wind getragene Ziegelsplitt machte, daß meine Zähne knirschten. Doch der Hinweis, Zwist und Zank seien leider üblich, genau so zungenfertig sei es zugegangen, als vor wenigen Jahren die Rechtschreibreform deutsch- und starrsinnig Anlaß zum Philologenstreit gegeben habe, wurde überhört. Mein späterer Einwurf – denn ihr Zwiegespräch wollte nicht enden –, die Ungleichartigkeit des Wörterbuchs biete zusätzlichen Anreiz, sie entspreche Jacob Grimms Rede auf dem ersten Germanistentag, »Über den Werth der ungenauen Wissenschaften«, war ihnen wie danebengeredet. Also überließ ich beide ihrem Genörgel.

Sollten sie weiterhin in der ausgeweideten Karosserie eines Kübelwagens aus Kriegszeiten hocken, mit heftigen Gesten Mörtelstaub aufwölken und sich an ihren Nachfolgern reiben; mir war die Freude am Wörterbuch, mochte es noch so überladen wie unvollständig sein, nicht zu vergällen.

Abstand nahm ich vom Kübel und blickte von der obersten Sockelstufe des Lortzingdenkmals über die Ödnis des Tiergartens. Fern ragten der kolossale Flakbunker, die Reichstagsruine, die von Bomben- und Granatsplittern ramponierte Siegessäule. Krähen darüber, die nun das Wort hatten.

Nur einmal noch rief ich »Euer Wörterbuch ist und bleibt mein Hausschatz!« und gefiel mir ab dann in der Rolle des Wüstenpredigers, das heißt, ich sah mich als vergeblicher Mahner, von dem schon Goethe wußte, daß er »als stimme in der wüste kaum wohl vernommen« wird.

Ins Leere reden. Darin hatte ich mich geübt. Niemand wollte hören, was ich, kaum war die Mauer zwischen zweimal Deutschland gefallen, als Folgen der ruckzuck vollzogenen Einheit aufzählte. Kein Gehör fand bei den Sozialdemokraten meine Warnung vor der Schändung des Asylartikels, eines Kronjuwels der Verfassung. Niemand wollte und will sehen, was ich seit Jahr und Tag wiederhole, also papageienhaft beklage: die Belagerung des Bundestages durch die Mafia der Lobbyisten, wie sie Parlamentarier abhängig, käuflich, sich gefällig machen, Betrug legitimieren und die Demokratie in Verruf bringen. Selbst als ein Teil des Schwindels ruchbar wurde und aufflog...

Verschrien als Rechthaber, Besserwisser, Moralapostel sehe ich mich, bespuckt und verhöhnt und mißachtet, wie vormals der biblische Sündenbock, der belastet mit der Menschenkinder schuldhaftem Tun in die Wüste geschickt wurde, wo gut predigen ist.

Also die gekränkte Leberwurst spielen. Oder Wüstenstille suchen. Oder mit Gottfried Keller – »arbeit ist das wärmste hemde, frischer quell im wüstensand« – nur noch Wörter setzen, und sei es die der Klage: Weh, Wehruf, Wehgeschrei. Gotisch nachgewiesen als wai. Ein Naturlaut seit Menschengedenken, weshalb er als Lautsprecher für jeglichen Schmerz in die Literatur fand: ihr immerwährendes Lamento.

Aus wai, wei wurde we. In Luthers sächsischer Kanzleisprache, die uns als Bibeldeutsch immer noch nährt, findet sich wehe im Wechsel mit weh. Zuvor steht bei Hans Sachs »pauchwe« und viel früher bei Hartmann von Aue »sie sprach: we dir, vil übler tot!« Und wenn Klopstock ruft, »weh dem erobrer, welcher im blute der sterbenden geht«, sagt Lessing: »ach, überweh mir armen!« und Opitz, »au weh mir!« Hingegen spottet Goethe: »ihr liebt und schreibt sonette! weh der grille«. Und in Wagners Walküre gibt »weh, mein Wälsung!« einen Stabreim mehr her. Bei Mörike steigt sogar ein »siebenfaches wehe aus dem stillen wasserreich«. Und als Schlegel Shakespeare übersetzte, hieß es von einem gewissen Green »du bist wehmutter meines wehs.«

Ferner gehen ach und weh Hand in Hand, so im Kirchenlied Paul Gerhardts, »dein blöder sinn geht offt dahin, ruft ach und weh.« Desgleichen paaren sich wohl und weh. Hinzu kommen des Weibes Wehen bei der Geburt. Und Schiller sagt den Troerinnen nach: »in das wilde fest der freuden mischten sie den wehgesang.« Freiligrath reimt sich sogar forsch Zukunft herbei: »jedwede zeit hat ihre wehen, ein junges Deutschland wird erstehen.«

Dem folgen Wehgeschrei und Wehklage, das Wehleid als Verursacher weit verbreiteter Wehleidigkeit und schließlich die Wehmut, welche vom »trüben wehmuthslächeln«, dem »wehmuthsschweigen tief im stillen herzen« weiß, bis hin zur verspotteten und vielzitiert mit Seufzern beschwerten »wehmuthszerrissenheit«, die den Romantikern und deren Epigonen nachgesagt wurde.

Das alles und viel mehr kam als vierzehnter, in meiner Ausgabe des Wörterbuchs achtundzwanzigster Band im Jahr 1955, lange bevor das Kürzel www für World Wide Web die Welt veränderte, auf den Buchmarkt und benötigte, wie Theodor Frings als Institutsleiter der Akademie der Wissenschaften zu Berlin in seinem Vorwort schreibt, »mehr als vier Jahrzehnte« bis zur Veröffentlichung.

Nachdem er alle Mitarbeiter aufgezählt hat, erwähnt er die Göttinger Arbeitsstelle, die dem Band mit der Lieferung von Weh bis Wendunmut das Fundament gesetzt hatte.

Um diese Zeit war der Tiergarten schon wieder grün. Zur Zeit des Wirtschaftswunders gab es dort keine Kleingärten mehr, die den Hunger der Nachkriegsjahre mit Kartoffeln, Kohlköpfen, mit Karotten gelindert hatten. Kaum waren die Trümmer abgetragen und Bombentrichter geebnet, der Schrott weggeräumt und alle Teichufer gesäubert, wurde die Brachfläche mit schnellwachsenden Pappeln und Schwarzerlen bepflanzt. Sie bildeten auf sandigen Böden Humus, auf dem, besonders in Nähe zu Wasserläufen auenwaldähnliche Bepflanzungen wurzeln konnten. An anderen Stellen wuchsen Hainbuchen, Stieleichen, Birken und Kiefern, die sich, wie zu Grimms Zeiten oft gemalt und später photographiert, mählich zum Wald verdichteten, der Schatten warf, so daß winterfeste Stauden gedeihen konnten. Entlang dem Wasser vom Rousseau- zum Luisenteich blühte ein Rhododendronhain. Brücken wölbten sich, Teiche wurden belebt, Wege befestigt und Alleen befahrbar gemacht. Kurfürsten, Feldherren, Nymphen, Künstler und Fabelwesen kamen steinern wieder zu Ansehen.

Was geschah noch? Bänke wurden gesetzt, auf denen ich nun, wie dazu eingeladen, Platz nehme, mal auf dieser, mal auf jener, um wiederum die Grimmbrüder herbeizuwünschen, schließlich mit Lockrufen zu ködern, damit ich ihnen berichten kann, wie gut die Arbeitsstellen in Ostberlin und Göttingen trotz der Teilung des Landes und der Herrschaft der vier Besatzungsmächte in der einstigen Hauptstadt zusammenarbeiten.

Ich behaupte: Kein Streit fand statt, was üblich gewesen wäre während des Kalten Krieges. Man ignorierte das ideologische Gegeneinander. Je eifernder die in Ost und West aufgestellten Radiosender und grenznahen Lautsprecher dröhnten, um so stiller und unauffälliger verhielt man sich, war fleißig, ließ sich nicht ablenken und kam Spalte nach Spalte voran, so daß demnächst – wage ich vorauszusagen – mit der Veröffentlichung des fünfzehnten Bandes – in meiner Ausgabe der einunddreißigste – gerechnet werden könne. Erstaunlich! Vor fünfzig Jahren begann Moritz Heyne ihn zu bearbeiten. Er reicht von Z bis Zmasche, führt Zahl,

Zeit, Ziel mit sich, läßt den Zufall mit Zitaten zu Wort kommen, macht Hoffnung auf Zukunft, hört ihr, Zukunft! Alles, was der Partikel zu anhängt, ist zugelassen, bis hin zum Zuzug.

»Jadoch!« rufe ich im August fünfundfünfzig und springe von der Tiergartenbank auf, »Das Z wird vor dem W fertig!«

Aber die Grimmbrüder wollen sich nicht zu mir setzen. Es hat den Anschein, es finde mein Bericht über alles, was zur Zahl rechnet, zum Ziel führen könnte, was spaltenlang und zuletzt dem Zwang zuzuschreiben ist, weder des einen noch des anderen Ohr. Wahrscheinlich ergehen sie sich auf neuangelegten Wegen zwischen halbwüchsigen Birken. Schon beginne ich, sie zu suchen, bin ihnen wie eh und je hinterdrein.

Erst in Nähe des Englischen Gartens – eine Spende der vormals bombenwerfenden Briten, die kürzlich Eichenpflänzlinge aus dem Windsorpark lieferten – erkenne ich sie: weißhaarig und in ihre biedermeierlichen, nunmehr von keinerlei Mörtelstaub gepuderten Gehröcke gekleidet, sind sie ganz und gar in ein Gezänk versponnen, das sich seit Jahr und Tag zwischen den Herausgebern Schröder und Roethe einerseits und dem Bearbeiter Heinrich Meyer andererseits hinzieht.

Wenige Jahre vor Beginn des Ersten Weltkrieges bot das Stichwort Stehen Anlaß. Bereits der Artikel dazu mißfiel wegen Weitschweifigkeit. Als der Band zehn, erster Teil – bei mir Band siebzehn –, endlich erscheinen durfte, hatte es allein des berüchtigten Stehens wegen Jahrzehnte währenden Stillstand gegeben; Zeitspannen, auf deren Wegstrecken sich Krieg und Frieden wie beim Stafettenlauf den Stab gaben.

Im Gehen, nun entlang einem Rosenbeet, empören sich Jacob und Wilhelm über die mehr als dreihundert Spalten, die Meyer benötigte, um vom Stehen auf die Stehlampe zu kommen. Ach, könnten sie doch lachen. Aber nein, ernst, bitterernst geht es zu.

Jacob höre ich rufen: »Verstehe doch einer diesen Meyer!«

Wilhelm pflichtet bei: »War wohl nicht bei Verstand!«

»Ständig, als brauche und suche er Beistand, beruft er sich auf meine Grammatik, so mit einem Sachs-Zitat: ›jedes nach seiner art da stund.‹«

»Und wie selbstverständlich zitiert er den von mir hochgeschätzten Kleist, den du, strenger Bruder, nicht zitiert sehen wolltest: ›der brei ist dick, dasz schon die kelle stehet‹.«

»Weit über dreihundert den Leser ermüdende Spalten allein zum Stehen, ganz ohne Zweck und Sinn.«

»Wen wundert es, wenn Schröder und Roethe, die wir beide als tüchtig ansehen dürfen, zornig wurden und in ihrem Zorn zeitweilig ins Zetern gerieten…«

Bevor die Grimmbrüder wieder mit Zank und Zwist und dem soeben berufenen Zorn Wortfelder, auf denen der Buchstabe Z wuchert, zu beackern beginnen, spreche ich dazwischen, laut, unüberhörbar, inmitten der Rabatten des Englischen Gartens, den ein halbhoher Zaun schützt. Ich erinnere sie an den Zeitpunkt unseres diesmaligen Treffens, weise auf das zwischen Ost und West umstrittene Ehrenmal der Roten Armee beiseite der Siegesallee hin, rufe, »Die Stadt ist zweigeteilt!« und nehme Zukunft vorweg: »Irgendwann wird eine Mauer die Teilung festigen.«

Um so deutlicher lobe ich noch einmal den so stillen wie unablässigen Fortgang der Arbeit am Wörterbuch, »drüben in der östlichen Stadthälfte und fernab in Göttingen«. Mehrmals betone ich: »Göttingen! Die Universitätsstadt! Der Ort eurer Protestation und Schandfleck der Entlassung.«

Erst nachdem ich ihnen ein Signal aus weit entlegener Zeit gegeben habe, horchen die Brüder auf. Verflogen scheint ihre Schwerhörigkeit. So finden wir doch noch ins Gespräch. Sie erinnern sich kleinteilig an das Verhalten der feige kuschenden Professoren, und ich behaupte zu großmäulig, ohne Entlassung und die damit verbundene »unfreiwillige Muße«, wäre es wohl nie zum Angebot der Verleger Reimer und Hirzel gekommen, mit einem Wörterbuch Sprachgeschichte zu machen: »Dort hättet ihr in Ruhe Rost ansetzen können!«

Sie widersprechen nicht. Wilhelms Gesichtszüge deuten sogar ein Lächeln an, als wäre ihm insgeheim der Verzicht auf die Mühsal der Wortklauberei genehm gewesen.

Genehm, geheim, verlockende Stichworte. Schon wollen die Brüder mehr über die zwar von Behörden genehmigte und doch heimlichtuende Zusammenarbeit der Arbeitsstellen Ost West erfahren.

»Was bedeutet Kalter Krieg?«

»Wäre nicht nach Kriegs- und Hungerzeiten für die geplagten Menschenkinder etwas Dienlicheres zu finden gewesen als Kommunismus dort und Kapitalismus hier?«

»Hätte ein wohlwollender König, wie Bettine ihn wünschte, dem Volk nicht besser getan?«

»Wird der Bestand des zweigeteilten Vaterlands von Dauer sein?«

»Ist man gar, wie zu unserer Zeit, nach Metternichschem System bestrebt, sich wechselseitig zu bespitzeln?«

Und weitere Fragen. Wilhelm will wissen, warum in dem ominösen Band siebzehn, in dem sechzig Spalten lang das

Stichwort Staat übermächtig bis hin zum Staatszweck betont werde, dennoch das Bedürfnis nach Staatssicherheit zu kurz komme. Seiner Sicht und seinen achtundvierziger Erfahrungen entsprechend erweise sich, die allgemeine Sicherheit betreffend, der einzige Hinweis auf Kants Rechtslehre als unzureichend. Mit Fingerzeig wird mir bedeutet: »Man darf wohl von jemandem, der sich als Mann des Wortes zu erkennen gibt und ständig mit neudeutschen Wörtern prahlt, zusätzliche Erklärungen erwarten!«

So direkt und wie von Staats wegen angesprochen, bequeme ich mich zum Rückblick und berichte den Grimmbrüdern anhand meiner Stasipapiere von einer Ost-West-Begegnung besonderer Art.

Die Hauptabteilung XX/7 des Staatssicherheitsdienstes der Deutschen Demokratischen Republik war am 20. Juni 1988 über ein Treffen von Vertretern der Schriftstellerverbände beider deutscher Staaten informiert, das zwei Tage zuvor im Schriftstellererholungsheim »Friedrich Wolf« in Petzow am Schwielowsee stattgefunden hatte.

Dieser mir kürzlich mitsamt anderen Papieren ausgehändigte Bericht von fünfeinhalb Seiten Umfang, gefertigt in sechs Exemplaren, der zu zweitausend und mehr mich betreffenden Seiten Stasimaterial gehört und in dem ich im Verlauf dreier Jahrzehnte unter dem Decknamen »Bolzen« erfaßt bin, gibt, nachdem er lange unter Verschluß lag, nunmehr Auskunft, was zur Zeit von Glasnost und Perestroika für einen Streit taugte, der immer noch Wort für Wort nachhallt; denn wie im Umfeld der Brüder Grimm, so waren danach vernetzte Sicherheitssysteme und Spitzeldienste gefragt. Ab der Demagogenverfolgung, als Friedrich von

Gentz und der jüngere Schlegelbruder sich Metternich angedient hatten, bis hin zur gegenwärtigen Epoche neuzeitlicher Datenspeicherung und eilfertiger Informantentätigkeit: das liest sich, sobald Papiere ans Licht kommen, wie ein Endloskapitel deutscher Geistesgeschichte.

Beim Treffen am Schwielowsee gehörte ich als Beisitzer zum Vorstand des Schriftstellerverbandes der Bundesrepublik. Im Protokoll der Hauptabteilung XX/7 werden die beiden deutschen Staaten stets DDR und BRD, hingegen jeder Teilnehmer voll ausgeschrieben beim Namen genannt. Unser konträres Gegenüber während der zwei Tage lang anhaltenden Wortgefechte um Personen und Fakten sind Hermann Kant und Gerhard Henniger, der eine ist Präsident des DDR-Verbandes und Mitglied des Zentralkomitees der SED, der andere 1. Sekretär des SV. Die Namen jener ostdeutschen Autoren, die als Präsidiumsmitglieder zumeist verlegen beiseite blickten, angestrengt schwiegen oder Kant und Henniger parteilich zustimmten, will ich schonen; sie werden für ihr ängstliches oder angepaßtes Verhalten Gründe gehabt haben, die zu beurteilen mir nicht zusteht.

An meiner Seite saß Anna Jonas als Vorsitzende unseres Verbandes. Um Alltägliches wurde gestritten, etwa um einen Artikel in der Parteizeitung »Neues Deutschland«, gerichtet gegen den Schriftsteller Jürgen Fuchs, gleichfalls um die Anna Jonas zuvor verweigerte Genehmigung einer Einreise in die DDR. In beiden Fällen wurde, wie mit Schreibmaschine getippt steht, »die Position des SV der DDR« erhärtet.

Bevor wir uns stritten, ging es, was nicht im Protokoll steht, witzelnd und abtastend freundlich, fast kumpelhaft zu. Man gab sich fähig, mit ironischen Zweideutigkeiten zu spielen: das übliche Literatengeplauder. Doch nach der Begrüßungsrede Hennigers, die nichtssagend war, kam Kant zur Sache. Er sprach lange über den wünschenswerten Beitrag beider Verbände zur »Unterstützung des Kampfes der Völker für Frieden und Abrüstung«. Weil aber sein Appell einzig die in Westdeutschland stationierten US-amerikanischen Mittelstreckenraketen und deren atomare Sprengköpfe im Blick hatte, nicht aber die nuklearen Vernichtungswaffen sowjetischer Bauart mit Standorten in Ostdeutschland, gab es keinen Grund, seinen Appell zu unterstützen. Unser Hinweis auf die in der DDR merklich lauter werdende und kaum noch zu unterdrückende Friedensbewegung »Schwerter zu Pflugscharen«, die sich gegen beide Raketensysteme aussprach, wurde überhört und nicht ins Stasi-Protokoll aufgenommen.

In meiner Antwort auf Kant wies ich auf sein Ausblenden der sowjetischen Hochrüstung hin. Wir bestanden darauf, daß nicht nur die Pershing-II-Raketen, sondern gleichfalls alle SS-20-Raketen zu verschwinden hätten. Was Kant, darin geübt, mit rhetorischen Tricks zu überbrücken versuchte, blockte Henniger, sein Aufpasser, weg: zu Beton erstarrte Sätze. Wörter auf Linie getrimmt. Zweifel nicht zugelassen.

Dann kam ich auf ein im ostdeutschen Verband tabuisiertes Thema. Es ging um den Schriftsteller Erich Loest, dem in den Fünfzigern der Prozeß gemacht worden war. Aus der Anstalt Bautzen, die ihrer Ziegelsteinfarbe wegen »Gelbes Elend« hieß, wurde er erst nach siebeneinhalb Jahren Haft entlassen.

Ich nannte Loest, wie zu lesen steht, »ein Opfer des Stalinismus« und forderte den ostdeutschen Schriftstellerverband auf, ihn, was gleichfalls protokollarisch vermerkt

wurde, »im Zeitalter von Glasnost und Perestroika« zu reha-
bilitieren, wenn auch verspätet und nahe der Grenze zum
»zu spät«.

Anna Jonas unterstützte mich. Wir argumentierten gesamtdeutsch: Erich Loest sei unser aller Kollege. Wir sollten gemeinsam, weil angehörig einer Kulturnation...

Dazu sagt das Protokoll des Staatssicherheitsdienstes,
das, wenn nicht Kant, dann Henniger oder sonstwer verfaßt
haben könnte: »Diese Worte stießen auf heftigen Wider-
spruch aller DDR-Teilnehmer.«

Heute, aus mehr als zwei Jahrzehnten Distanz, frage ich
mich doch, wieso einige der mir gegenübersitzenden
Schriftsteller von Rang, deren Romane und Gedichte ich
schätzte, kein Wort für Loest fanden. Es wäre zu dieser Zeit
für sie von hinzunehmender Gefahr gewesen. Aus der
Sowjetunion kamen Signale, die in Polen und Ungarn verstanden wurden. Überall taten sich kleine und sogleich
genutzte Freiräume auf. Ein Jahr nach unserem Treffen
gingen junge und alte Menschen in der DDR auf die Straßen. Leipzig leuchtete. An vier Wörtern zerbrachen der
Staat und sein Sicherheitssystem. Die Mauer kam zu Fall.

Im Rückblick auf deutsches Verhalten scheint mir, als
habe sich ängstliches Anpassen, wie jenes im Jahr 1837, als
die Göttinger Sieben ihrer Protestation wegen entlassen
wurden, seitdem landesweit eingeübt. Beispielhaft die Duckmäuserei am Schwielowsee. Und selbst gegenwärtig steht,
trotz behaupteter Meinungsfreiheit, der Opportunismus in
Blüte: man gibt sich cool oder singt im Chor. Anstelle alt-
modischer Zensur sorgen wirtschaftliche Zwänge und redak-
tionelle Übereinkünfte fürs Stillschweigen. Die Lehrlinge
des Zeitgeistes halten auf Tradition: ein marktgängiger Sekt

heißt Fürst von Metternich, und vor Hannovers Hauptbahnhof reitet noch immer ein Ernst August in Bronze.

Vor mir liegt als Fotokopie das Protokoll des Staatssicherheitsdienstes. Was zu vermuten ist: ich wünschte, es kämen mir gleichfalls alle Papiere zu Gesicht, die, mich betreffend, der bundesdeutsche Nachrichtendienst und der Verfassungsschutz seit Jahrzehnten gesammelt haben und unter Verschluß halten könnten; worüber die Hauptabteilung XX/7 Auskunft gibt, ist lückenhaft und bedarf gesamtdeutscher Ergänzung.

Natürlich wurde am Schwielowsee nicht nur gestritten. In der geräumigen Villa, die während der Naziherrschaft arisiert, der Legende nach irgend einem Filmstar aus Ufa-Zeiten gehört haben mochte, schließlich Besitz eines Parteibonzen war, nun aber verdienten Schriftstellern als Erholungsheim offenstand, saßen wir Eintopf löffelnd am Mittagstisch und nachmittags bei Kaffee und Kuchen. In Pausen schlenderten wir über die Wiese zum Seeufer. Leise Gesprochenes fand nicht ins Protokoll: Honeckerwitze, auch solche, in denen Mielke als Schreckgespenst komisch zu sein hatte.

Als wir unter altwüchsigen Bäumen standen – waren es Ulmen oder Eichen? – und uns kollegial annäherten, löste sich – womöglich zu heftig angestoßen durch staatsfeindliche Stichwörter – ein morscher, doch schenkeldicker Ast aus einer der Baumkronen und schlug keine zwei Schritt neben mir auf.

Ich erinnere mich an allgemeines Erschrecken. Danach hätte man, weil ich unbeschadet geblieben war, »gesamtdeutsche Freude« registrieren können, wären Kant und

Henniger nicht vorauseilend besorgt gewesen: Schaden für das mittlerweile fragile Staatswesen DDR befürchtend, überboten sie einander mit dem Erfinden fettgedruckter Schlagzeilen in den Zeitungen des kapitalistischen Auslands, was alles dem Klassenfeind tauglich geworden wäre, falls mich der Ast auf dem Boden des Arbeiter- und Bauernstaates erschlagen hätte.

Achja, zum Abschied schenkte mir Hermann Kant einen fischförmigen Teller, der einen mit Porzellanfarben gemalten Butt zum Motiv hatte. In Anspielung auf meinen gleichnamigen Roman beteuerte er, dieses Buch besonders zu schätzen, weshalb er bedaure, daß die Zeit noch immer nicht reif sei, derlei Lektüre für Staatsbürger der DDR freizugeben.

Bald danach, kaum war die Mauer gefallen, sah sich Kant veranlaßt, seinen Schriftstellerverband, die Akademie der Künste und gleichfalls den nun gesamtdeutschen P.E.N.-Club zu verlassen. Eigentlich schade. Ich hätte gerne weiterhin mit ihm gestritten, über dies und das, auch über den Staat und dessen Sicherheit.

Schon immer ging es um Wörter. Ist sie rund oder flach? Dies ist, dieses bedeutet. Was die Deutschen sind oder sein sollen: das Volk oder ein Volk. Dafür, dagegen.

Einerseits geben Wörter Sinn, andererseits sind sie tauglich, Unsinn zu stiften. Wörter können heilsam oder verletzend sein. Das Wort als Waffe. Sich spreizende, auftrumpfende, mit Bedeutung gemästete Wörter. Manche sind Zungenbrecher, andere lassen erkennen, verschleiern, leugnen ab, decken zu oder auf. Oft liegen winzige Wahrheiten unter Wortlawinen begraben. Aus Wortstreit entspringen

Schimpfwörter. Flüche, Beschwörungen, Zaubersprüche bannen, rufen herbei, lassen wahre Wunder geschehen. So im Berliner Tiergarten, als ich mir nochmals die Brüder Grimm herbeiwünsche.

Das fällt leicht. Ich muß nur zeitabwärts geeignete Plätze finden. Zum Beispiel eine Insel, die, der Stadt Telgte vorgelagert, der Fluß Ems bildet, groß genug für eine Herberge voll wortmächtiger Dichter, und schon reisen sie an, zitieren sich selbst, sind scheu zurückhaltend oder streitsüchtig. Und in meinem zeitverschlingenden Roman »Der Butt«, der soeben noch auf diesem Papier Hermann Kant Anlaß gegeben hatte, mir einen fischförmigen Teller zu schenken, heißt ein Kapitel »Die andere Wahrheit« und handelt zur Zeit der Frühromantik, damals, als sich die Brüder Grimm... Und in einem weiteren Roman, »Die Rättin«, in dem es wie nach Plan um das Ende des Menschengeschlechts, doch zuvor ums Waldsterben geht, sind Jacob und Wilhelm Grimm als wankelmütige Staatssekretäre im zuständigen Umweltministerium tätig. Weil sie das Schlimmste verhüten wollen, suchen und finden beide in einem Stummfilm, der »Grimms Wälder« heißen soll, das Personal aller von ihnen zwischen Buchdeckel gesperrten Märchen. Dornröschen und ihr wachküssender Prinz, Aschenbrödel, die Hexe verbündet mit Hänsel und Gretel, Rumpelstilzchen, das Mädchen ohne Hände, die sieben Zwerge und Rapunzel treten auf, werden aufständig, widerstehen, damit der Wald, ohne den es keine Märchen gibt, gerettet werde.

Diesmal jedoch sind die Grimms nur bedingt roman- oder filmtauglich, doch gleichwohl, was sie zeitlebens waren, wortversessen. Womit sie spielen: Partikel, die sich im Spiel vermehren. Ich spiele mit. Was ihnen Lust bereitet: Oralverkehr mit Vokalen. Wovon sie nie genug kriegen: Verben, aus Substantiven entsprungen, Verben, zu Substantiven gebläht. Zudem paarweis laufende Wörter: Absage, Donnerwort, Flüstergrotte, Gaumenkloß, Kehllaut, Redensart, Singsang, Stimmgabel, Wortklang... Ich könnte Schallmauer und Urknall nachtragen.

Zu dritt sitzen wir auf einer Bank nahe dem ehemaligen Zeltenplatz, von dem zu ihrer Zeit strahlenförmig Alleen wegführten: die Kastanien-, Rüster-, Buchenallee, die Ahorn-, Platanen-, Eichenallee. Wo früher die gegen Kriegsende zerbombten Zeltengebäude standen, steht jetzt nahbei die vor wenigen Jahren gebaute Kongreßhalle, die ihrer Form wegen von den Berlinern »Schwangere Auster« genannt wird.

Da wir nunmehr den Tiergarten im Dezember 1960 heimsuchen, ergibt sich, daß derzeit der dreißigste Band des Grimmschen Wörterbuchs auf dem Markt ist, dem der Ostberliner Frings und der Göttinger Neumann das Vorwort geschrieben haben. Er ist geschwollen genug, um nach Wille, wirr, Wochenbett und Wolke ein Stichwort ins Spiel zu bringen, das dem Wort an sich gilt: von der Spalte 1467 bis zum Wortzwist mit dem Krummacherzitat, »wo herrschte jemals mehr kritik, aber auch mehr wortzwist und logomachie und krittelei unter den gelehrten und philosophen, als in Deutschland«, reicht die Wörterflut oder Flut der Worte; denn nie galt als sicher, wann man Wörter zu sagen hatte, wo ohne Umlaut Worte richtig waren.

Wilhelm, dem die Dezemberkälte zusetzt, weshalb er eigentlich in die Kachelofenwärme seiner Gelehrtenstube zurückwill und dem des Bruders Regelwerk schon immer ferner stand, als er zugeben durfte, sagt: »Ob Worte oder Wörter, etwas Verbindliches gibt es nicht. Das Sprachgefühl mag bestimmen.«

Jacob, dem wie dem Bruder eine russische Pelzmütze die Ohren schützt, hält mit einem Zitat aus den aufklärenden Schriften des Philosophen Christian Wolff dagegen: »indem wir leere worte, mit denen kein begriff verknüpffet ist, für erkäntnis halten und wörter für sachen ausgeben«, ergibt sich der Unterschied.

Dann stimmen beide überein, indem sie die gehäuften Belege zum Stichwort Wort als zu weitschweifig kritisieren. Aber zugleich gefällt es ihnen, einander mit weiteren Zitaten zu überbieten.

Mir jedoch werden Beiträge untersagt. Bevor ich Sätze zur gegenwärtigen Jahreszeit Winter bilden oder abschließend auf Wucher und Wut oder gar auf das Reizwort Wurm kommen kann, schneidet mir Jacob jedes weitere ab: »Weder in Berlin noch in Göttingen hat man gelernt, Maß zu halten!«

Er bekrittelt die, wie er sagt, »planlosen Ausflüge« der Bearbeiter des Buchstabens W ins grammatische Gehege und ins mundartliche Dickicht, schont weder Frings noch Neumann und verflucht mich, weil ich ihn in den bitterkalten Tiergarten gelockt habe. Auch ärgert ihn immer noch des Verlegers Hirzel willkürlicher Beschluß, dem ersten Band des Wörterbuchs das Motto »Im Anfang war das Wort« auf die Titelseite zu setzen: »Nicht Gottes Wille, Menschenwerk sind die Wörter!«

Indessen widerspricht Wilhelm einem Schmähgedicht Lessings, gemünzt auf Gottsched, der »alle worte lands verweist, die nicht auf deutschem boden wachsen«.

Meinem Einwand, dann wäre unser Wortschatz, wie nach plötzlichem Wertverfall an der Börse, um ein Drittel geschwunden, stimmt Jacob zwar zu, meint aber sogleich, die Nähe des Stichworts Wort zum lateinischen verbum in Frage stellen zu müssen, indem er als Wurzel das germanische wurda und gotisch nachgewiesene waurd freilegt.

Während weitgereiste Touristen – japanische, die allerdings wie die Grimmbrüder Pelzmützen gegen die Kälte tragen – an unserer Tiergartenbank vorbeiwatscheln, habe ich vorsorglich den dreißigsten Band des Wörterbuchs zur Hand und warte scheinbar wahllos mit Stichproben auf, mit allem, was dem gewichtigsten aller Wörter, dem Wort anhängt oder vorgesetzt ist.

Leeres, reines, banges,
das letzte Wort haben.
Drauf schwören, es brechen, dran glauben.
»Doch immer behalten die quellen das wort…«
Vom Wort zur Tat kommen.
    Mit Dankesworten beglückte Gervinus
den Freund aus Zeiten,
als Eidesworte nicht länger gelten sollten:
»Wie anders ist es bei Ihnen,
der Sie aus dem todten Worte
das Leben erläutern.«
    Drauf pochen, drauf setzen, vertrauen
oder kürzer gefaßt: Ein Mann ein Wort.
Sie sollen es stehen lassen
oder so ähnlich rief Luther.
Gesammelt sind geflügelte Worte.
Und eingeübt geht dem Pfaffen
das »Wort zum Sonntag« vom Munde.

Das will wohl jeder: ein Wörtchen mitreden.
Wortdrescher und Wortdrechsler sind sie,
die uns mit Wörterdunst benebeln,
die kläubeln und wörteln,
es dir im Munde verdrehen.
   Zungenfertig und wortgewandt fechten sie,
auf daß der Wörterkrieg nie endet;
Jean Paul hingegen weist darauf hin,
»dasz viele worte gewechselt werden ohne allen zank.«
   Mir aber verfaulen manche im Munde schon,
indes ich sie kaue, schlucke, verschlucken will,
sie satt habe, an ihnen ersticke.

Es fehlt ja nie an Wörtern. Alles heißt, hat seinen Namen,
will bestimmt sein. Wörter nageln jeden Gegenstand, plap-
pern jeglichen Blödsinn nach, züngeln, werden gemischt
zum Salat, sind, weil geheiligt und gezählt, die sieben Worte
am Kreuz. Aufgerufen geben die Buchstaben Laut. Sie
fügen sich weich, beweisen Härte, so die ersten, als Adam
zu ackern begann. Später, viel später dann, nachdem die
Brüder Briefe mit Bettine gewechselt und charakterlose
Creaturen auf Credit gelebt hatten, als Durst der Dürre
gefolgt, die Eisenbahn von Leipzig nach Berlin geeilt und
mit den Blättern im Tiergarten die Frucht gefallen war, gerieten die Buchstaben durcheinander bis hin zu den letzten
in langer Reihe.

Zog mich aus, lag aus Wollust dem W bei,
träumte danach vom V, einer vornehmen Dame,
erwachte jedoch neben der Hure X,
die mir ein U vormachte,

auf daß ich endlich und zwar mit Hilfe
der stets gefälligen Frau Q, einer Quasselstrippe,
ruckzuck ans Ziel kam, worauf mich Fräulein Y,
meine heimliche Liebe, in Yogastellung erwartete,
mir dann aber Rache schwor,
weil ich in rückläufigen Gedanken
Rettung beim rollenden R gesucht,
mich zuvor aber, sattsam getröstet,
bei den Schwestern S und T verschlafen hatte,
weshalb ich fürs Z, so zärtlich ich tat,
ein Jahrhundert zu spät kam.

So ist es mit der Zeit. Sie will in ihrem Ablauf vergangen,
gegenwärtig, zukünftig sein. Mir aber bleibt sie durchlässig
und jederzeit zugänglich, wie allseits der Tiergarten. Deshalb kann ich sagen, vorhin noch wüst, dann halbwüchsig,
wenig später dezemberlich kalt, ist er mittlerweile zu hoch-
wüchsigen Bäumen gekommen, die, weil jetzt sommerliche
Hitze herrscht, schützende Schatten werfen. Beinahe gleicht
er wieder jener vom Großgärtner Lenné erträumten und
trotz knausriger Könige weitläufig gestalteten Parklandschaft, in der sich die Brüder Grimm ab 1840 ergingen;
damals, als der Goldfischteich noch Venusbassin hieß.

Nunja, inzwischen stört der Autoverkehr mit Abgasen
und schwankendem Lärmpegel. Aber schon Jacob nahm an
zu vielen Kutschen und Kremsern Anstoß. Trotz Verbot
rollten sie auf Nebenwegen. Herrenreiter blickten auf die
Brüder herab. Damenkränzchen kreischten am Zeltenplatz,
so daß dort kein Bleiben war.

Weil zu Lebzeiten wie aus der Zeit gefallen, wirkten sie
gestrig und gegenwärtig zugleich. Und weil ihre Zeitweil,
wie von mir oft gewünscht und ins Bild gesetzt, von dehn-

barer Dauer gewesen ist, erlaubte der letzte Buchstabe des Alphabets, meine und ihre Zeit in Vergleich zu bringen.

Sobald es bei meinen Tiergartenversuchen gelang, die Brüder in die vom Krieg gebliebene Kübelwagenkarosserie, vorher und später auf die eine oder andere Bank zu setzen, kamen wir, wenn ich geduldig blieb, ins Gespräch, und konnte ich ihnen zeitgenössische Wörter wie Zeitmaschine, die Radiosendung »Zeitzeichen« und als Zitat Ingeborg Bachmanns »gestundete Zeit« anbieten.

Dann wieder gerieten wir zu dritt über Theodor Fontane ins Plaudern, der wie die Grimmbrüder ein Tiergartenliebhaber gewesen ist. Als er mir in dem zeitaufhebenden Roman »Ein weites Feld« zum Wiedergänger Fonty wurde und gleich nach der Einführung der harten DM-Währung im Tiergarten begegnete, verwunderte er sich über die vielen Türken und hechelnden Jogger. Angesichts eines Haubentauchers kamen ihm Fluchtgedanken. Er versuchte zeitflüchtig zu entkommen: ab nach Schottland...

Althochdeutsch zit, mundartlich tid. Es brauchte Zeit, bis aus zeyt die Zeit wurde. Zu meiner, deiner, zu unserer. Schon Hans Sachs spricht vom »zeit vertreiben«. Bei Paul Gerhardt hält »gottes zeit ihren schritt«. Außerdem rast sie, schleicht heran, ist flüchtig. Von der unermeßlichen Zeit zur bemessenen, der Uhrzeit. Seitdem kann man zu spät, zu früh, zur Unzeit ankommen, aber auch allgemein unzeitgemäß sein. Platen wurde »des jetzigen zeitabschnittes erster tragiker« genannt. Von Schlegels Geist der Zeit über Hegels gallopierenden Weltgeist bis zum jeweils waltenden Zeitgeist lassen sich Wörter mit Wörtern kuppeln.

Was Fontane betrifft, den ich als Fonty in zeitraffender Bilderfolge auftreten ließ und zum Zeitzeugen der wiederholt mißglückten Einheit Deutschlands machte, finde ich im

Band einunddreißig zum Stichwort Zeit nur »ich habe keine
zeit, ein andermal« zitiert. Gerne fände ich mehr, ist Fontane
doch seinerzeit für die »Kreuzzeitung« und die »Vossische«
als Zeitungsschreiber tätig gewesen. Doch findet sich stellvertretend für dieses allzeit dem Spott ausgesetzte Gewerbe
Goethes Zweizeiler: »der zeitungsschreiber selbst ist würck-
lich zu beklagen, gar öfters weis er nichts und oft darf er
nichts sagen.«

Gewünscht hätte ich mir, in zeitbezüglichen Spalten den
Zeitungsfritzen mit wie ohne Zitat zu finden, diesen flüch-
tigsten aller Zeitgenossen, der immer zeitgemäß, zeitnah zu
sein hat; während ich mittlerweile wie außer der Zeit bin,
immerfort ihren Ablauf rückspule, mich in diesem, in jenem
Jahrhundert und dessen Zeitgeschehen verliere, jetzt –
doch was ist jetzt? – zur Zeit kurz vorm Mauerbau wiederum den Tiergarten absuche; aber ich finde die beiden
weder nahe dem Lortzingdenkmal noch am Goldfischteich.
Erst als ich eine hagere Greisin, die sich mit dem Urenkel
an der Hand die Zeit vertreibt, um Rat bitte und ihr die
Grimmbrüder bis ins altfränkische Detail ihrer Kleidung be-
schreibe, erinnert sie sich und weist mir mit Fingerzeig
wortlos die Richtung. Und auch des Kindes Zeigefinger tut
so, als wüßte er, wo wer zu suchen ist.

Also finde ich nach langer Wegstrecke zum Neuen See und
miete dort ein Ruderboot, wie ich es tat, als endlich die
Mauer fiel, um meinen allzeit zeitflüchtigen Romanhelden
Fonty und die zartbittre Madeleine, seine aus Frankreich
angereiste Enkeltochter, an Bord zu nehmen, auf daß sie
rückbezüglich bis in die finsteren Zeiten der Hugenotten-
verfolgungen ins Gespräch kamen.

Nun aber hoffe ich, mit Jacob und Wilhelm in einem Boot zu sitzen, damit wir von A wie Abschiednehmen bis Z nah ans Ziel kommen und noch einmal die Vokale feiern, das Derdiedas verspotten, uns an Partikeln genugtun dürfen.

Und schon sitzen sie mir gegenüber, denn ich halte die Ruderbank besetzt. Dem späten Nachmittag entsprechend steht die Sonne tief. Mildes Licht schmeichelt beiden. Mit sparsamem Schlag suche ich die Mitte des Sees, über dessen kaum gekräuselter Fläche Libellen tanzen. Die wenigen Boote auf dem See halten Abstand zu uns. Weil Stille dazu einlädt, bereite ich mich auf eine längere Rede vor, die, so ist zu befürchten, nicht frei von Pathos sein wird.

»Es ist vollbracht!« rufe ich und verbessere mich sogleich: »Es ist getan.«

Dann plaudere ich aus, was das Jahr sechzig sonst noch zu bieten hat: »Sogar der Staatsratsvorsitzende der DDR findet lobende Worte dafür, was ›trotz unterschiedlicher Gesellschaftsordnung im Interesse unserer Nation‹ möglich ist.«

Hier auf dem Wasser trägt meine Stimme. Steif sitzen die Brüder auf der Heckbank des Bootes, als müßten sie Ludwig Emil für eine Porträtzeichnung gefällig werden. Die Ufer des Neuen Sees spiegeln sich buschig bis waldig. Nichts, selbst der junge Mann nicht, der auf einem nahen Stück Wiesenufer wiederholt den Handstand probt, kann ihren Blick verlocken. Mich wollen hier und da abzweigende Wasserläufe zu Bootsfahrten verführen, die in den Verlauf anders verwickelter Geschichten münden. Aber ich halte Kurs, gebe der Versuchung nicht nach, suche mit korrigierenden Ruderschlägen die Mitte des Sees und bringe mich in feierliche Stimmung: »Freut euch mit mir! Welch Wunder! Von A bis Z, zweiunddreißig Bände stark liegt endlich der Grimm, das deutsche Wörterbuch vor.«

Sie wenden sich ab, bieten ihr Profil.

Ich schmeichle: »Nun ist es an der Zeit, Versäumtes nachzuholen, euch endlich ein steingehauenes Denkmal zu errichten. Das fehlt dem Tiergarten! Jetzt, da das Wörterbuch fertig…«

Nicht einmal blinzeln wollen sie, sich räuspern.

Ich wiederhole: »Fertig! Es ist fertig!«

»Nichts ist fertig.« Das ist wohl Jacob, der spricht, ohne die starre Pose aufzugeben.

»Nichts wird fertig.« Das könnte Wilhelms Beitrag gewesen sein.

Obgleich beide recht haben – denn was auf der Welt ist jemals fertig geworden? –, halte ich dagegen: »Aber jadoch. Bis zum Schluß haben die Arbeitsstellen in Ost und West, aller Teilung des Vaterlandes zum Trotz gemeinsam oder, wie ich zu sagen wage, gesamtdeutsch Wort auf Wort nach seinem Herkommen befragt, jedes mit Zitaten wuchernd bestätigt, ihm Anhängsel, oft im Übermaß, gegönnt und mit dem Zypressenwald, dem, nach Novalis zitiert, ein Zypressenzweig entnommen wird, das Ende gefunden…«

»Es gibt kein Ende!« bekomme ich zweistimmig Antwort, worauf es vom Seeufer zurückhallt: »kein Ende…«

Nun muß auch ich zugeben, daß man in Ostberlin und in Göttingen bereits plant, alle vorliegenden Bände zu überarbeiten, was von jahrzehntelanger Dauer sein wird; sie nehmen das hin, nicken im Gleichtakt.

Um die Brüder zu schonen, verschweige ich, daß insbesondere die Buchstaben A bis F besonders gründlicher Überarbeitung bedürfen.

Eher beiseite gesprochen, und während es mir gelingt, mit zwei, drei Ruderschlägen das Boot zu wenden, auf daß ihnen die Sonne im Rücken steht, sage ich: »Nunja, ein wenig nachbessern wird man wohl müssen.«

Zwar erwähne ich kurz, daß wie zu ihrer Zeit ein gewisser Daniel Sanders nunmehr der überaus gestrenge Kritiker Walter Boehlich das Gesamtkonzept des Wörterbuchs zerzaust hat – »Doch Hans Neumann hat im ›Monat‹ Antwort gegeben und der Boehlichschen Polemik den Stachel genommen« –, halte aber geheim, daß zu meiner, der gegenwärtigen Zeit das Grimmsche Wörterbuch digitalisiert worldwide ins Web gefüttert ist, damit ein jeder mit seinem Notebook...

Stattdessen rede ich von Linguisten und deren widersprüchlichen Thesen, vom neuesten Wissensstand, demnach alles Bestehende hinterfragt werden müsse, immerfort, immerfort.

Doch sobald ich verstumme – denn nun ist alles gesagt – und zum Ufer und Bootsverleih zurückrudere, höre ich den Wechselgesang der Brüder.

»Der sprache«, zitiert sich Jacob, »sind keine ausreichenden dämme gebaut.«

Wilhelm stimmt zu: »Wörter wandeln sich, geben neuen Sinn, löschen einander.«

Und der ältere Grimm sagt der Sprache nach: »sie flieszt, ufert aus, besonders die deutsche.«

Doch wer von beiden hat begonnen, dem Stichwort Wahn vielerlei Bedeutung nachzuweisen, dann von wähnen auf hellen Wahnsinn zu kommen, der bei Wieland noch anders hieß: »wahnwitz ist ein punkt, worin die gröszten geister und die gröszten schöpse zuweilen zusammentreffen«?

Nun aber wechseln sie vom W mit einem Zitat nach Eichendorff zum Z: »es treibt vom stolzen ziele, kaum geendet, nach neuem ziel dich neues unbehagen.«

»Was aber heißt Ziel?«

»Anfangs ist tilarids der gotische Name eines Speers, der zum Ziel strebt, weshalb wir zielstrebig sagen.«

»Dann wird aus til ziel.«

»Das räumliche, das zeitliche.«

»Tell mußte, nach Schiller, ›ein flüchtig ziel verfolgen‹.«

»Und für Schnaps hörte ich das gewöhnliche Volk oft Zielwasser sagen.«

»Doch unserem Jugendfreund Clemens war einzig der groß, der ›zu heilgem ziele mit gerechtem wurfe trifft.‹«

»Und Gryphius wußte: ›hier ist der grenzstein aller macht, der zielpunkt alles strebens.‹«

»Ach, ziellos sein endlich...«

Als ich am Steg anlegte und nichts mehr zu sagen wußte, saß ich allein im Boot, doch mir im Ohr blieben noch lange Grimms Wörter. Weil aber meine unablässige Liebeserklärung weit mehr als ein Jahrhundert verbraucht und ich zudem die Stunde Rudern um zwölf Minuten überzogen hatte, holte die Jetztzeit mich ein: ich mußte nachzahlen.

MLKJIHGFEDCBA

DEUTSCHES

WÖRTERBUCH

VON

JACOB GRIMM UND WILHELM GRIMM.

ERSTER BAND.

A — BIERMOLKE.

LEIPZIG

VERLAG VON S. HIRZEL.

1854.

A.

A, *der edelste, ursprünglichste aller laute, aus brust und kehle voll erschallend, den das kind zuerst und am leichtesten hervor bringen lernt, den mit recht die alphabete der meisten sprachen an ihre spitze stellen.* a *hält die mitte zwischen* i *und* u, *in welche beide es geschwächt werden kann, welchen beiden vielfach es sich annähert. Vorgeschichte und geschichte unserer sprache verkünden solche übergänge allenthalben:* lat. pater Iupiter Diespiter, goth. fadar, vater; lat. taceo conticeo, goth. þaha, ahd. dagèm; lat. sapio desipio, goth. safja; lat. habeo cohibeo, goth. haba, ahd. hapèm; skr. saptan, goth. sibun; skr. navja, litt. ˈnaujas, goth. niujis; skr. madhja, goth. midjis; skr. agnis, lat. ignis, litt. ugnis, goth. auhns f. uhns; lat. sal, salsus insulsus, goth. salt, ahd. salz sulza; lat. calco deculco conculco; taberna, contubernium; skr. aṇsa, goth. amsa, lat. umerus, humerus f. umesus umsus. *unsern ablaut sehen wir häufig aus* i *in* u, *aus* a *in* i *springen:* finde fand funden. ahd. anti *anti in* inti *und* unti; goth. aftuma *in* iftumin; goth. gahts, mhd. giht, nhd. gicht; ahd. maht naht, ags. miht niht; engl. might night; nhd. ganc und ginc; nhd. ziestag, zistig; nhd. Biberach, Biberich; ahd. apah apuh, goth. ibuks, mhd. ebech, nhd. äbich; nhd. gatter und gitter; nhd. nacke und genick; *in allen unsern sprachen zeigt das aus fangen stammende* finger, goth. figgrs, ahd. fingar geschwächtes i; mhd. zu min *bei* DIEMER 111, 23. 118, 14. 122, 9; mhd. albetalle wird mnd. zu albedalle und albedille. *Noch mächtiger als solche schwächungen, von welchen oft keine rechenschaft zu geben ist, wallet die regel des umlauts, d. h. der trübung des reinen* a *durch das folgende oder weggefallene* i *und* u *der zweiten oder dritten silbe; ursprünglich scheint dies* i *und* u *das* a *der wurzel in* ai *und* au *gewandelt, wie ein bild aus der ferne sich zurückwirft, in die wurzel gespielt zu haben, so dass schon im voraus* a *die folgenden* i *und* u *an sich fügte, und aus* gastim handum *ein* gaistim haundum *hervor gieng, dessen doppellaute sich allmälich in* e *und* o *zu* gestim hondum *verengten; alle* e *und* o *aller sprachen sind aus diphthongischem* ai *und* au *entsprungen; allein das gesetz des umlauts kann hier nur angedeutet, musz für jede sprache eigens begründet werden. Die gothische läszt ihn gar nicht ausbrechen, die ahd. nur den durch* i, *nicht durch* u *zu (*gestim *aber* hantum), *die* altn. *beide (*gestum f. *ge-*stim *und* höndum f. haundum, hondum*.) von bezeichnung des hochdeutschen umlauts, welchen* i *erzeugt, hernach unter* Ä.

Es ist ein vorzug hochdeutscher sprache das a, *kurzes wie langes, rein darzugeben. die langen* è *und* ò *müssen, analog jenem* e *und* o, *aus* ai *und* au, *beide aus* a *geleitet werden, jenachdem die verlängerung sich dem* i *oder* u *zuneigte.* goth. jèr mèna svès *sind* ahd. jâr mâno suâs *und zunächst vielleicht geworden aus* jiar miana svias. *nicht anders verhalten sich manche* fries. è *und die* mnl. ae (nnl. aa) *in* ahd. â. *niederdeutsche volksdialecte sprechen hingegen* unser langes a *wie* o *aus,* jahr klar wahr *wie* jor klor wor, *und diesen laut zeigen die nur leise oder gar nicht von* o *abweichenden schw.* å, *dän.* aa *in* âr aar. *Kurzes* a *pflegen die Friesen bald in* e *zu wandeln:* smel schmal, stef stab, gres gras, *bald in* o: noma name, fona fahne, hond hand; *ebenso die Angelsachsen bald in* ä: däg smäl stäf gräs, *mit schönem wechsel in* daga smalum stafum gras; *bald in* o: hona hahn, noma name. *die Engländer, auch wo sie a schreiben, sprechen häufig* ä *aus:* day man name staff lamb hand, *und wo* o *nicht mit* o *schreibend und sprechend:* long among cold old fold hold. *das dänische* haand *hängt zusammen mit dem laut des* altn. hönd =

hond haund, *die Schweden sprechen rein* hand. schw. hålla *lautet* dän. holde, schw. kall *dän.* kold u. s. w.
In allen fällen dieses schwankens der uns verwandten sprachen zwischen a e o *gilt* hochd. reines a, *auszunehmen sind folgende wörter, welche* o *für* a *setzen.* für kurzes a: von, nl. van, fries. fon *und* fan, ahd. fona, mhd. von, sellen van; gewohnheit, mhd. gewoneheit, ahd. giwonaheit, giwon suetus, altn. vanr; hohlen holen, ahd. halòn *und* holòn, mhd. holn: schor, wob, wog, flocht, focht, mhd. schar, wap, wac, flaht, faht; trotz, mhd. traz, altn. tråss, schw. trots, dån. trods. *für* å hingegen: wo, mhd. (neben da, mhd. dâ); ohm, mhd. âme; brombeere, mhd. bråme, ahd. prâma; ohne, mhd. åne; mohn, mhd. måge, mâhe, ahd. mâgo; argwohn (neben wahn) mhd. arcwân wân; odem (neben athem), mhd. âtem, ahd. âtum; schlot, mhd. slât; zote, ahd. zâta; zofe vom mhd. zâfen putzen; woge mhd. wâc; docht am licht, mhd. dâht. nicht aber gehört dazu mochte (neben macht), das schon im mhd. mohte, ahd. mohta (neben mahta) und im u von mugun begründet ist. Nie weichen hochdeutsches a und è der wurzeln in e aus, wie das niederdeutsche nese für nase, schw. näsa, dån. näse, altn. aber nös = nasu, ags. nosu, fries. engl. nose, und häufig nd. geven breken spreken, mnd. gèven brêken sprêken, mhd. gâben brâchen sprâchen, goth. gèbun brèkun.
Alle unsere a *haften fast nur in den wurzeln, die der flexion und ableitung waren schon* mhd. *zu unbetontem* e *herabgesunken; oberdeutsche volksmundarten hegen noch einzelne auslautende* a *in der flexion. doch dauern in der schriftsprache die volleren ableitungen* calan *und* monat, ahd. eidum mânòt, *welchen man einige zusammensetzungen wie* bräutigam heimat *und* nachbar *gleich behandelt, in solchen fällen geht demnach* a *nicht auf ein altes, vielmehr auf* u, uo, ò *zurück.*
Kürze erhielt sich in den einsilbigen partikeln an *und* ab, *im unpersönlichen* man, *im fragwort* was, *im* hat (*habet*), *für welche der häufige gebrauch sie nicht vergehn liesz; weil öfter wo sie durch doppelte consonans geschützt war. beispiele:* all ball fall fallen, narr harren starren, amme flamme hammer lamm schwamm, kann mann rann spanne wanne, lappe schnappe, affe schnalle, apfel napf zapf, acker back wacker, mache sache wache, matte ratte satt schnattere, blasz dasz fasz hasz lasz (*piger*) nasz, hassen nasser wasser, hamm halm kalb salbe half balg talg falke walke bald wald alt kalt gestalt salz walze hals, arm harm erbarmen barn warnen darbe starb ward darf warf arg barg sarg mark stark ward garte hart warte schwarz warze, kampf stampfen arm samt, hanf sanft ranft, lang fange hange sang verlangt krank schrank wanke hand brand sand wand bekannt kranz wanze gans, kraft saft schaft, magd, acht nacht wacht schacht achse dachs lachs wachs wachsen, ast gast mast mast rast.
Sonst aber musz sich das kurze a *dehnen und dem organisch langen in aussprache wie schreibung gleich setzen lassen, welches übel und tadelhaft auf dreifache weise geschieht.*
1) *die dehnung bleibt unbezeichnet,*
a) *für organische kürze:* schal (*insipidus*) schmal thal, gebar dar gar schar (*cohors*) sparen war (*fui*), gram kam name scham, schwan, aber gab gabel grab habe erhaben habe habet hager behagen lag nagen nagel sage schlag trage sage wagen (*currus*), adel bad faden hader laden made pfad rad schade gestade tadel wade, bat trat vater waten, asz frasz masz sasz base das faser gras genas nase rase (*cespes*).

b) für organische länge: qual pfal schale, waren *(fuimus)* waret *(fuistis)*, kamen kram same, span gethan, abend gaben Schwab, schaf schlaf graf tafel trafen, lagen pflagen schwager wagen *(audere)*, nach brache brachen sprache sprachen, nahen sahen, gnade nadel, baten braten that thaten traten unflat rath, aszen fraszen maszen saszen, blasen genasen rasen *(insanire)*.

2) *die dehnung wird durch gemination ausgedrückt, nur in wenig wörtern vor liquiden und lingualen*
  a) für organische kürze: saal aar baar waare.
  b) für organische länge: aal haar staar saat aas *und die fremden* paar zaar staat.

3) *durch eingeschobnes* h, *nur vor liquiden,*
  a) für organische kürze: fahl kahl mahle *(molo)* stahl *(furatus est)* wahl zahl, fahre nahrung wahren bewahren, lahm nahm zahm, ahn *(avus)* fahne hahn *(neben* henne) mahnen zahn.
  b) für organische länge: mahl mahle *(pingo)* stahl *(chalyps)* stahlen *(furati sunt)* strahl, bahre gefahr jahr wahr, nahmen *(ceperunt)* rahm.

Einleuchtend ist das auch überwiegende unbezeichnetlassen der dehnung allein richtig und die zweite wie dritte weise hätten längst verworfen werden sollen, da kam und lahm, war haar und jahr uns völlig gleichen laut haben. *um unterschiede der bedeutung wie* war *(fui)* wahr *(verus),* waren *(fuerunt)* waaren *(merces)* wahren *(servare) darf man unbesorgt sein.*

Einzelne a *bleiben auch vor zwei consonanten gedehnt und ungekürzt:* art bart schwarte spart wart *(fuistis)* zart und mit *eingeschaltetem* h: fahrt bejahrt wahrt.

Auslautendes sz *dauert in der conjunction* dasz, *wird aber im pronomen* das *und* was, *wie sonst in* es, *im neutr. aller adj.* blindes gutes *und in der partikel* aus *zu* s, *mhd. behalten alle diese* z *(daz, ez, blindez ûz); in* was *pflegt* a *gekürzt, in das gedehnter zu lauten, in* dasz *ist es entschieden kurz. denn der auslaut* sz *liebt vor sich kurzes* a: hasz lasz *(piger)* nasz *und* gebt *inlautend über in* ss: erblassen gasse hassen lasses nasses wasser, *selbst in* lasz *(sine)* und lassen *(sinere) fügt diesem gebot sich die organische länge (mhd.* lâʓ lâʓen). *um-gekehrt hält in* asz aszen, *dasz fraszen, vergasz vergaszen, masz* maszen, *sasz saszen neben der dehnung auch den inlaut* sz *stand.*

A, *ausgang alter flusz- und ortsnamen wie* Bihra Bebra Fulda Steina *f.* Biberach Steinach Biberaha Fuldaha Steinaha. *s. aa, ach und* aha.

Ä, *meistentheils umlaut des kurzen oder langen a, dessen ur-sprung* aus ai *vorhin entfallet wurde, für den auch zeugt, dasz* hin und wieder ahd. aigi *statt* egi, *airin statt ern, eiste statt esto,* meiniki *statt* meniki, sceifte *statt* scefte, *selbst noch mhd. eiste* eingel *statt* este engel, ja *nhd. einlich für* enlich, *ähn-lich geschrieben vorkommen. dem* ai *liegt* æ, *dem* ei *liegt* ê e, *nicht des* â *in* æ, *die mhd. hat beide umlaute und drückt den des kurzen vocals mit* e, *selten durch* æ, *den des langen immer durch* æ aus; *in der mhd. grammatik unter-scheidet man sie so, dasz den umlaut des kurzen vocals* ä, *den des langen* æ *bezeichnet. nhd. ist* ä *viel häufiger und ein un-terschied zwischen beiden im schreiben entbehrlich, so sehr es in der grammatik noth thut ihn geschichtlich zu erkennen.*

Nemlich nhd. ä, *wo es mhd.* æ *entspricht und aus* â *hervor gieng, bleibt immer lang und gedehnt, kann auch nie durch* e *ausgedrückt werden:* schale schälchen, stahlen stähle, Westfal Westfäling, pfahl pfählen, jahr jährig, gefahr gefährlich, wahr bewähren, waren wäre, kamen käme, kram krämer, same sämerei, wahn wähnen, gaben gäbe, Schwab Schwäbin, graf gräfin gräflich, schaf schäfer, strafe sträflich, lagen läge, pflagen pfläge, schwager schwägerin, brachen bräche, sprachen spräche, sahen sähe, nahe nähere, ader gegäder, gnade gnädig, baten büte, rat räte, thaten thäte thäter, trat träten, braten bräter, spat später, sasz säszen, aszen äsze, maszen mäsze, blasen bläser, lasen läse, dachte dächte.

Ist aber ä *umlaut des kurzen* a, *den auch* e *bezeichnet, so fragt es sich nach der anwendung beider, und die regel lautet: wo der umlaut fühlbar, der feine vocal daneben im gang bleibt, ist* ä, *wo der umlaut ungefühlt, die abstammung verdunkelt war, ist* e *zu schreiben.*

Beispiele des ä: saal säle, schmal schmälern, thal thäler, wahl wählen, zahl zählen, ball bälle, fall fälle, galle vergäl-len, nahrung nähren nährhaft, fahre fähre, fahrt fährte, narr

---

närrisch, gram grämen grämlich, damm dämme, lamm lämmer, hammer hämmern, kammer kämmerchen, lahm lähmen, zahm zähmen, an ähnlich, mann männer männlich, fahne fähnrich, zahn zähne, habe häbig, grabe gräber, schnabel schnäbeln, tappe täppisch, lappe läpplein, apfel äpfel, napf näpfe, klage kläger, magd mägde, schlag schläge, nagel nägeln, tag täglich, sagen unsäglich, ertragen erträglich, acker äcker, nacke hart-näckig, bach bäche, lachen lächeln, gemach gemächlich, sache sächlich, schwach schwächen schwächlich, fach fächer fächern, schade schädlich, rad räder, bad bäder, vater väter, blatt blät-ter, glatt glätter glätten, satt sättigen, satz sätze, schatz schätze, hasz häszlich gehässig, lasz lässig, glas gläser, gras gräser, nase näseln, hase häsin, kalb kälber, balg bälge, balke ge-bälk, alt älter, falte fälteln, kalt kälter, walze wälzen, hals hälse, falsch fälschen, arm ärmer, darm därme, erbarmen, er-bärmlich, harm härmen, schwarm schwärmen, warm wärmen, scharf schärfen, arg ärger, bart härte, zart verzärteln, schwarz schwärzen, stampf stämpfen, amt ämter, sanft sänfter sänfti-gen, ranft ränftlein, gang gänge gänglein, hang hänge, sang sänger, schwanger schwängern, wange wänglein, bank bänke, Franke Fränkin fränkisch, ander ändern, brand brände, hand hände händchen, land länder, pfand pfänder, schande schänd-lich, gewand gewänder, rand ränder, tand tändeln, ganz er-gänzen gänzlich, tanz tänze, gans gänse, kraft kräfte, nacht nächte nächtlich, wacht wächter, dachs dächse, Sachse Säch-sin, lachs lächse, asche äscher, gast gäste, macht mächten, last lästig, laster lästern.

Beispiele des e *sind beim* e *nachzusehen, bei* ente, erbe *den begegnen von demselben wort abgeleitete, die* ä *oder* e *ansich tragen:* mann männer aber mensch; arm brachium, ärm-chen, ärmlein brachiolum, aber ermel manica; alt älter aber eltern; hand hände, aber behende; vater väter, aber vetter; weil man in mensch ermel eltern behende vetter die abkunft nicht recht wahrnahm und der alien schreibweise mit e treu blieb, denn mhd. wallet in allen solchen wörtern e statt des mhd. ä. aus satz folgt sätze, doch nicht setzen, da in sasz von sitzen der consonant abwich. nemlich war seiner ablei-tung von name vergessen, obschon viele nichtsmehr schreiben. in schwankenden fällen, z. b. in älster, elster wird das wort durch verneuung gesichert. ähre arista schrieb man schlecht zur un-terscheidung von ehre* honor.

In einzelnen wörtern wie hölle, *geschöpf und andern ist verzeichneten ist dieser umlaut an die stelle von* ä *oder* e *getreten, und im 16. 17. jh. war der misbrauch noch weiter eingerissen.*

Geschrieben wird auch als umlaut von wörtern, die aus ä *meinikin, nur einfaches* ä: aal äle, saal säle, haar härchen, paar pärchen ; niemand wird* ääle ssäle *häärchen wollen, die zu-kauft musz* al *sal* har *herstellen.*

Auszer dem bisher besprochnen ä, *dem umlaut des* a, *er-setzt* ä *verschiedentlich das mhd. aus* i *entspringende* ë *in* bär gebären gähren erwägen währen schämen dämmern dähren und* wärts.

Schwierig, verworren und oft verderbt ist die heutige aus-sprache aller dieser ä *gegenüber dem* e, *und eben dasz nhd. ist an die stelle dieser mhd.* e *getreten ist, hat auf den rechten laut nachtheilig gewirkt. eigentlich sollten alle umgelauteten kurzen* a, *seien sie durch* ä *wie ende, älter wie eltern, kräfte wie hefte, schläge nägel wie regen (movere), fälle wie elle, überall mit dünnem* e *(wie fälle) ausgesprochen sein, wie man dem geschriebnen* ä *mehr den laut des dicken aus* i *ent-sprungnen* ë; *für* ä, *wo es langes* ä *umlautet, ist er erträgli-cher. ein jetziges ohr vermag noch wären defendere von wäh-ren durare, heer von bär im vocal zu unterscheiden, kaum fäl-len casibus von fellen pellibus und unsere aussprache von wäh-len hehlen fehlen, von läsen lesen besten strauchelt. mehr da-von unter* e.

Ä, *weheruf, von weinenden kindern gebraucht:* man hört in der kammer ein kind schreien a! ä! GÖTHE 13, 148 ; *verschie-den davon ein ruf des abscheus an kinder:* das ist ä! *und* s. aa, äks. pfui *was ist das ein* ä *geschmack!* GÖTHE 13, 80.

AA, *f. einsilbig auszusprechen, name vieler flüsse und bäche in der Schweiz, in Westfalen und anderwärts, suffix vieler flusz- und ortsnamen wie* Fulda Jossa Bibra, *früher* Fuldaha Jazaha Bibaraha *(*GRAFF 1, 110). *so ist das ahd.* aha, *mhd.* ahe, *goth.* ahva, *lat.* aqua, *wasser, flusz.*

Zeitgenössische Abschrift der Protestation der Göttinger Sieben.
Die Original-Handschrift ist im Zweiten Weltkrieg verbrannt.

DIE PROTESTATION DER SIEBEN PROFESSOREN
VOM 18. NOVEMBER 1837

Hohes Königliches Universitäts-Curatorium.
Göttingen, den 18. November 1837

Unterthänigste Vorstellung einiger Mitglieder der Landes-Universität,
das Königliche Patent vom 1. Nov. d. J. betreffend.

Die unterthänigst Unterzeichneten fühlen sich in ihrem Gewissen gedrungen, über den Inhalt des Königl. Patents vom 1ten d. M. ihre ehrerbietige Erklärung vor dem hohen Universitäts-Curatorium niederzulegen.

Die Unterzeichneten können sich bei aller schuldigen Ehrfurcht vor dem Königlichen Wort in ihrem Gewissen nicht davon überzeugen, daß das Staatsgrundgesetz um deßhalb rechtswidrig errichtet, mithin ungültig sei, weil der Höchstselige König (…) bei seiner Verkündigung einige Anträge der allgemeinen Ständeversammlung ungenehmigt gelassen und einige Abänderungen hinzugefügt hat, ohne daß diese zuvor den allgemeinen Ständen mitgetheilt und von ihnen genehmigt wären. Denn dieser Vorwurf der Ungültigkeit würde nach der anerkannten Rechtsregel, daß das Gültige nicht durch das Ungültige vernichtet wird, denn doch immer nur diese einzelnen Punkte, die nach ihrem Inhalte durchaus nicht das Ganze bedingen, treffen, keineswegs das ganze Staatsgrundgesetz. (…)

Wenn daher die unterthänigst Unterzeichneten sich nach ernster Erwägung der Wichtigkeit des Falles nicht anders überzeugen können, als daß das Staatsgrundgesetz seiner Errichtung und seinem Inhalte nach gültig sei, so können sie auch, ohne ihr Gewissen zu verletzen, es nicht stillschweigend geschehen lassen, daß dasselbe ohne weitere Untersuchung und Vertheidigung von Seiten der Berechtigten, allein auf dem Wege der Macht zu Grunde gehe. Ihre unabweisliche Pflicht vielmehr bleibt, wie sie hiemit thun, offen zu erklären, daß sie sich durch ihren auf das Staatsgrundgesetz geleisteten Eid fortwährend verpflichtet halten müssen (…).

Sobald sie vor der studirenden Jugend als Männer erscheinen, die mit ihren Eiden ein leichtfertiges Spiel treiben, eben sobald ist der Segen ihrer Wirksamkeit dahin. Und was würde Sr. Majestät dem Könige der Eid unserer Treue und Huldigung bedeuten, wenn er von Solchen ausgienge, die eben erst ihre eidliche Versicherung freventlich verletzt haben?

F.C. Dahlmann. E. Albrecht. Jacob Grimm. Wilhelm Grimm. G. Gervinus. H. Ewald. Wilhelm Weber.

Günter Grass
Sechs Jahrzehnte
Ein Werkstattbericht

Seit nunmehr sechs Jahrzehnten ist Günter Grass ununterbrochen produktiv – als Schriftsteller, Bildhauer, Zeichner und engagierter Bürger. *Sechs Jahrzehnte* erlaubt einen Blick hinter die sonst geschlossene Tür seines Ateliers: sein Werkstattbericht lädt uns ein, dem Nobelpreisträger von Buch zu Buch, von Jahrzehnt zu Jahrzehnt zu folgen. Er lässt uns teilhaben an privaten Krisen und Glücksmomenten, gewährt Einblick in seinen Schaffensprozess: Gedichte, Ideenskizzen, redigierte Manuskriptseiten, Umschlagentwürfe, Arbeitspläne.

Wir lernen den hungernden und frierenden jungen Mann kennen, der sich 1946/47 in den Kopf setzt, Bildhauer zu werden, den älter gewordenen Autor, der letzte Tänze tanzt und dem sich, zum Glück, immer wieder abzeichnet, »was zu tun noch möglich sein könnte«.

592 Seiten mit zahlreichen Abbildungen
Leineneinband, Fadenheftung, Lesebändchen
€ 44,00
ISBN 978-3-86930-831-9

Steidl Verlag · Düstere Str. 4 · 37073 Göttingen
www.steidl.de